LUIS MIRANDA PODADERA

Ortografía práctica

DE LA LENGUA ESPAÑOLA

**Método progresivo
para escribir
correctamente**

**Con las modificaciones
de Prosodia y Ortografía
que la Real Academia
declaró de aplicación
preceptiva a partir de
enero de 1959**

40ª Edición reformada
y actualizada

Editorial Hernando

ISBN: 84-7155-157-8
Depósito legal: M. 38.922-1981
Printed in Spain
Closas-Orcoyen, S. L. Polígono Igarsa
Paracuellos del Jarama (Madrid)

NOTA A LA PRESENTE EDICIÓN REFORMADA Y ACTUALIZADA DE LA *ORTOGRAFÍA PRÁCTICA*

Con el fin de agilizar su contenido, haciéndolo más adecuado a los modernos estilos y hábitos pedagógicos, nos hemos decidido a reformar esta obra, a la que, todavía, podemos considerar como el mejor y más completo tratado de ortografía del idioma castellano. Esta reforma comprende, fundamentalmente, los siguientes aspectos:

— Ordenación lógica y sistemática de los contenidos.
— Clarificación del texto, añadiendo ejemplos y distinguiendo entre regla ortográfica y confirmación y aplicación de esa regla.
— Eliminación de algunos contenidos inadecuados hoy para un manual de uso general.
— Inclusión de un índice práctico.
— Insistencia, ampliación y refuerzo de las partes más arduas de la ortografía: Reglas para emplear correctamente las letras de escritura dudosa, acentos y uso adecuado de los signos de puntuación.
— Inclusión de las modificaciones aparecidas en la *Ortografía* de la Real Academia de 1959 y 1974.
— Presentación más cuidada, adaptada para un estudio individualizado.

Como hemos visto, aparte de la necesaria actualización de la normativa que la Real Academia nos impone, las reformas introducidas no sólo respetan los contenidos esenciales de anteriores ediciones, sino que los valoran y realzan mediante una ordenación más lógica y sistemática, y, por tanto, más útil y eficaz.

Hoy podemos asegurar, como ayer lo hacía el autor de este libro, que el contenido de la *Ortografía Práctica* es el más completo y el más adecuado para asegurar al estudiante un dominio rápido y suficiente de las reglas del idioma escrito.

Bastará para conseguir tan importante objetivo con aprender primero las fáciles reglas que se dan para el uso de las letras; una vez estudiadas, es de suma importancia escribir *diariamente* uno o dos temas, fijándose en las incorrecciones cometidas, para no reincidir en la misma falta en las prácticas siguientes. Ya hechos todos los ejercicios, y al comenzarlos de nuevo, se observará que, insensiblemente, se ha llegado a dominar una gran parte de ese estudio, que, por el mismo procedimiento, se perfeccionará en su totalidad.

Los ejercicios ortográficos son, a la vez, pasajes históricos que enseñan con amenidad y auxilian poderosamente la labor del profesor; también se recogen ejercicios compuestos por el autor para ciertas oposiciones.

Se dedican diversos capítulos a *locuciones latinas* empleadas en español; *palabras más corrientes que acepta la Academia con distintas grafías; vocablos incorrectos,* consignándose las principales dicciones rechazadas por la Real Academia de la Lengua; *terminología de expresiones y vocablos extranjeros,* muy frecuentemente utilizados por todos los medios de difusión, lo que exige su conocimiento para interpretarlos debidamente.

Se incluyen palabras *homófonas* y *parónimas; nombres históricos, geográficos y de cultura general,* que, por su dificultosa ortografía, cualquier persona culta debe intentar conocer para no hacer un papel desairado al no saber escribirlos correctamente.

Como es lógico, a todos estos capítulos siguen sus correspondientes ejercicios.

Al final se inserta una relación de palabras de dudosa ortografía y de no pocos de los nuevos vocablos admitidos por la Real Academia.

Con todo lo expuesto, presentamos esta nueva edición de la *Ortografía Práctica* con la seguridad de que, de nuevo y por mucho tiempo, será la mejor e insustitutible ayuda de estudiantes y profesores.

INDICE

CAPÍTULO III:

LOS ACENTOS

CAPÍTULO IV:

USO ACERTADO DE LOS SIGNOS DE PUNTUACIÓN

CAPÍTULO V:

COMPLEMENTOS

CAPÍTULO VI:

PRÁCTICA Y REPASO DE LA ORTOGRAFÍA, MEDIANTE EJERCICIOS HISTÓRICO-ORTOGRÁFICOS

DE LA ESCRITURA

Verba vólant; scripta mánent.

Dice el refranero español: *Lo escrito, escrito queda; las palabras, el viento las lleva.*

De aquí nace la utilidad e importancia de la escritura, que es un auxiliar poderosísimo para el desarrollo del pensamiento humano. Tan precisa y necesaria es, que, sin ella, la civilización y el progreso hubieran sido escasos.

Si el esfuerzo individual o colectivo en el mundo ideológico no se hubiera podido conservar para que fuese aprovechado por otros hombres habría sido casi estéril e ineficaz la labor de largos siglos registrada por la Historia. La invención de la escritura se debe a ese afán natural del género humano de comunicarse con los ausentes y de perpetuar sus ideas, hechos y preceptos para que sirvan de base y estímulo a estudios posteriores, llevados a cabo por venideras generaciones.

La escritura se divide en *ideográfica:* que expresa las *ideas;* y en *fonética:* que representa los *sonidos.* Ha comenzado en todos los pueblos por ser ideográfica, transformándose gradualmente en fonética.

El origen de la escritura se pierde en la obscuridad de los tiempos primitivos. Los primeros signos se encuentran escritos sobre piedras o ladrillos cocidos.

Se distinguen tres principales sistemas de escritura:

1.ª La *cuneiforme*, con especial característica de trazos en forma de cuña, que fue empleada por algunos pueblos antiguos del Asia.

2.ª La *egipcia*, que se componía de la *demótica* o vulgar, de la *jeroglífica* o simbólica y de la *hierática* o sacerdotal.

3.ª La *fenicia*, derivada de la hierática, con eliminación de todo vestigio de ideografía.

Formaron los fenicios su alfabeto de 22 caracteres, y de él nacieron los empleados por los hebreos, griegos, iberos, germanos, eslavos, árabes, libios e indos.

Los griegos y romanos escribían sobre tablillas de madera cubiertas de cera o sobre papiros y pergaminos, con un punzón llamado *stylus* o *pugillus* (puñal pequeño), que en ocasiones se utilizaba como arma defensiva, y con una caña afilada y hendida en la punta, a los cuales substituyó la pluma a fines del siglo IX.

A últimos de la Edad Media, reemplazó al pergamino el papel de algodón y el de hilo. En cuanto a la tinta, en la antigüedad se empleaba, generalmente, negra para el cuerpo de los escritos, y encarnada, de cinabrio, para los títulos.

EL PORQUÉ DE LA ORTOGRAFÍA

Hasta que la Real Academia emita, con carácter normativo, nuevas definiciones gramaticales, nos atendremos a las que la docta corporación consigna en la decimonovena edición de su *Diccionario,* de 1970:

PROSODIA es la parte de la Gramática que enseña la recta pronunciación y acentuación de las letras, sílabas y palabras.

ORTOGRAFÍA es la parte de la Gramática que enseña a escribir correctamente por el acertado empleo de las letras y de los signos auxiliares de la escritura.

A la Prosodia corresponden la ORTOLOGÍA, arte de pronunciar bien, y la FONÉTICA, estudio de los sonidos de un idioma.

La CALIGRAFÍA, que es el arte de delinear bien las letras, no pertenece a la Gramática.

El vocablo *ortografía* proviene del grigo *ortos,* que significa correcto, y *grafía,* escritura.

¿Cuál es la importancia de la *Ortografia?*

La lengua, en su aspecto oral, con el tiempo, los usos y los lugares, se desvirtúa y diversifica, corriendo el peligro de diferenciarse excesivamente y atomizarse. En su aspecto escrito, el riesgo de diversificación es menor, pero real. La *Ortografía* pretende mantener la unidad de la lengua mediante la unificación de criterios y usos al escribir.

«Tres principios dan fundamento a la *Ortografía* española: la *pronunciación* de las letras, sílabas y palabras; la *etimología* u origen de las voces, y el *uso* de los que mejor han escrito. Voces escribimos con arreglo a su etimología u origen, es decir, como se escribía cada una de ellas en la lengua de donde fue tomada para la nuestra; voces tenemos que por la fuerza del uso se escriben contra la etimología. Preciso es, pues, conocer las varias reglas que se derivan de los tres principios enumerados. Conviene añadir que para el porvenir de nuestra lengua, hablada en muchos y extensos territorios, es indispensable mantener la unidad del sistema ortográfico por encima de las variantes locales de pronunciación.»

En la actualización de esta ORTOGRAFÍA PRÁCTICA nos hemos fijado en todo momento en la *Ortografía* de la Real Academia Española de 1969 («que incorpora al texto tradicional las *Nuevas Normas* declaradas de aplicación preceptiva desde el 1.º de enero de 1959») y en la 2.ª edición corregida y aumentada de 1974, ya que el *Esbozo de una Nueva Gramática de la Lengua Española*, editado por la Real Academia en 1973, aunque muy reciente, carece de carácter normativo.

Las pocas y únicas citas que aparecen entrecomilladas en nuestro libro proceden en su totalidad de la *Ortografía* arriba citada.

Las reglas didácticas de este libro recogen, en su totalidad, las normas de la Real Academia Española y su texto está escrito observándolas estrictamente.

Capítulo I

DE LA ORTOGRAFÍA EN GENERAL

«La ORTOGRAFÍA enseña a escribir correctamente las palabras.

»La escritura española, como la de otras muchas lenguas, representa las palabras por medio de letras, figuradas en cualquiera superficie.

»El abecedario de un idioma representa gráficamente, en su intención originaria, el conjunto o sistema de los fonemas usuales, es decir, los sonidos que de modo consciente y diferenciador emplean los hablantes. Ya veremos luego cómo en la historia del idioma y en sus variedades geográficas se altera la correspondencia entre el sistema fonológico y las letras o signos alfabéticos que lo representan en la escritura. Una ortografía ideal debería tener una letra, y sólo una, para cada fonema.»

1. FONEMAS

«La Fonología establece los fonemas que la lengua española tiene actualmente en uso. Para expresarlos dispone de veintinueve letras, signos o caracteres. Ediciones antiguas de obras castellanas ofrecen algunas más: la ç, la ss, la ph y la th, pero ya han caído totalmente en desuso. De las 29 letras del alfabeto español, la k sólo se emplea en un número limitado de voces de origen griego *(kilómetro, kilogramo, kirie)* o ·extranjero *(kantiano, kiosco, kéfir);* la *w* se usa únicamente en palabras de procedencia extranjera.

»Entre las lenguas modernas de cultura, la ortografía española se ha mantenido relativamente cerca de la pronunciación real. Sin embargo, existen diferencias entre una y otra, motivadas por la evolución fonética del idioma, por sus variantes geográficas y por la misma tradición ortográfica. Así, la *h,* que en otro tiempo fue aspirada, carece hoy de valor fonológico y no es más que un signo ortográfico ocioso, mantenido por una tradición respetable; la *v* no es un fonema distinto de *b* más que en ciertas zonas levantinas de España; *c-k-q* representan un solo fonema velar, oclusivo y sordo, como en *casa, kilómetro, quien; g-j* son iguales en *colegio* y *jardín; c* castellana ante *e, i,* tiene el mismo valor fonológico que *z.* Las letras *j, x* representaban en la ortografía medieval dos fonemas distintos, palatal, fricativo y sonoro el primero, y sordo el segundo, como en *paja* y *caxa,* respectivamente. Ambos sonidos se identificaron primero en el sonido sordo, y después del siglo XVI evolucionaron hacia el fonema moderno de *j,* velar fricativo, vibrante y sordo; así pronunciamos y escribimos hoy *paja, caja, Quijote, jícara.* La grafía medieval *s* se diferenciaba de *ss* en que la primera era sonora y la segunda sorda, como en *casa* y *passar;* en la Edad Moderna se perdió esta diferencia fonética en favor de la sorda, y la ortografía reflejó el cambio empleando la *s* única en todos los casos. En los países y regiones donde se practica el seseo, *c* (ante *e, i), z* y *s* se identifican en el fonema de *s* predorsal, si bien la ortografía mantiene el uso de las tres letras según el uso castellano. Lo mismo ocurre con la pronunciación yeísta, que confunde la *ll* con la *y.* Siguiendo la grafía latina, el español antiguo escribía las letras *i, u* sin distinguir si eran vocales o consonantes, por ejemplo, *iacia, io, iunque, cuéuano, uestir,* que hoy escribimos *yacia, yo, yunque, cuévano, vestir.* Desde Nebrija hasta hoy, doctos gramáticos han pugnado por reformar la Ortografía española, con el intento de que se escriba como se habla, pero esto halla siempre obstáculos y dificultades grandes.»

2. LETRAS

La **letra** es el signo o carácter gráfico empleado en el lenguaje escrito.

El conjunto de letras que componen un idioma o lengua es el **abecedario** o **alfabeto.** El español consta en la actualidad de 29 letras, después de incorporada la *w.*

El abecedario es la base de la representación gráfica de los **fonemas** o sonidos simples del lenguaje hablado. Estos fonemas pueden constar de una o varias letras.

Las letras pueden ser **mayúsculas** o **minúsculas.** Las mayúsculas, que en tipografía se llaman *versales,* son mayores y generalmente de forma distinta que las minúsculas.

Las 29 letras, en sus caracteres tipográficos de mayúsculas o minúsculas más usuales, con sus correspondientes nombres al pie, son las siguientes:

A a,	B b,	C c,	Ch ch,	D d,	E e,	F f,	G g,	H h,
a,	*be,*	*ce,*	*che,*	*de,*	*e,*	*efe,*	*ge,*	*hache,*

I i,	J j,	K k,	L l,	Ll ll,	M m,	N n,	Ñ ñ,	O o,	P p,
i,	*jota,*	*ka,*	*ele,*	*elle,*	*eme,*	*ene,*	*eñe,*	*o,*	*pe,*

Q q,	R r,	S s,	T t,	U u,	V v,	W w,	X x,	Y y,	Z z.
cu,	*ere* o *erre,*	*ese,*	*te,*	*u,*	*ve* o *uve, uve doble,*		*equis,*	*ye,*	*zeda* o *zeta*

La palabra *abecedario* se deriva del nombre de sus tres primeras letras, y *alfabeto* de las dos primeras del griego: *alfa* y *beta.*

Las letras se dividen en dos grupos: **sencillas** y **dobles.** Dobles son las que se escriben con dos signos: *ch, ll* y *rr,* y sencillas las demás.

Vocales son las letras que se pronuncian mediante una espiración simple que hace vibrar la laringe sin que el sonido producido en ésta halle ningún obstáculo que lo modifique al pasar por la boca. En español son cinco: *a, e, i, o, u.* Se llaman **fuertes** la *a, e, o,* y **débiles** la *i, u,* [1].

En la emisión de las vocales no toman parte los dientes, y apenas actúan la lengua y los labios.

---

[1] Aunque no se incluya la *y* entre las vocales, prácticamente puede considerarse como tal en algunas de sus funciones.

El sonido de la **a** se produce al expeler el aire y repercutir en la garganta; el de la **e**, entre la garganta y el paladar; el de la **i**, cuando se expele el aire y repercute en la bóveda del paladar; el de la **o**, entre la garganta y los labios; el de la **u**, al lanzar el aire hacia los labios.

Se denominan **consonantes** todas las demás, para cuya pronunciación el sonido espirado encuentra algún entorpecimiento en la cavidad bucal al salir al exterior.

La **y** o **ye** cuando se usa como conjunción o fin de sílaba tiene el mismo sonido que la **i** vocal. Suele llamarse también por ello *i griega.*

Las consonantes *c, g* y *r* tienen dos formas de pronunciación:

La *c* tiene sonido de *z* delante de las vocales *e, i: cepo, cine;* y sonido de *k* cuando precede a las letras *a, o, u: casa, conde, cuando.*

La *g* suena suave en palabras como: *gamo, gorro, guante, gloria,* etc. y fuerte, a manera de *j,* delante de las vocales *e, i: apogeo, dirigir.*

La *r* tiene también dos sonidos: uno suave de *ere: veremos* y otro fuerte de *erre: enrevesado, radical.*

Se llaman letras **mudas** las que no se pronuncian, como la *h* [1]. Igualmente la *u* en *que, qui, gue, gui.*

Por su pronunciación las consonantes se clasifican en [2]:

Bilabiales, que se originan por el contacto de los dos labios: *b, m, p.*

Guturales, que se producen con la garganta: la *g* antes de las vocales *a, o, u.*

---

1) Siglos atrás, era general aspirar la *h* y existen aún vestigios en algunas palabras, como *haca* y *holgorio,* equivalentes a *jaca* y *jolgorio,* que figuran en el Diccionario de la Academia consignadas de ambas formas. Hoy es letra muda porque no tiene sonido alguno.

2) Se anuncia por la Real Academia una racional clasificación de los sonidos consonánticos y vocálicos, de la que ha de tratar ampliamente en su nueva gramática. Hasta la aparición de dicho texto, nos parece conveniente mantener la sencilla clasificación que se incluye.

Guturales-velares, originadas por la contracción de la garganta y que se articulan con el velo del paladar: *k* (en todo caso), *ç* (delante de *a, o, u*).

Linguales, que se originan con la lengua: *r*.

Paladiales, que se articulan con el paladar: *ch, rr*.

Linguopaladiales, que se provocan con la lengua y se articulan con el paladar: *s, ll, l*.

Linguodentales, las producidas al colocar la lengua entre los dientes: la *z* y la *c*, si va delante de *e, i*.

Linguodentales paladiales, las que se producen con el golpe de la lengua en el paladar, junto a los dientes superiores: *d, t*.

Labiodentales, las formadas cuando se colocan los dientes superiores sobre el labio inferior: *f, v*.

Linguopaladiales nasales, las que, articulándose con la lengua y el paladar, se producen con una espiración por la nariz: *n, ñ*.

Paladiales fricativas, las que, al articularse en el paladar, rozan los órganos bucales con el aire expelido: *y* ante vocal.

Velares, las que se pronuncian con la aproximación de la lengua al velo del paladar: *k, q,* ante *e, i,* o *ue, ui*.

Velares fricativas, las que se emiten con el velo del paladar, rozando el aire los órganos bucales: *j, x*. También la *g* delante de *e, i*.

De la *h* ya hemos dicho que es una letra muda, la cual perdió el sonido aspirado gutural que tenía en el castellano antiguo.

3. SÍLABAS

La letra o conjunto de letras que se pronuncian en una emisión de voz más o menos independizada constituye una **sílaba.** En castellano hasta seis letras pueden contarse en alguna sílaba: *a-griéis, ex-pa-triéis*.

1. Por el número de letras, se clasifican las sílabas en:

monolíteras, que tienen una sola letra, como: *a, y, o;*

polilíteras, que se componen de varias letras. Se denominan **bilíteras** las de dos: *ca-si-ta;* **trilíteras,** las de tres: *bon-dad,* etc.

2. Por las vocales de que constan, en:

simples, si tienen una vocal, como: *bo-ni-to;*

compuestas, si hay varias vocales, como: *fue, vio.*

3. Por el número de consonantes de que se componen, en:

incomplejas, que llevan una sola consonante, como: *la-pi-ce-ro;*

complejas, que constan de varias consonantes, como: *tro-tar.*

4. Por la colocación de las letras, en:

directas, si empiezan por consonante: *pa-le-to;*

inversas, si empiezan por vocal: *ir, as, ¡ox!;*

mixtas, si va la vocal entre consonantes: *rin-cón.*

En la palabra *olvidar* se encuentran reunidas las tres.

Cuando son dos las consonantes, en cualquiera de los tres casos, se denominan: **directa doble:** *bra;* **inversa doble:** *abs;* **mixta doble:** *trans.*

5. Por la letra final, en:

cerradas, si finalizan en consonante: *cár-cel;*

abiertas, si terminan en vocal: *pu-che-ro.*

4. PALABRAS

Palabra (o voz, como sinónimo de palabra) es el sonido o conjunto de sonidos articulados con los que se manifiesta una idea, y también la expresión gráfica de tales sonidos: *luz, guerra, amor.*

Las palabras alteran su acepción y su estructura en virtud de los **afijos,** que son partículas que se anteponen o se agregan a las voces y reciben los nombres de **prefijos** o de **sufijos.**

Prefijos, los que se anteponen a las palabras y modifican su significado porque producen el vocablo compuesto: a*traer,* **tra**sante*ayer.*

Muchos son griegos o latinos, como: **mono**s*ílabo,* **omni**p*o-tente,* etc.

Sufijos, los que se posponen a las palabras e igualmente modifican su significado, formando la voz derivada: *cafe***tera,** *ordena***ción.**

Por el número de sílabas, se dividen las palabras en:

Monosílabas, si tienen una sola sílaba: *Luis, flor, ya, bien.*

Polisílabas, si tienen varias sílabas, y se denominan **disílabas** o **bisílabas** las de dos sílabas: *si-lla;* **trisílabas,** las de tres: *ca-be-za;* **tetrasílabas** o **cuatrisílabas,** las de cuatro: *con-se-cuen-cia;* **pentasílabas,** las de cinco: *in-to-le-ra-ble.*

Por razón del acento, pueden ser las palabras **átonas** o **tónicas:**

Átona es la palabra inacentuada, es decir, la que carece de acento prosódico, y se apoya en el de la voz inmediata; v. gr.: **me** dio **el** pan.

Tónica, la que lleva una o dos sílabas acentuadas prosódica-mente; v. gr.: atenta, atentamente.

Familia de palabras la constituyen todas las que etimológi-camente provienen de la misma raíz, como: *orden, ordenar, ordenación, ordenador, ordenamiento, ordenanza, ordinario, ordinariez,* etc.

Capítulo II

REGLAS PARA EMPLEAR CORRECTAMENTE LAS LETRAS DE ESCRITURA DUDOSA[1]

Cuando se domina la Ortografía, el acertado empleo de las letras es automático, sin que el que escribe tenga que detenerse a pensar si ha de utilizar uno u otro signo. Sin embargo, para el que se inicia en este arte, son muy útiles ciertas normas que facilitan en alto grado la correcta escritura de determinadas palabras.

En las páginas que siguen se recogen las reglas que el autor estima más interesantes a este fin, así como distintos temas para ejercitarlas; pero antes de pasar a su estudio es procedente hacer las siguientes consideraciones en relación con la escritura de vocablos de dudosa grafía:

1.ª Tendremos presente que las palabras derivadas y compuestas conservan, salvo contados casos, la misma ortografía que las primitivas y simples.

---

1) Cuando los alumnos hayan estudiado las reglas ortográficas correspondientes a cada letra, el profesor les dictará un día un grupo de palabras dudosas, y otro, un tema de frases completas que les corregirá, llegando a exigir, si lo estima oportuno, que copien repetidamente el vocablo en que hubieran cometido falta. Este sistema es de resultado seguro, sobre todo si se repiten los temas de palabras y frases hasta su completo dominio.

Los pasajes histórico-ortográficos, que también se incluyen en este libro, adiestran de manera notable al estudiante.

El significado de las palabras que se desconozcan se hallará en el vocabulario que se inserta al final de la obra.

2.ª Las *Nuevas Normas* autorizan que en los vocablos que comienzan por **ps, mn** y **gn**, pueda suprimirse la primera consonante y escribir **psicología** o **sicología; mnemotecnia** o **nemotecnia; gnomo** o **nomo.**

3.ª Asimismo, admiten estas *Nuevas Normas* las formas contractas **remplazo, remplazar, rembolso** y **rembolsar,** además de las tradicionales con doble e: **reemplazo, reemplazar, reembolso** y **reembolsar.**

1. USO DE LAS LETRAS MAYÚSCULAS

«En lo manuscrito no suelen escribirse con letras mayúsculas palabras o frases enteras.

En las portadas de los libros impresos, en los títulos de sus divisiones y en las inscripciones monumentales, lo más común es usar de solas mayúsculas, todas, generalmente, de igual tamaño. Los nombres propios, títulos de obras, dicciones y aun cláusulas que se quiera hacer resaltar, pueden escribirse con todas sus letras mayúsculas; pero en cualquiera voz en que se haya de emplear letra mayúscula con una o con diferentes minúsculas, aquélla ha de ser la inicial o primera de la dicción.

Se escribirán con letra inicial mayúscula:

1. La primera palabra de un escrito y la que vaya después de punto.

2. Todo nombre propio; v. gr.: *Dios, Jehovah, Jesús, Luzbel, Platón, Pedro, María, Álvarez, Pantoja, Apolo, Calíope, Amadís de Gaula; Europa, España, Castilla, Toledo, Madrid, Carabanchel, La Zarzuela; Cáucaso, Himalaya, Adriático, Tajo, Aganipe; Bucéfalo, Babieca, Rocinante.*

3. Los atributos divinos, como *Criador* y *Redentor;* los títulos y nombres de dignidad, como *Sumo Pontífice, Duque de Osuna, Marqués de Villena;* los nombres y apodos con que se designa a determinadas personas, como el *Gran Capitán, Alfonso el Sabio, García el Trémulo,* y particularmente los dictados generales de jerarquía o cargo importante cuando equivalgan a nombres propios. Así, en las respecti-

vas historias de Paulo V, Felipe III y D. Pedro Téllez Girón, v. gr.: se escribirán con mayúscula *el Papa, el Rey* y *el Duque* cuantas veces fueren nombrados en esta forma aquellos personajes; pero se deberá usar de minúscula, por ejemplo, en la vulgar sentencia: *El papa, el rey y el duque están sujetos a morir, como lo está el pordiosero.*

4. Los tratamientos, y especialmente si están en abreviatura, como *Sr. D. (Señor Don), U.* o *V. (usted), V. S. (usía)*, etcétera. *Usted*, cuando se escribe con todas sus letras, no debe llevar mayúscula.

5. Ciertos nombres colectivos, en casos como éstos: *el Reino representó a S. M. contra tales desórdenes; el Clero lo había hecho antes.*

6. Los substantivos y adjetivos que compongan el nombre de una institución de un cuerpo o establecimiento: *el Supremo Tribunal de Justicia; el Museo de Bellas Artes; el Colegio Naval; la Real Academia de la Historia.*

7. Los nombres y adjetivos que entraren en el título de cualquier obra: *Tratado de Esgrima; Ortografía Castellana; Historia de los Vándalos*, etc. No se observa esta regla cuando el título es largo; v. gr.: *Del rey abajo, ninguno, y labrador más honrado, García de Castañar.*

8. En las leyes, decretos y documentos oficiales suelen escribirse con mayúscula todas las palabras que expresan poder público, dignidad o cargo importante: como *Rey, Príncipe, República, Regente, Trono, Corona, Monarquía, Estado, Gobierno, Ministro, Senador, Diputado, Autoridad, Justicia, Magistrado, Juez, General, Jefe, Gobernador, Alcalde, Director, Consiliario, Secretario*, etc.

9. Cuando no encabecen párrafo o escrito, o no formen parte de un título, se recomienda escribir con minúscula inicial los nombres de los días de la semana, de los meses, de las estaciones del año y de las notas musicales.

10. Se recomienda que en las publicaciones que incluyen listas de términos no se utilicen mayúsculas o, si así se hace, se mantengan las acentuaciones ortográficas, con el propósito de evitar confusiones en la interpretación de vocablos.

11. Suele emplearse mayúscula a principio de cada verso, de donde las letras de esta forma tomaron el nombre de *versales*. En la poesía moderna es frecuente encabezar los versos con minúscula.

12. La numeración romana se escribe hoy con letras mayúsculas, y se emplea para significar el número con que se distinguen personas del mismo nombre, como *Pío V, Fernando III*, el número de cada siglo, como el actual, el XX de la Era Cristiana; el de un tomo, libro, parte, canto, capítulo, título, ley, clase y otras divisiones, y el de las páginas en los prólogos y principios de un volumen.

13. Cuando hubiere de escribirse con mayúscula la letra inicial de voz que empiece con *Ch* o *Ll*, sólo se formarán de carácter mayúsculo la *C* y la *L*, que son primera parte de estas letras compuestas o dobles. Escribiremos, pues, *Chinchilla* y *Chimborazo*, *Llerena* y *Llorente* y de ninguna manera *CHinchilla, CHimborazo, LLerena, LLorente*.»

2. LECCIÓN PRÁCTICA DE LETRAS MAYÚSCULAS

El Papa Benedicto recibió en el Vaticano al Marqués de Puente Arce y a la Baronesa de Castillejo, Grandes de España, que entregaron al Sumo Pontífice un ejemplar de *El Reino de Dios*, obra del Excmo. y Reverendísimo Sr. Arzobispo de Madrid.

Son célebres en la Historia de España los Reyes Católicos, el Gran Capitán, Felipe II y Carlos I.

Los puntos cardinales son cuatro: Norte, Sur, Este y Oeste o Ueste.

Miguel Olmo llevaba de apodo *Cascarrabias*.

La Biblia es la Sagrada Escritura. Dios entregó a Moisés las Tablas de la Ley en el monte Sinaí.

El Ejército es muy disciplinado.

El Gobierno representa al Estado.

El Presidente del Consejo de Ministros, a propuesta del Gobernador, acordó la supresión de la Junta.

Cristóbal Colón, patrocinado por Isabel la Católica, descubrió el Nuevo Mundo.

La península Ibérica está bañada por el mar Cantábrico, océano Atlántico y mar Mediterráneo.

Me doctoré en la Universidad de Santiago de Compostela. Mi padre es el director del Instituto General y Técnico.

D. Esteban Fernández, Alcalde constitucional de Salamanca.

Certifico: Que Juan López Gil, de esta vecindad, hijo de Antonio y Elisa, ha observado siempre buena conducta.

Le decía a V. que las maravillas del mundo son siete: las Pirámides de Egipto, los Pensiles de Babilonia, el Sepulcro de Mausolo, el Templo de Diana en Éfeso, el Júpiter de Fidias, el Coloso de Rodas y el Faro de Alejandría.

3. REGLAS PARA EL USO DE LA B

Se escriben con **b**:

1. Las formas de los verbos cuyo infinitivo finalice en **bir**, menos las correspondientes a *hervir, servir y vivir*.

2. Las de los que terminen en **aber**, menos las de *precaver*.

3. Las de los que acaban en **buir**, como: *distribuir, atribuir*.

4. Las terminaciones **aba, abas, ábamos, abais, aban,** de los pretéritos imperfectos de indicativo de los verbos de la primera conjugación: *amaba, cantabas, esperaban*.

5. El pretérito imperfecto de indicativo del verbo ir: **iba, ibas, íbamos, ibais, iban.**

6. Las palabras que comienzan por **bi, bis** o **biz** (del latín, *dos*), como: *binario, bistraer, biznieto*.

7. Las palabras que empiezan por **bien** o se componen de **bene** (del latín, *bien*), como: *bienandanza, benévolo,* menos: *vientre, viento, viendo y Viena*.

8. Las palabras que principian por **bea**: *beatitud;* salvo las formas verbales *vea, veas, veamos, veáis, vean*.

9. Las palabras que empiezan por **bibl**, o por las sílabas **bu, bus,** o **bur,** como: *Biblia, bufanda, buscar, burla*.

10. Las palabras que comienzan por **abo** o **abu,** menos *avocar, avoceta, avulsión, avucasta* o *avutarda* y *avuguero*.

11. Las palabras terminadas en **bundo** o **bunda**, como: *meditabundo, moribunda.*

12. Los vocablos acabados en **bilidad**, menos: *movilidad* y *civilidad.*

13. Las voces finalizadas en **ílabo** o **ílaba**, como: *monosílabo, polisílaba.*

14. Se emplea **b**, nunca **v**, en fin de sílaba: *absoluto;* en fin de palabra: *nabab;* antes de otra consonante: *tabla,* y después de **m**: *cambio.*

15. Los infinitivos y todas las formas de los verbos **beber** y **deber**.

16. Los infinitivos y casi todos los tiempos de **caber, haber** y **saber**.

17. Los compuestos y derivados de voces que llevan esta letra: *contrabando,* de **bando;** *abanderado* de **bandera**.

18. Salvo las excepciones que se citan, se escribe **b** en las palabras que comienzan por las siguientes sílabas, y a continuación inmediata de las mismas.

Al, menos: *Alvaro, álveo, alveolo, alverja, alveario* y *alvino* (relativo al bajo vientre).

Ca, menos: *cavia, caviar, caví, caverna, cavidad, cavilar, cavar, cavacote, cavadiza, cavo,* (cóncavo), *cavatina* y otros inusitados.

Car, menos: *carvajal, carvajo, carvallar, carvalledo, carvayo* o *carvallo* y *carví.*

Ce.

Cu.

Gar.

Gu.

Ha, menos: *havar* o *havara* (de una tribu beréber).

He.

Hi.

Ho, menos: *hove* y *hovero.*

Hu.

La, menos: *lavar, lava* (del volcán), *lavazas, lavativa* y *lavanco.*

Lo, menos: *lovaniense.*

Nu.

Ra, menos: *ravenés* y *ravioles.*

Ri, menos: *rival* y *rivera* (arroyo).

Ro.

Ru.

Sa, menos: *savia* (jugo de plantas).

Si.

So, menos: *sovoz* (a) y *soviet.*

Su, menos: *suvertir* (antic.).
Ta.
Te.
Ti.
To, menos: *tova* (ave).
Tra, menos: *través, travie-so, traviesa, travesía, travesaño* y *travestido.*

Tre.
Tri, menos: *trivial* y *trivio.*
Tu, menos: *tuvo* y demás tiempos y formas de *te-ner.*
Tur.
Ur.
Ver.

4. REGLAS PARA EL USO DE LA V

Se usa **v:**

1. En las formas de los verbos cuyo infinitivo termina en **servar,** menos en las correspondientes a *desherbar*[1].

2. En las personas de los verbos que no tienen **b** ni **v** en su infinitivo, como: *tuve, estuve, anduve* (menos en las terminaciones *aba, abas, ábamos, abais, aban,* del pretérito imperfecto de indicativo).

3. En los vocablos que empiezan por **vice, villa** o **villar,** menos: *bíceps, billar* (juego), *bicerra, bicéfalo* y *billarda.*

4. En las palabras que principian por:

Ave, menos: *abeja, abemolar, abecedario, abertura, aberración, abeto, abedul, abencerraje, abejorro, abellacar, abéstola, abertal, abey* y algún nombre propio, como *Abel* y *Abelardo.*

Eva, menos: *ébano* y *ebanista.*

Eve, menos: *ebenáceo.*

Evi, menos: *ebionita.*

Evo, menos: *eborario* y *ebonita.*

5. En las palabras que comienzan por:

Ven, menos: *bendecir, bencina, benigno, benjuí, bengala, benzoato* y todas las compuestas de *bene* (del latín, *bien*).

---

1) Consignamos *desherbar* como excepción de esta regla por la semejanza de su sonido con las finalizadas en *servar,* puesto que la *h,* como letra muda, carece de toda fonética.

como: *beneficiar*. Se exceptúan también algunos nombres propios, como: *Benigno, Benjamín* y *Benito*.

Ves, menos: *bestia, besar, besugo, besana, besante* y *béstola*.

Vis, menos: *bisalto, bisbís, bisbisar* o *bisbisear, biscuit* (galicismo), *bisel, bismuto, bisoño, bisonte, bisoñada, bisoñé, bispón, bistec, bistraer, bistrecha, bisturí, bisulco, bisunto, bisutería* y alguna más, así como las compuestas de **bis** (del latín, *dos*), como *bisabuelo, bisagra, bisar, bisexual, bisiesto, bisílabo*, etc.

Ver, menos: *berza, berbiquí, bermellón, bergamota, bergantín, berlina, berenjena, bergante, berrear, berrendo, berrín, berrinche, berro, berilo, berilio, berrenchín, berlinga, berma, bermejo, bernegal, berroqueño* y algunos nombres propios, como: *Bernabé, Berta, Bernardo, Berenguela, Berlín, Berbería*, etc.

6. En las palabras que finalizan en **ívoro, ívora; viro, vira,** menos: *víbora*.

7. En los adjetivos terminados en **ava, ave, avo, eva, eve, evo, iva, ivo,** menos: *árabe*, con sus compuestos y derivados, y menos los adjetivos procedentes del substantivo *sílaba*, como: *bisílabo, tetrasílaba*.

8. Después de **b, d** y **n,** como: *obvio, advertir, envío* [1].

9. La **v** no puede emplearse:
   ni en fin de sílaba: *obtuso;*
   ni en fin de palabra: *baobab;*
   ni antes de otra consonante: *blanco;*
   ni después de **m:** *embuste.*

10. Las voces que principian con la sílaba **ad:** *adviento, advertencia*, etc.

11. Los compuestos y derivados de voces que llevan esta letra: *prevenir,* de **venir;** *virtuoso,* de **virtud.**

---

1) Únicamente se quebranta esta regla en algunos nombres extranjeros: *Hartzenbusch* y *Gutenberg*.

32

12. Salvo las excepciones que se citan, se escribe **v** en las palabras que comienzan por las siguientes sílabas, y a continuación inmediata de las mismas:

Cal, menos: *calboche* y *calbote.*
Cla.
Con.
Cur, menos: *cúrbana* y *curbaril.*
De, menos: *débil, debatir, debajo, deber, debelar* y *debó.*
Di, menos: *dibujar.*
En.
Fa, menos: *faba, fabada, fábula, fabordón, Fabián* y *Fabio.*
Jo, menos: *jobo* (árbol).
Le, menos: *lebeche* y *lebení.*
Lla, menos: *llábana.*
Lle.
Llo.
Llu, menos: *llubina.*
Mal, menos: *malbaratar.*
Mo, menos: *mobiliario.*
Na, menos: *nabo, Nabuconodosor, nabad* y *nabí.*

Ne, menos: *nebuloso.*
Ni.
No, menos: *nobiliario* y *nobilísimo.*
Ol.
Pa, menos: *pabellón, pábulo, pabilo* y *pabilón.*
Par.
Per, menos: *perborato.*
Pol.
Por.
Pra.
Pre, menos: *prebenda, preboste.*
Pri.
Pro, menos: *probar, probable, probo, proboscidio* y *probeta.*
Sal, menos: *salbanda.*
Se, menos: *Sebastián, Sebastopol, sebo, sebe* y *sebestén.*
Sel.
Sil, menos: *silbar.*
Sol.

5. REGLAS PARA EL USO DE LA W

«Por acuerdo reciente de la R. Academia Española, la *w* figurará en el *Diccionario* con la siguiente definición: "f. Letra llamada *v doble,* que no se emplea sino en voces de procedencia extranjera. En las lenguas de origen su articulación es ora de *u* semiconsonante, como en inglés, ora fricativa labiodental, como en alemán. En español se pronuncia como *v* en nombres propios de personajes godos (*Walia, Witerico,*

Wamba), en nombres propios o derivados procedentes del alemán *(Wagner, Westfalia, wagneriano)* y el algunos casos más. En palabras totalmente incorporadas al idioma es frecuente que la grafía *w* haya sido reemplazada por *v simple: vagón, vals, vatio.* En vocablos de procedencia inglesa conserva a veces la pronunciación de *u* semiconsonante *(Washington, washingtoniano)"».*

6. LECCIÓN PRÁCTICA DE LA B Y DE LA V

Temas de palabras.

1. Débito, estaba, rivalidad, ribera (orilla río), afabilidad, trabucar, travieso, rubio, lavado, cabeza, cavernoso, tiberio, sabedor, sirviente, alababa, convivencia, ibais, abundo, robo, cebolla, tabique, tribunal, cubil, sibarita, bebida, Beatriz, contabilidad, alberca.

2. Cavilaba, biblia, subida, cabida, laberinto, albañil, buscaba, tabardillo, sábado, tributo, movilidad, habilidad, precaver, lavaba, monosílaba, enviar, turbio, butaca, cabo, rabo, trébol, rubor, soberbia, labor, albahaca, tabaco, sábana, nauseabundo, Absalón, bastón.

3. Cebada, burlaba, cabal, rábano, sobaco, tribulación, albedrío, taberna, sabañón, cabestro, súbito, tubérculo, reservaba, carnívoro, estuve, abeja, evaporar, ébano, ventorrillo, divorcio, alboroto, rabieta, soberano, labio, tribu, abogado, furibundo, bienal, viento.

4. Albarda, taburete, sabiduría, subordinar, subvención, civilidad, vicealmirante, Villaconejos, obvio, abertura, ventosa, beneficiar, divulgar, laboratorio, tribuna, albacea, sabor, turbina, retuvimos, filibustero, avifauna.

5. Subvenir, arabesco, evocación, abecedario, avenencia, ebanista, evitar, cavacote, dozava, ventisca, albaricoque, subversión, turbante, anduve, conservar, eborario, evidencia, bimano, longevo, ventaja, acabose (nombre).

6. Divo, lava (de volcán), tuvimos, recibo, divino, albergue, turbulento, avellana, evadir, pensativo, ablativo, bencina, ventanilla, vestuario, vestíbulo, vislumbrar, bismuto, bisiesto, diván, leva, envilecer, clavar, convalecer, fábula, favor, desvencijar, ballesta, libidinoso.

7. Evolución, albornoz, turba, avería, desanduvo, caritativo, albúmina, genitivo, besaba, bisagra, víspera, berbiquí, verbena, bergantín, vergel, divergencia, levadizo, clave, Sevilla, acusativo, averno, batahola, avocar (traer a sí), birria, balanza, debelar, vivíparo, bifásico.

8. Víscera, bisturí, bípedo, verbal, berza, verdad, bermellón, verdusco, berlina, verdugo, vergüenza, divieso, dibujo, diversidad, jovial, levadura, envoltorio, clavel, seboso, convenio, Fabián, favorecer, severidad, bisabuelo, endecasílabo, beduino, avuguero, bandurria, avatar, sobrevolar.

9. Navidad, verderón, bergamota, vergajo, dividir, joven, levantar, envidiar, clavícula, sebo, convento, convicción, móvil, salvado, salvaje, navaja, novedad, novillo, diversión, levante, envejecer, clavija, severo (riguroso), berrear, agravante, bulla, Babel, bienhechor, clavicímbalo, cordobés.

10. Convergencia, convexidad, Fabio, salvadera, naval, noviembre, malva, llavero, llevar, prevaricar, probeta, adversidad, buque, divisa, veguero, levita, conversar, convertir, salvo, Navarra, Nabucodonosor, bucanero, astrolabio.

11. Prebenda, prevenir, ímprobo, provincia, devanar, honorabilidad, rabadán, convicto, convidar, mover, óbito, bateo, níveo, navegar, novela, malvavisco, llover, prevalecer, llave, ovario, vagabundo, vivacidad, tibor, envés, rendibú.

12. Nevar, nebuloso, nivel, nabo, nave, Novelda, novicio, malversar, lluvia, llevadero, previo, privilegio, probar, proverbio, dativo, devoción, noveno, prevención, preboste, prever, privación, probo, proveer, debatir, devengar, garbanzo, jubón, abejorro, abarloar, acrobacia, arambel, pebete.

13. Noventa, probidad, provecho, débil, devaneo, abasto, arrobamiento, loable, réprobo, provocar, devastar, devorar, probabilidad, aliviar, ambiente, vértebra, borde, borrego, bosque, versión, badana, abuso, bacinete, aldaba, albalá, desvarar, duunvirato, cartivana, gravedoso, pebeta, Belcebú.

14. Vestir, aversión, burujón, botonadura, vértice, ilativo, vértigo, bola, boina, boxeo, bramante, breviario, burgués, agravar, balance, vaina, balar, vainilla, malavenido, vajilla, valer, balcón, buscavidas, vereda, baldar, agraviar, berrendo, escoba, tremebundo, desvarío, greba, plébano.

15. Balbucear, balaustre, babieca, Babilonia, valioso, bulto, buche, vestigio, vertibilidad, vertiente, bolso, vestimenta, bombardeo, bombón, bollo, burdo, bullir, obertura, blasfemia, bondad, verdugo, bonete, verosímil, badajo, badila, bulevar, rebasar, ditirambo, desviar, decibelio.

16. Boquerón, blasonar, bobo, bocadillo, boato, verónica, vermut, rebelión, verificar, abatido, boquilla, boquiabierto, boquete, boletín, benemérito, vaselina, bizarro, visera, bravucón, bufar, bizco, bizcocho, posibilidad, balompié.

17. Viena, Joab, nimbo, medieval, impúber, borceguí, verismo, avutarda, vientre, notabilidad, desvanecer, coranvobis, previsor, aprobar, providencia, devolutivo, amabilidad, salvada, vitela, gemebundo, tribual.

18. Boceto, volante, bogar, vituperio, vitriolo, busilis, busto, burbuja, vivero, vivificar, volátil, víbora, víveres, buzo, cabello, cabildo, cachivache, cascabel, borla, bombo, voluble, vulgo, plebe, voraz, cebar, borrasca, borrón, cabe, ovíparo, alabearse, embeber, garbo, agarbillar, agavillar, vieira.

19. Botar (saltar), bóveda, vulnerar, bravata, cohibir, cimbel, cobijar, celibato, alcoba, albillo, alubias, aljibe, votar (elecciones), avena, avispa, atribuir, abismo, boca, abalanzarse, abalorio, abandono, abastecer, berenjena, chaval, babor, vitrina, verascopio, bulevar, televisor, nirvana, buganvilla.

20. Alfabeto, aberración, abolir, tranvía, abonar, aborrecer, arcabuz, obús, azabache, absolver, aviar, aburrir, acabar, berrinche, arbitrio, árbitro, archivo, arrebatar, arrebañar, arrebol, avidez, esquivo, arvejas, abominar, blasón, bardal, barrena, barrer, botulismo, vitaminado, behíque, bullabesa.

21. Absorber, avecindar, avanzar, alabastro, aspaviento, embalaje, atavío, atribular, biografía, albufera, aleve, desbaratar, abulia, desbocar, balduque, obsequiaban, bebo, cabía, sucumbir, abstenerse, obtuso, compatibilidad, bufanda, pábulo, ventanillo, embotar, barbitúrico, balda, cabina, belio, bienteveo.

22. Burdel, vuestro, convulsión, vuelco, albayalde, alborotar, cabotaje, albérchigo, leve, breve, grave, octava, bravo, nuevo, abusivo, investigar, evento, bastante, benjuí, elaborar, curvas, laborioso, zambomba, cerveza.

23. Aborigen, árabe, cancerbero, verruga, posibilidad, anverso, valeroso, vals, valuar, balbucir, vello (pelo), veleta, valija, venado, varón (hombre), vástago, vaticinio, viruela, ventrílocuo, aviesa, ventisca, gamberro, flabelo.

24. Bisbiseo, cavidad, brevas, tibieza, evidencia, invernáculo, obra, juvenil, intervalo, imbécil, bellota, valetudinario, bolonio, bombasí, cábalas, libertino, maquiavélico, volatín, birlibirloque, beso, biela, pólvora, rebatir, granívoro, vitualla, barato, viperino, virote, salab, lubina o llubina.

25. Benavente, abordar, bigamia, bastidor, viandante, bigote, bilis, binario, libar, avaro, batería, batista, batuta, baúl, envase, vidrio, vigilar, biombo, vilipendio, vinajera, villancico, birlar, beldad, belladona, birrete, barrigudo, bicicleta, velloso, enervar, tarambana, voltario, antibiótico.

26. Bisabuela, bisojo, bilabial, valioso, abedul, visar, viruta, beodo, bemol, válido, vedado, vegetal, vendaval, verderón, vestigio, rebuznar, rubí, sebero (que vende sebo), acerbo (áspero), combinar, entreverar, bellacamente, lascivia, levadura, briba, rob, a sovoz, flexibilidad, boicotear.

27. Leviatán, convenir, imbuir, acíbar, bullicioso, vocabulario, viceversa, verídico, imberbe, balística, sabandija, Valeriana, rebullir, botica, rebozar, pabilo, rabieta, rabadilla, pavonar, bayoneta, abortar, abreviar, arrobarse, protuberancia, búcaro, escorbuto, flebitis, andarivel, baquiano, proclividad.

28. Impávido, improvisar, deliberadamente, desviarse, incumbencia, mozalbete, jabón, novísimo, joroba, hombros, obedecer, Octavio, oliva, malévolo, oprobio, orbe, falleba, albañilería, arrebujado, alcazaba, apabullar, enrobinarse.

29. Oveja, férvido, ferviente, festividad, rebeldía, frívolo, galbana, garbo, gavilán, ovalado, de balde, en vilo, núbil, travesía, trébol, embaldosado, rábanos, triunvirato, trovador, berros, cerval, ¡porvida!, visualizar o visibilizar.

30. Savia (de plantas), besugo, betún, vibrar, titubear, vértigo, báscula, base, mandíbulas, bazo, habichuelas, pabellón, parábola, saliva, párvulo, patíbulo, pavimento, pavor, percibió, perverso, piscolabis, Córdoba, presbítero, vivaquear, imbornal, eversión, tornavirón, tuitivo, umbelífera.

31. Clodoveo, Eva, versificar, subjetivo, bucólica, alcabalero, atrabiliario, votivo, valiente, gobierno, nuevamente, elevar, beneplácito, virilmente, vanidad, todavía, desvirtuar, atabal, viático, parabienes, suburbio, alcrebite, ignívomo, exorbitante, hibierno, visón, avalancha, béisbol, redivivo.

32. Prescribió, preservó, pubertad, querubín, resbalar, reverberar, resolver, silbido, sublevar, albores, sucumbió, supervivencia, taxativamente, acervo (montón), turbó, vacilar, vacuna, vagar, vaho, vaivén, valía, bagatela, bucles, atavismo, arrequives, tobera, comba, Berta, bígaro, en bandolera.

33. Bureo, gaviota, morbidez, mobiliario, almíbar, nube, abanico, abierto, baño, boquihundido, barca, barullo, bardo, actividad, boceto, bogar, probablemente, diabólico, desván, desenvoltura, albergue, bandolina, ciervo, vitando, baquetear, cavadiza, trivio, vocativo, besamela, betlemita.

34. Fabuloso, sevicia, recoveco, bicóncavo, embarnecer, bínubo, botánica, fotofobia, sinovia, bucéfalo, vulpino, besante, cordobán, adverar, correveidile, discóbolo, bitácora, evo, visillo, sibil, voltejear, abencerraje, pelvis, invidencia, serbal, audiovisual, biunívoco, enclave.

35. Esparaván, favila, gíróvago, gábata, flavo, gravitar, jovada, imbele, leviatán, nérveo, corniveleto, entibar, vencejo, plúmbeo, sobarbada, zanquivano, tolva, gleba, prónuba, rábula, recoveco, bierva, véneto, ancuviña, dádiva, oboe.

36. Revesar, biconvexo, vulturno, ovino, envarar, estibar, supervacáneo, carcavuezo, vecera, embalse, babia, bimba, sibila, bóer, tejevana, baobab, pobeda, jedive, vascuence, vesivilo, vítreo, zabordar, cuatralbo, cubiculario, aseverar, avenar, bacanal, badea, bahúno, bálago, de buten, abalizar.

37. Esparavel, evicción, escurribanda, garambaina, flébil, gabarra, fluvial, nabab, bricbarca, bastión, rabel, pervigilio, zubia, talvina, vulturín, bonificación, gubia, abanto, tolvanera, divisibilidad, ovejero, charabán, curvilíneo, cubilar, cuévano, cúbito, cachava, avacado, rentabilidad.

38. Proboscidio, ensalivar, estevado, gavilla, cuadrivio, azarbe, bausán, botavante, barquinazo, batiborrillo, desbullar, derrabar, bovino (ganado), bobina (de boba), sobina, ribaldo, robín, vacuidad, vampiro, sebe, gaveta, engarabitarse, vermífugo, deshonrible, cucúrbita, carburo, duba, batología, boleto, sempervirente, baleador, vikingo.

39. Barato, pebetero, basca, embarcación, despabilado, chilaba, albarán, badén, fútbol, bozo, bulbo, anchova, corcova, valar (vallar), erubescencia, enviscar, efluvio, zurumbático, abacería, abigeo, acebo, algarabía, álveo, anfibio, corvina, venial, metabolismo, vulpeja, jíbaro, bizma, rendibú, vacabuey, bisar, productividad, abiogénesis, tebeo.

40. Arbusto, bueno, binomio, asubiar, atisbar, aventar, babada, báciga, badomía, varaseto, abohetada, balitadera, bambolla, banzo, barbotar, vatio, baritel, barral, bártulos, batel, bauprés, begardo, belitre, berlina, chirimbolo, combés, cobayo.

41. Bocio, bizma, bodorrio, bohío, vellón, borrufalla, botagueña, botarga, vendeja, bou, cabete, bu, buido, cabio, bula, cabestrante, bululú, cabujón, buñuelo, cabuyera, ventada, burato, calvero, bureo, ábaco, vellido, ambivalencia.

42. Adarvar, alabancero, alarbe, alveolo, arquitrabe, atabe, avante, avión, babazorro, bacín, badulaque, bajío, balde, baliza, bancal, behetría, barbullar, barjuleta, barrear, veril, bigornia, lavativa, verecundo, verga, venusto, bitongo, decúbito, darvinismo, buhonero, vicenal, rosbif, bimotor, virología.

43. Biricú, bisel, bisunto, bóbilis, bohordo, barbitaheño, botalón, boya, cambalachar, caníbal, caoba, cáraba, caterva, catacumbas, carabo, carbunco, carburar, cárcava, cartabón, caribe, cascabillo, abalear, abordaje, verja, verraco, verriondo, chubasco, binar (cavar por segunda vez), bienmesabe.

44. Alabarda, albóndiga, almorávide, ámbito, antuvión, arrebolera, avechucho, avizor, babucha, bache, bahorrina, baldío, báratro, barloa, barrueco, barzonear, bastión, batihoja, bayo, bejín, vesícula, tribuir, batojar, bitoque, bocezar, embeleso, billón, depravación, binóculo, botonadura.

45. Biforme, belez, birlocha, bisnieto, bitácora, bocel, boche, bofe, boruca, botamen, vitola, gálibo, boyal, buhedera, buje, cavatina, cóncavo, cebadilla, cerbatana, cervato, cibera, címbalo, circunvalar, claraboya, abotargarse, adobar, bimembre, tarabilla, boto (torpe), envarbascar, esvástica, subestimar.

46. Aldaba, aluvión, ambo, bonito, arbollón, bandola, barbacana, bardoma, barquín, insensibilidad, inverecundo, inveterado, jabalina, jabato, jábega, bodigo, abemolar, herboso, tabí, talvina, talabarte, soviético, varicela, sambenito.

47. Jabeque, Jacobo, bicornio, biga (carro), lavazas, lobado, macrobiótica, malvasía, malvís, marbete, navarca, nervino, ninivita, bernegal, boliche, bifronte, bina, birlón, botana, botivoleo, boyante, buhedo, ravioles, bicúspide, viburno.

48. Novación, novilunio, olivares, pasavante, orobias, pavana, rabera, overo, pávido, ovil, faba, plúmbeo, pravedad, présbita, proclive, próvido, pulverulento, pungitivo, rabel, clavicordio, contubernio, connivencia, cobalto, cobertera, rabí, transverberación, trébedes, fundíbulo, trombosis, marimba.

49. Rabisalsera, rábula, connubio, rebalaje, rebatiña, controvertir, rebenque, colombino, rebollidura, reboñar, rebollo, rebotín, rebudiar, convictorio, vascular, rebujal, revejido, rebujiña, concúbito, reveler, rebujo, recova, abulense, renovero, roborativo, unívoco, anfisbena, anobios, belicismo, bazuca.

50. Renvalsar, saboneta, sabueso, ahobachonado, sabuloso, rúbeo, sobarcar, avahar, rubicán, sobina, adobe, taba, sibilante, aventajado, tabanque, ruibarbo, conchabar, soba, alambicar, sabalera, baceta, alcubilla, alveario, sobajar, bifurcación, bamboche, corroborar, bienoliente, balaje, habar, estabilizar.

51. Birreme, chambón, chambelán, velocípedo, gabarra, gavota, embaucar, garabito, bandeja, banda, estivo, guayabera, gubia, hebén, helvético, barítono, lavanco, gavia, encobar (empollar), eslabón, vivar, envite, ambigú, herrumbre, hervencia, íncubo, estribar, binóculo, convival, bermejizo, baquelita.

52. Gabela, eviterno, convincente, chisgarabís, convocar, convoy, bazofia, chiribita, chichisbeo, corva, chaveta, corbato, bisbís, barragán, bascosidad, belfo, batuda, abintestato, bonísimo, bodoque, bicorne, bogavante, bósforo, bilateral, voluta, vuecencia, bovaje, nabí, baivel, vedija, bicarbonato, sovietizar.

53. Hervíboro, berro, émbolo, biberón, borona, estabilidad, bienvivir, veleidoso, vacilar, avezarse, contuve, observar, ventilar, benevolencia, hábito, insectívoro, bituminoso, baldío, sociabilidad, viscoso, ambición, innovador, vitamina, tova (ave), baba, evónimo, caviar, novia, novel, malvado, rubéola.

54. Albañal, volición, sabotaje, desvaído, efervescente, velarte, converso, Abelardo, Avelina, dubitación, desvelo, percebe, diatriba, diabetes, giba, buba, boliche, avasallar, gabacho, embadurnar, deslavazar, virago, embeleco, boleto, cavia, balumba, aljébana, bolchevique, emborrullarse, obnubilación.

55. Estrabismo, hervoroso, embudo, emburujar, estorbo, soviet, violencia, lavaos, cuba, valona, barquillo, barómetro, bergante, escabeche, encubertar, ervilla, enjalbegar, herbáceo, entrambos, begonia, subastar, sitibundo, encorvar, herbajar, envarar, herbolario, tiorba, cabalgar, liviano, lívido, butano.

56. Lavado, basura, uvas, conciliábulo, becuadro, ribete, fabordón, cebellina, extraviado, trabanca, billar (juego), inmutabilidad, simbiosis, abnegación, ajabeba, carba, terbio, pobo, estovar, bético, jatib, setabense, baldosa, vibrátil, erbio, voquible, suberoso, chabola, abdicar, tarbea, besana, bielda, bureta, motovelero, pósbélico, ¡pumba!

57. Taparrabo, buriel, abey, acebuche, vivandero, ovovivíparo, undívago, véspero, univalvo, abjurar, atiborrar, abéstola, tergiversar, balandrán, bienvenida, bigardo, trebejo, tuberosidad, vaguido, val, valoría, badina, ponleví, vibrión, embate, baleo, revocar, galvanoplastia, almogávar, vicaría, travelín.

Temas de frases

1. En el segundo siglo de la dominación árabe gobernaba en Toledo un mancebo valetudinario, Yúsuf-ben-Amrú. La cólera del pueblo era furibunda, porque el desvergonzado y gamberro púber, en vertiginoso torbellino de vicio, sólo atendía al más relajado libertinaje, atropellando en desbocadas orgías y desaprensivos excesos a jóvenes núbiles que burlonamente abandonaba después. En su obtuso cerebro, turbado por la lascivia, ni cabían más que cobardes pensamientos, ni bullían más que bastardas venganzas.

2. Consideraba a sus vasallos como a un rebaño de borregos, hasta que, alborotados, levantaron rebelde bandera e

hicieron saber al Califa sus quejas. Absorto y boquiabierto el Califa ante la veracidad de las graves acusaciones, tuvo que destituir al aborrecido y bigardo Yúsuf, y nombró para sucederle al padre de éste, valeroso caudillo sarraceno, que, en cuanto recibió la venia del bravo Alhaken, partió obediente para Toledo.

3. Ávido de vengar a su agraviado hijo, procuró, sin violencia, inspirar previamente confianza. Convivió con los mismos nobles, apareciendo como el salvador de los toledanos. Con un fútil pretexto y con excesiva amabilidad, organizó, el año 805, un banquete en su palacio, situado cerca de Montichel, donde hoy se extiende el barrio de San Cristóbal. ¡El bilioso volcán, incubado con ira y soberbia, estaba, al cabo, próximo a desbordarse!

4. Se iba a improvisar uno de los hechos verídicos más horriblemente perversos de la historia de Toledo, que se ha vulgarizado con la frase proverbial de «una noche toledana». Apenas las sombras de la noche cubrieron el cielo, empezaron a arribar, en jovial, divertido y bullicioso tropel, los obsequiados varones y las damas mahometanas, vestidos con gran boato y aviados con las más valiosas joyas, seguidos de sus servidores, que los alumbraban con reverberantes teas. Los cortejos que desembocaban en Montichel absorbieron la curiosidad de los habitantes, que entreabrían puertas y ventanas a su paso y ocupaban las calles de bote en bote.

5. El atrabiliario y altivo Amrú había colocado su carnívora guardia de jayanes oculta en uno de los patios que servían de vestíbulo. Al dar cabida a los invitados, se abalanzaban sobre los desprevenidos caballeros sin pronunciar ni una sola sílaba, barriendo a los moribundos a una laberíntica cueva de pavimento embaldosado, donde se hacinaban los cadáveres en revuelto acervo. ¡Nadie adivinaría que a la mañana siguiente, como prueba de los protervos sentimientos y de la incivilidad del bárbaro Amrú, aparecerían clavadas en las altas almenas de su palacio, con ojos vidriosos y vista empañada por el velo de la muerte, las lívidas cabezas de cuatrocientos señores toledanos!

6. Un pobre labriego, que se dedicaba a la ímproba labor de remover la tierra, arrancando raíces de árbol en la isla

de Milo, súbitamente descubrió, en 1820, una abertura subterránea de cuya abovedada cavidad se extrajo la mutilada estatua griega, universalmente conocida por la Venus de Milo, obra grandiosa, en noble actitud, de cabeza pequeña, frente baja, garganta vigorosa, labios y boca impecables y grave belleza.

7. La aleve espada desenvainada que, cohibiendo los vacilantes movimientos de Damocles, pendía de un débil hilo sobre su cabeza, amenazaba avanzar constantemente para clavársele.—Descubierto por Recaredo el burdo plan de conspiración contra su vida, tramado por el avaricioso palaciego Arguimundo, caviló una original venganza, al pasearle por las calles toledanas de arriba abajo, y viceversa, burlescamente montado en burro, con el cabello rasurado y cortada la mano derecha, convertido en una verdadera birria o esperpento.

8. Es famoso el cuadro de Rembrandt que representa a la abatida Artemisa, Reina de Halicarnaso, bebiendo un brebaje con la infusión de las cenizas del esposo para buscar alivio a su acerba tribulación. Dicha Reina levantó, en tributo a la memoria de su marido Mausolo, un soberbio y fabuloso panteón, que se conceptúa por los sabios como una de las verdaderas maravillas, y que rebasa toda ponderación. De él proviene el nombre de *mausoleo*.

9. Por sus valiosos servicios, clarividente talento y probada bizarría, fue elegido Rey, contra su voluntad, Wamba. Su envidioso sucesor, Ervigio, sin otro móvil que el de sus perversos instintos, aprovechándose de que el Rey le cobijara en palacio, vio la posibilidad de narcotizarle, y dio pábulo, a todo evento, a la bellaca y malvada nueva del fingido óbito del Monarca. Valiéndose de la ocasión, le vistió de hábito y le metió en un convento.—La bendita y reverenciada Cruz es el símbolo de nuestra civilización y la que ahuyentó la barbarie, la esclavitud y el envilecimiento.

10. El Rey judío Salomón vivió 1011 años antes de Cristo. A pesar de su proverbial sabiduría, se entregó a livianos placeres y cometió abusos vergonzosos. Se conoce por el «Juicio de Salomón» el que este Soberano emitió con evidente habilidad para ventilar una cuestión habida entre dos

mujeres que aseveraban ser madre de la misma criatura. Ordenó el Rey dividirla en dos partes. A tan salvaje determinación, una de ellas, dibujando pavor cerval en su lívido semblante, se opuso sin titubeos, consintiendo antes privarse de su derecho. Salomón desvaneció la duda de quién pudiera ser la verdadera madre, pues a ésta le entregó el vástago, que abrazó con arrobador embeleso.

11.   Alabanza debemos a la ciudad de Sagunto que, por abandono de los romanos, tuvo que sucumbir deliberadamente, en un rasgo de incalculable valor, al bárbaro y devastador torbellino de los provocadores celtíberos mandados por Aníbal. —Inverosímil parece que Chindasvinto, encorvada su cerviz bajo el peso de ochenta inviernos, subiera al Trono sin incompatibilidad entre su longeva edad y cabales aptitudes. —El réprobo Absalón, que se rebeló contra su padre David, encontró su verdugo en el esquivo Joab. —Del envidiable tesoro descubierto con alborozo en Guarrazar (Toledo) se conservan diversidad de valiosas lámparas votivas, ofrendas o dádivas de la época de los Reyes godos Suintila y Recesvinto, todas de vital importancia histórica.

12.   El insigne historiador hispano, venerable padre jesuita, Juan de Mariana, fue bautizado en Pueblanueva de Toledo. Aún imberbe el novicio de Loyola, reveló su avispado ingenio, nada trivial. Obtuvo gran renombre con su beneficiosa y vasta obra de investigación y selección de bibliotecas y archivos, que ha servido de base a nuestra Historia. El bondadoso talaverano rindió su tributo a la tierra en Toledo en el mes de febrero de 1624, en la residencia de su Orden, emplazada donde el actual beaterio y colegio de Hermanas Terciarias, y de allí fueron convenientemente exhumados sus restos, en unión de los padres Ripalda y Rivadeneyra, para trasladarlos a la iglesia de San Ildefonso. La calavera de tan probo varón se conserva en el Museo Arqueológico de la capital toledana.

13.   Doña María de Pacheco, esposa del valiente y avasallado jefe de los Comuneros, Juan Padilla, devota de sus debatidas convicciones, fue severamente perseguida por los imperiales, y, disfrazada, tuvo que evadirse de Toledo por la histórica puerta del Cambrón. Atravesando Portugal, resolvió buscar albergue en Oporto. Grabada sobre su sepultura, reza

una inscripción, cuyos primeros versos dicen: «María, de alta casa derivada, —de su esposo, Padilla, vengadora, —honor del sexo, yace aquí enterrada...»

14. Prevalece aún la caritativa y parabólica costumbre que se atribuye al Rey San Fernando, conquistador de Baeza, Córdoba, Sevilla y Cádiz, de lavar los pies a los pobres el Jueves Santo y aliviar su aflictiva situación. —Con vanidad divulgaremos siempre que eran sevillanos los privilegiados pintores Velázquez y Murillo, que, contemporáneos de Ribera, causaron con sus divinos y acabados dibujos justa y admirativa revolución artística en todo el orbe, dicho sea sin ditirambos.

15. En la iglesia de Santo Tomás, de Ávila, se levanta un sepulcro alabastrino, donde yacen los restos del mozalbete don Juan, hijo de los Reyes Católicos, príncipe sin ventura que en los albores de su vida, a los veinte años, murió devorado por férvida llama de amor hacia su joven esposa. —La efusiva devoción del pueblo a la Virgen Purísima hizo que, reinando Carlos III, se previniese a los españoles que se la proclamaba, con gran júbilo del Cabildo, Patrona de las Españas, bajo la advocación de la Purísima Concepción.

16. El Emperador Constantino el Grande adoptó la innovación del lábaro, costumbre después observada sin vacilación por los emperadores romanos, y promulgó el celebérrimo y benévolo edicto de Milán, que, en turbulentos días, favoreció la libertad del culto cristiano. —El despabilado Recaredo, convicto de la equivocación, evolucionó en sus ideas, abjurando voluntariamente del arrianismo, y levantó un templo católico en el mismo lugar en que hoy se eleva la incomparable Basílica toledana.

17. Estaba reservado al impávido don Juan de Austria el triunfo naval de Lepanto, que convulsionó a España. La flota cristiana constaba de 258 barcos, y la de los turcos, de 290 buques. La veloz y cruenta lucha enturbió de sangre las aguas. Agotada en bombardeos la pólvora de las embarcaciones, se llegó al abordaje, y, embistiendo con extraordinaria movilidad contra los jenízaros, se batió ventajosamente a la bayoneta sobre crujía. En substitución del estandarte tur-

co, se divisaba, momentos después de la eversión, una gran cruz que pregonaba la victoria. Los supervivientes fueron recibidos con salvas y parabienes.

18. El monje, obispo y después Rey, Ramiro II de Aragón, para precaverse de las borrascosas turbulencias, vituperables rivalidades, diabólicos disturbios, malévolas divergencias y aviesos manejos de la Nobleza, tomó la aprobada y bellaca providencia de decapitar en la provincia de Huesca, en 1136, a quince magnates, combinando con sus cabezas, en bóveda subterránea, un óvalo llamado «Campana de Huesca», de cuyo centro colgaba, convertida en badajo, la cabeza de un significado preboste. No permaneció célibe, pues dispensado Ramiro II de sus votos, se casó y tuvo una hija, en la que abdicó.

19. La laboriosa construcción de la envejecida y severa Mezquita de Córdoba se verificó en el reinado de Abderramán. En ella trabajaron artistas enviados por los emperadores bizantinos, que dejaron inequívocos vestigios de su actividad.—En el siglo VIII, reinando el bergante Fruela, matador de su hermano Vimarano, se fundó la urbe de Oviedo, alrededor de un monasterio de benedictinos.—El 25 de mayo de 1085 entró triunfante y aclamado en Toledo, por la Puerta vieja de Bisagra, Alfonso VI, al frente de sus subordinadas huestes avezadas a la victoria.

20. Aníbal atravesó los Alpes, y quedaron a su albedrío los romanos, bochornosamente abatidos en las batallas de Tesino, Trebia, Trasimeno y Cannas, en las que perdieron la vida innumerables caballeros, y llegaron a prevenirse, por tener la convicción de que Aníbal encontraría obvia la conquista de la propia Roma.—Se sabía que, probablemente, a la muerte de Pizarro gobernarían el Perú varios virreyes.—Mi caballo favorito continúa siendo imbatido.—Leviatán es el monstruo marino descrito por Job.—Oboe es un instrumento músico de viento, y clavicímbalo es el antecesor del piano.

21. Es tradicional la versión de que, en el lugar donde se alzó la desbaratada torre de Babel, se emplearon, allá en

el año 2640 antes de Cristo, dos millones de obreros, para dar abasto, en el menor intervalo, con vertiginosa desenvoltura, a la edificación de la novísima y sin rival ciudad oriental de Babilonia, cuya figura cuadrada medía 60 kilómetros, encerrada en nivelada muralla de 54 metros de altura, con cien puertas de bronce. Hoy sólo se conservan escombros que hacen vislumbrar a los investigadores la envidiable grandeza de esta ciudad, en la que se hallaban enclavados los jardines colgantes, tenidos por una de las maravillas del mundo. Nabucodonosor, que venció y abismó en el cautiverio al pueblo de Israel, fue Rey de Babilonia.

22. Benita y Clodoveo se dedican a la cría de animales vivíparos, y así, tienen vacas, bueyes y ovejas.—Silveria y Eusebio, en cambio, prefieren criar ovíparos, por lo que abundan en sus corrales, los pavos, las gallinas y los avestruces.—Genoveva y Gabino sienten predilección por los animales bípedos, y hasta tienen un gavilán y un buitre.—Hay animales carnívoros, herbívoros, insectívoros y granívoros.—Los de Játiva se llaman setabenses, setabitanos o jativeses.—El tarambana de Bernabé huyó a la tejavana con una botella de cerveza.—El rubí de color morado se llama balaje.—Serbio o servio es el natural de Serbia.

23. En el banquete vimos a Elvira, Venancia, Beatriz, Eva, Victoriana, Isabel, Jacob, Isaac, Bibiano, Urbano, Higinio, Baldomero, Cristóbal, Gustavo, Valentín, Octavio y Fabio.—De todo había en aquella fonda: jabalí, besugo, barbo, bacalao, berzas, repollo, berros, percebes, anguilas, ancas de rana, habas, nabos, butifarra, huevos, zanahorias, albondiguillas, apetitosos bocadillos rellenos de jamón, ravioles, rosbif, besamela, helados de vainilla, de frambuesa y de albaricoque con barquillos, sorbetes, higos, uvas, avellanas, bananas, guayabas, y merengues; todo de buten.—La buganvilla es un arbusto trepador.

24. Al reconquistar Túnez, en 1573, se encontró don Juan de Austria en la Alcazaba con un enorme, garboso y bonito león domesticado, que perteneció al vencido Rey Muley Hamida, y era cuidado por un buen esclavo nubiense. Púsole por nombre su nobiliario apellido «Austria», y, co-

rrespondiendo el animal a los obsequios de que le hacía objeto el nuevo amo, le llegó a tomar tal devoción que, cual fiel cancerbero, dormía en la misma alcoba de don Juan. Murió de pena cuando hubo de partir el abnegado Príncipe para Flandes. En muchos cuadros pintan a don Juan con este león.

25. Francisco de Quevedo, coetáneo de Cervantes y de Lope de Vega, vino al mundo en la villa del Oso y del Madroño, en 1580, y recibió las aguas bautismales en la parroquia de San Ginés. Cortesano de abolengo, hizo gentil alarde de su precoz y desenvuelto ingenio. Sabía griego, hebreo, árabe, francés e italiano. Era en él proverbial el dominio del léxico, la facilidad de concepción y el donoso desembarazo de su privilegiada pluma. Murió el 8 de septiembre de 1645.

26. El niño bitongo no resolvió el binomio algebraico, porque las cifras pasaban del billón.—El sonido que dices es bilabial.—El biólogo bienhechor obsequiaba bimestralmente al asilo con una vaca bierva para el mejor bienvivir del establecimiento.—El contrato es bilateral y obliga, por ende, a ambos.—El hotelito tenía una habitación con baño, lavabo y bidé.—Revolviendo chirimbolos en la tejavana de la abacería, apareció el bicornio del guardia civil.—Gálibo es un arco de hierro.—Mi revólver se hallaba enrobinado.—El avión era un biplano y bimotor.—Anfisbena o anfisibena es un reptil del que se cuentan fábulas y prodigios.

27. Una tova o alondra saltaba de la sebe o valla a un avuguero o peral de la finca de Sebastián, donde se crían lavancos o patos bravíos.—La baya de esta parra exótica empleábase entre los hebreos, que cocían también los tubérculos de las batatas.—El ebanista del bisoñé espiaba al grabador de cinc para arrebatarle la gaviota, el gavilán, la avutarda, el halcón y los veintiún vampiros.—El badajo de bronce cayó dentro del bastión.—Envaina la espada y calla.—La víbora es un animal ovovivíparo.—Las pieles de visón valen mucho dinero.—El baloncesto y el fútbol son buenos deportes.—Garvín o garbín es una cofia hecha de red.—Tibor es un vaso de barro de China o del Japón, decorado exteriormente.

28. Batojando o vareando los frutos de los árboles, cayeron en la badina o balsa de agua. —El jinete moscovita echó los estribos en un bache. —Avoceta es un ave de cuerpo blanco y pico encorvado hacia arriba. —Los bollos eran baratos, pues tenían hojaldre y huevo batido. —El nabab de aquel bricbarca tenía título de barón. —El balón oblongo, relleno de borra, no bota bien. —Avía tu labor y coge los trebejos, que vamos en un botiveleo a visitar al soviético Jacobo. —El convoy llegó a la bifurcación. —El chaval se ocultaba en la chabola. —En la cúspide del monte había corriente eléctrica bifásica.

29. El ulular del lobezno ha desvelado a los rabadanes del collado. —Este tubo de vidrio tuvo hidrógeno del laboratorio de vacunación. —Túvele que reprender al rapaz porque se había conchabado con los más enredadores. —La entibación del túnel se hizo con revestimiento de mayólica. —La vetusta diligencia fue acribillada a balazos por los hervorosos indios, que, ensoberbecidos por el éxito, clavaron las moharras de sus venablos en los cadáveres de sus rivales. —Te limpias la boca con el envés de la mano. —El lago de agua dulce más alto de la tierra se halla en Siberia, y en el Tíbet, a más de cinco mil metros sobre el nivel del mar, un monasterio budista; el lugar habitado más alto del mundo.

30. El velero hundido por el submarino avituallaba al ejército boliviano. —El beodo llevaba boina vasca. —He oído voces subversivas en los suburbios de la urbe bonaerense. —Sentimos bascas al embarcar en el pailebote, cuando se verificó su botadura. —Con abemolado acento y a sovoz, reclamaba la ajabeba o flauta el virote moro que acampaba en el bético abertal. —El verascopio que está sobre el ventanal, junto a la vitrina, lo adquirí en una subasta. —Flabelo era un abanico grande y de largo mango, usado antiguamente en ciertas ceremonias. —Iba el peregrino con largo bordón y esclavina buriel. —La cibernética estudia las conexiones nerviosas de seres vivos. —Los habares en flor tienen fragancia.

31. Era bínubo y no bígamo el bigardo y begardo Alberto, que se guardó en el bolso la bonificación obtenida en la reventa de las anchovas y del escabeche. —Sostuve una diatriba con el abencerraje buhonero, que es un tarabilla, por

unas baratijas que me vendió, y casi perdí la chaveta, pues ya desvariaba. —Hasta la corva tuvimos que remangarnos por el chubasco que nos embadurnó de barro. —La diabetes que padece le desvela; su color es flavo; su ánimo, flébil; y su constitución, débil. —El bicarbonato es una sal. —El nene tenía varicela. —El redivivo aviador realizaba bizarras acrobacias. —Hemos cargado con el sambenito. —Me encanta la televisión.

32. Se armó una behetría, batiburrillo o algarabía, porque los bueyes del barbitaheño y bonísimo Javier trabajaban aquella jovada. —En el cuadrivio encontré a tu perro cuatralbo, que iba de escurribanda. —He observado que fuera de la era, en la besana abierta por el corvo arado, cayó cantidad de semilla, aventada, sin duda, cuando abaleabas y cribabas el grano. —Un diván del desván quedó en un voleo reducido a pavesas por la fuerza del vendaval, que prendió el pabilo de una vela recién apagada. —Las aguas subálveas se buscan debajo de cauces empobrecidos. —Sonó el gongo del bar.

33. Rellenaré con grava los badenes antes de la época estival. —El longevo y corcovado, para no sufrir más vejámenes de unos advenedizos, se retiró a su covacha, balbuciendo convulsamente vocablos ininteligibles. —La comba de las niñas se enredó en unas albahacas y begonias que hay en el trivio de la entrada del pueblo. —La abnegada Berta padeció de flebitis. —El aventajado bogavante o remero aspiraba los efluvios yodados del mar, embebido en la vana persecución de una gaviota. —Las bestias sitibundas abrevaban en una poza llena de bazofia. —La marta cebellina tiene una piel estimadísima. —Los claveles reventones estaban resobados.

34. El vacabuey es un árbol silvestre cubano que cultiva mi vecino el que vive en el bulevar y toca la marimba. —Ese arribista boicotea a la empresa en la que gana su jornal. —Un detective vigilaba a los que formaban la partida de bacarrá. —Tengo un cobayo o conejillo de Indias para mis experimentos. El rabihorcado es ave de pico encorvado, buche grande y uñas fuertes, que coge los peces volando a flor de agua. —Nirvana, en el budismo, es la bienaventuranza final del individuo en la esencia divina. —La exuberancia de la

avifauna era notabilísima en aquel país.—Belcebú es el príncipe de los demonios.

35. Álvaro murió de una trombosis.—El invidente bebió ácido barbitúrico que estaba en la balda del armario.—Cuando fuimos a tomar el coctel orvallaba suavemente.—El salab y el viburno son arbustos de hojas olorosas.—Fue el acabose al subir al autobús.—Evaristo envarbascó las aguas antes de echar la red.—El jugador de balompié venía de la cabina telefónica.—Las corvinas abundan en el Mediterráneo, y las lubinas o llubinas, en el Cantábrico, donde también es agradable coger ostras para desbullarlas.—La fobia o aversión era contra el noctámbulo o noctívago porque plantaba un árbol llamado cabrahígo.—Sobre el balasto o capa de grava se tienden las traviesas de los ferrocarriles.—En Italia existe un convento de monjas, todas invidentes, que aspiran sin vacilaciones a una vida de mayor perfección.

36. Son vocablos admitidos recientemente: botulismo, que expresa intoxicación; virología o tratado del virus; estabilizar o fijar el valor de la moneda; butano, hidrocarburo gaseoso; anobios o carcoma; travelín o determinados movimientos de la cámara cinematográfica; bisar o repetir a petición del público una actuación; radar, detector y localizador de objetos por ondas electromagnéticas.—Sebastián y Álvaro formaban una estrambótica pareja de funámbulos.—Soy muy aficionado al deporte del béisbol, conocido también con el nombre de pelota base.—Vieira se llama un molusco comestible que abunda en los mares de Galicia.—El odontólogo horada las cavidades bucales.—El vitral de la parroquia ofrecía polifacéticos aspectos.

7. REGLAS PARA EL USO DE LA G Y DE LA J

El uso de la g y de la j, antepuestas a las vocales a, o, u, no ofrece dificultad. Cuando preceden a la e y a la i, es dudoso su empleo, por sonar lo mismo ge, gi que

je, ji; y para evitar la confusión, nos atendremos a las reglas siguientes:

Uso de la G cuando precede a las vocales E-I.

Se escribe **g:**

1. En las formas de los verbos cuyo infinitivo termina en:
ger, excepto en *mejer* y *tejer,*
gir, excepto en *crujir* y *brujir* o *grujir*[1],
igerar, excepto en *desquijerar.*

2. En los tiempos de los verbos que llevan en su infinitivo esta letra: *corregíamos,* de **corregir;** *recogiste,* de **recoger.**

3. En las palabras que principan por **geo:** *geógrafo, geografía, geodesia.*

4. En las palabras que empiezan por **legi, legis, gest,** menos *lejitos y lejía.*

5. En los vocablos terminados en **gio, gia; gío, gía,** menos: *bujía, lejía, apoplejía, canonjía, herejía, hemiplejía, extranjía, ataujía, crujía, alfajía* o *alfarjía, paraplejía, atajía, monjía, monjío, almejía* y *bajío.*

6. Siempre que se reúnan en una palabra estas tres letras **g, e, n (gen),** como: *virgen, gentil, regente,* menos en *jengibre, jenabe* o *jenable, comején, Jenaro, Jenofonte, Majencio, berenjena, ajeno, enajenar, avejentarse, ojén, ajenjo, majencia, frajenco, piojento* y *jején.*

7. En las palabras terminadas en **gélico, gético, gésimo, gesimal, gésico, genario, genio, génico, génito** y **géneo** y sus plurales, y los femeninos, singular y plural, que les correspondan: *angélico, apologético, vigésimo, cuadragesimal, analgésico, sexagenario, ingenio, fotogénico, primogénito, homogéneo.*

8. En las acabadas en **ígena, ígeno; ígera, ígero.**

---

1) Observemos que los finalizados en **ger** o en **gir** transforman la g en **j,** delante de la a y delante de la o; por eso, de *recoger* se dirá *recoja* y *recojo* y no *recoga* ni *recogo;* y de *dirigir, dirija* o *dirijo* y no *diriga* ni *dirigo,* sin que ello se tome por irregularidad, sino simplemente como *mutación ortográfica.*

9. Cuando se combina la **g** con las vocales **e, i** y una **u** intermedia, no se pronuncia la **u,** como *amiguito, guedeja.* Para que dicha **u** no sea letra muda y se pronuncie, es preciso que lleve encima dos puntos (diéresis), como: *argüir, vergüenza.*

10. Se escribe **g** a continuación de las siguientes sílabas iniciales, salvo las excepciones que se citan.

Al, menos: *aljibe, aljerife, aljébana* o *aljébena, aljecería.*

An, menos: *anjeo.*

Ar.

Co, menos: *cojinete, cojín, cojear, cojinúa y cojijo.*

Con, menos: *conjeturar.*

Fla.

In[1], menos: *injertar.*

Lon, menos: *lonjeta, lonjista.*

Uso de la J cuando precede a las vocales E-I.

Se escribe **j:**

1. En los tiempos de los verbos que llevan en su infinitivo esta letra: *cruje,* de **crujir;** *trabaje,* de **trabajar.**

2. En las formas verbales en que intervengan los sonidos *je, ji* si los infinitivos correspondientes no tienen ni **g** ni **j,** como: *aduje,* de **aducir;** *trajimos,* de **traer.**

3. En las personas de los verbos cuyo infinitivo termina en **jear.**

4. En las palabras que empiezan por **aje** o **eje,** menos: *agenciar, agencia, agestarse, agenesia, agente, agerasia, agérato* y *egetano:* así como en las que terminan en **aje, eje, uje, jería,** menos: *cónyuge, auge, enálage, compage, companage* y *ambages*[2].

No rige esta regla en los tiempos de los verbos que en el infinitivo llevan g en la última sílaba, como *protege* y *ruge,* de **proteger** y **rugir.**

---

1) *Ingerir, ingerencia,* o *ingeridura* se escriben, indistintamente, con g o con **j.**

2) Aunque *ambages* es palabra que sólo tiene plural se cita entre las excepciones de esta regla porque, dada su semejante terminación, podría inducir a error el omitirla.

5. En las palabras que se derivan de otras que se escriben con **j**, como *cajita*, derivado de **caja**; *rojizo*, de **rojo**; *herejía*, de **hereje**.

6. En las dicciones con el sonido fuerte **je, ji**, que no tienen **g** en su origen etimológico, como: *mujer, Jenaro, Jerónimo, Jimeno, Jeremías*, que en latín no tienen **g** ni **j**.

8. LECCIÓN PRÁCTICA DE LA G Y DE LA J

Temas de palabras.

1. Ultraje, escogido, crujido, sumergido, contraje, dijimos, corregimos, tejido, berenjena, indujeron, surgieron, atrajimos, argüir, vergüenza, Jenaro, gendarme, geometría, bujía, ambages, salvaje, lejía, regía, genocidio, gasóleo, cojera.

2. Ajenjo, gente, apoplejía, lejitos, litigio, auge, herejía, prodigio, herraje, paraje, exigüidad, agilidad, agenciar, afligir, lengüeta, agitar, cobijemos, aljibe, angélico, embalaje, psicología o sicología, asperges, benjuí, paguéis, guía, jimio, festejen, ergio.

3. Monaguillo, guinda, guipuzcoano, infringimos, acogieron, escoges, aborigen, arpegio, pajero, agujerear, rejilla, aguijón, jilguero, injerir e ingerir, monje, anginas, bagaje, alojen, alejen, lingüista, esdrújulo, trajeron, espionaje, frangir.

4. Tejieron, protegió, compungió, vejestorio, perejil, álgido, girar, ligero, jubilación, bilingüe, frágil, jibia, hijuela, estrategia, urgía, orgía, mensajería, refrigerio, majestad, magistral, trajinar, vagido, jícaras, Jorge, porcentaje, alergia.

5. Enajenar, fisiología, naranjero, laringe, vigía, gemelo, vergel, gemido, Ginés, vajilla, canonjía, agujero, silogismo, tarjetas, gigantes, Rogelio, conjeturar, jerarquía, regicida, trágico, enérgico, tejería, juguete, cejé, canje.

6. Efigie, egipcio, jerigonza, transigir, sugerir, sexagésimo, lisonjero, forajido, ajéis (de ajar), rigidez, longitud, ve-

jéis (de vejar), vejiga, vegetal, baraje, urgencia, homogéneo, apogeo, magín, cejijunto, astringente, majencia, viajen.

7. Exégesis, canjear, gimotear, germen, gemir, tragedia, quirúrgico, mejillas, página, enigma, prójimo, legítimo, vigilar, mugir, nostalgia, gentuza, dije, hormiguillo, morigerado, cojinete, congelar, pasajero, gentilicio, grujir, cotejen, jeda.

8. Argentino, dígito, gelatina, genuino, longevo, meningitis, regimiento, sargento, fugitivo, Gijón, bajel, encajera, gorjear, jesuita, mujeriego, ojival, vigilia, tarjetero, injerto, indígena, cirugía, hemiplejía, génesis, gesticulación, eraje.

9. Ajedrez, ejecutar, jerga, jeroglífico, indigesto, jirafa, registro, pejiguera, congestión, relojería, genealógico, tijeras, generación, ginebra, indigencia, sigilo, ungido, gaje, generosidad, genital, jipijapa, jirón, tartajeo, jengibre, despejen, alunizaje, piretógeno o pirógeno, eugenesia.

10. Potaje, paradójico, fingiendo, quincuagésimo, refugiar, legislación, legitimar, rogué, largueza, encorajinarse, jefatura, estropajeado, aparejen, flagelar, ajimez, complejidades, cerrajear, mentirijillas, fijeza, bejín, anjeo, monjía, mejer, gerifalte.

11. Regio, maridaje, prolijidad, jeta, cognación, agiotista, jinete, quejido, fúlgido, tejemaneje, granjería, ejecutoria, cerviguillo, guedeja, girasol, perendengue, alfanje, enálage, cigüeña, guiño, ingenuidad, gorguera, ataujía, aljerife, anejir, garaje.

12. Gajito, coraje, artilugio, florilegio, apología, borrajear, bujera, granujería, frugífero, neologismo, cinegético, patógeno, vigente, giba, ágil, sujeción, desagüe, púgil, geranio, ungüento, cónyuge, perigeo, pungitivo, agestarse, ingurgitar.

13. Cardialgia, abordaje, agenesia, buje, cianógeno, agenda, bajío, algoritmia, alfajía, guajira, jeringuilla, revejido, atajía, ejido, ajetreo, géiser, ojén, vorágine, plombagina, zagüía, abigeo, paje, rajé, progenitor, agérato, jején, mojen.

14. Gestor, gilí, digital, emergente, gímnico, girándula, giróvago, guajiro, guayabera, ferrugiento, intangible, ingente, frigidez, acongojemos, insurgente, jergón, odontología, orogenia, gélido, boscaje, congénere, trojes, majito, zéjel, franjar.

15. Andrógino, germanía, quejilloso, vergeteado, flojear, rebalaje, rebujiña, rigente, sugestión, sagita, tergiversar, tingitano, turgencia, vaguido, agüero, cenojil, almejía, mojigato, extranjía, jenabe, germinar, ajilimójili, flojedad, fungible.

16. Quejigal, mejillón, misógino, agujeta, agerasia, fonje, gineceo, jinglar, cajetilla, paraplejía, pervigilio, amortajemos, magnificencia, contagio, mojiganga, coxcojilla, ajenjo, magia, siguiente, adujeron, generador, extranjero, boj.

17. Granujiento, cojinúa, piojento, frajenco, gingival, cigüeña, aljébana, anjeo, magiar, gehena, algecireño, o aljecireño, uliginoso, masajista, jersey, cronometraje, ejemplarizar, drenaje, jíbaro, pergeñar, reglaje, paragoge, linfagitis, gerontología, emperejilar, gragea, alienígeno, camuflaje.

Temas de frases

1. En Pilatos, Gobernador que regía a Judea, se registra la vergüenza de su celebridad, surgida por su intervención en el trágico deicidio de Jesús, a quien mandó flagelar salvajemente.

El Rey Juan I, ágil jinete, murió en Alcalá de Henares a los treinta y dos años, en el más lisonjero apogeo de su juventud, a consecuencia de una caída de ligero corcel; tragedia que sumergió en gran dolor a la Corte.

2. San Ignacio de Loyola, de noble linaje, se dedicó a las armas. Tomó parte en la ejemplar y legítima defensa que en Pamplona hicieron los indígenas, con valeroso empuje, contra los franceses, y en la que una bala de los fugitivos extranjeros vino a agujerear la pierna de Ignacio. Durante su larga convalecencia, la sigilosa lectura de la vida de los Santos le llegó a causar tan honda impresión, que decidió servir

a Dios por entero y, a la edad de treinta y tres años, empezó a estudiar para sacerdote.

3. Nadie hubiera podido conjeturar que el Domingo de Ramos, 19 de abril de 1886, se escribiría una página sangrienta en la misma Catedral de Madrid. Galeote, el enajenado presbítero de subversivo carácter, cejijunto el rostro y enrojecidas las mejillas, colocóse, vigilante, en escogido y estratégico lugar, y sin que adujese motivo alguno, imbuido y aguijoneado por enigmáticas razones, asesinó de tres tiros de revólver al casi sexagenario Narciso Martínez Izquierdo, primer obispo de Madrid, al que acompañaba su paje.

4. Agustina de Aragón, genuina mujer del pueblo, fue ungida jubilosamente, como heroína, por su loable bravura en el primer sitio de Zaragoza. Sin exhortaciones y sin que la sedujese una pasajera gloria, con sus juveniles arrestos, en los que vibraba injerto el germen de la raza, disparó y contuvo las huestes de gentuza enemiga con el proyectil de un cañón abandonado.

5. En los límites de las provincias de Madrid y Ávila, cerca de Cadalso de los Vidrios, existe el sitio de Guisando, en el que hay cuatro berroqueños toros de la época de Sertorio (70 años antes de Cristo), lugar histórico donde se resolvió el litigio de sucesión del veleidoso Enrique IV, declarando éste, sin ambages en 1468, heredera del trono a su generosa hermana Isabel, inteligente Reina que había de ceñir la diadema de dos mundos. Firmó el Rey una acta vergonzosa, confirmando su deshonra, que suscribió en Medina del Campo.

6. Flojear, congestionar, gorjear y canjear son infinitivos; crujido, afligido y mugido, participios; efigie, berenjena, apoplejía, cirugía, gaje, lejía, hemiplejía, ajenjo, menajería y cojinete, substantivos; pajero, jeda y ojival, adjetivos; lejitos, adverbio.—Junto al comején o carcoma había jenabe o mostaza y una planta de jenjibre.—¡Vaya cojera que te tienes!

7. Leovigildo, primer Rey que residió en Toledo, fue el primer soberano que se atavió con los magistrales atributos de la majestad y al que se le concede la prioridad en la acuñación de moneda con el busto regio. Las avasallantes y agitadas creencias arrianas, que iban en auge, le llevaron a la

abominable aberración de ejecutar a su probo hijo, San Hermenegildo, que de ellas se había divorciado. Inconcebible y repugnante baldón para el prevaricador progenitor y nimbo de gloria para el hijo. Murió afligido y regenerado.

8. Convaleciendo Carlos I en Yuste, y despojada en aquellos parajes su gigantesca figura de toda magnificencia jerárquica, dio acogida en el célebre convento a su gentil hijo D. Juan de Austria, cuya crianza se realizó lejos del padre.

— Se organizó una jira campestre, y a ella acudieron Jorge, Jerónimo, Eugenio, Rogelio, Germán, Gerardo, Gabriel, Gilberto, Gelasio y Ginés, e ingurgitaron o engulleron cuantas viandas transportaban.

9. La laboriosidad y morigerados hábitos del ingenuo Duque de Olivares indujeron a Felipe IV a nombrarle su privado; mas, no pudiendo transigirse con los fracasos originados, urgió substituirle por el enérgico don Luis de Haro.

— La gente personifica con fijeza en Aristarco al crítico de las obras ajenas.—Cogió lo que tejía Jenaro y rugió de ira. Tu amigo, el mahometano, era ajeno al robo de bujías.—La cirugía y la geología las aprendí en la Universidad.—Traje el caballo de la dehesa, porque cojeaba un poco.—Dijeron la verdad, pues les argüía la conciencia.

10. Ese guiño del monaguillo guipuzcoano es de mal agüero.—Cuando paguéis el juguete de Gil, no dejéis de hablar conmigo.—«Que no se alejen mucho con su bagaje los que se alojan en el convento de monjes», dijo el sargento.—El paisajista egipcio jugaba al ajedrez.—Condujeron al argentino a una casa de viajeros.—El negocio de carruajes va en auge.—Cónyuge es el marido respecto de la mujer, y viceversa.—Por abusar del ojén y del ajenjo se avejentó el extranjero.—Como no tengo chófer, dejé el auto en el garaje.

11. Alejemos sospechas tan salvajes.—Fuimos al vivero, cerca del aljibe.—En la alcoba tengo el traje para que te avíes.—La antigüedad de la joya es verosímil.—Eugenio, el cajista, tuvo una hemorragia y andaba flojillo.—La encajera llevó el aviso a la cerrajería.—Lívido se puso cuando dijeron que ignoraban la legitimidad de sus aseveraciones.—Fulgencio corregirá semejante ultraje.—Por arte de prodigiosa ma-

gia, desapareció la bujía.—Este tejido es de velarte.—Festejen, viajen, cotejen y despejen son tiempos de verbos de la primera conjugación.—Dime sin ambages qué porcentaje nos da Jorge.—Marcaba el cronometraje un jíbaro mejicano.

12. Los tingitanos se aproximaron al ejido en actitud expectante, pues se dedicaban al abigeato.—Se reunieron en el boscaje todos los congéneres y con prolijidad y coraje discutieron, en su germanía o jerga peculiar, sobre los trajinantes tejedores.—Este giróvago piojento es un gilí con mucha granujería.—En el ajimez se asomaba el guajiro mojigato, que tanto amaba la cinegética y cuyas fuerzas eran gímnicas.—El jinete hizo jirones la guayabera.—El traje del paje estaba en lejía.—En este vergel emergen por doquier frugíferas plantas y germinan preciosos geranios.—Cogí una cigüeña.

13. El giboso ejecutó una ligera maniobra y el rebalaje arrastró su embarcación a un bajío de arena.—Cenojil se llama la liga de sujetar medias, y almejía es un manto moruno.—No nos acongojemos, pues con urgencia se hizo al púgil la intervención quirúrgica, con sujeción a lo requerido para evitar la meningitis.—Las tijeras y el reloj están en el tarjetero.—Se me contagió el pervigilio o vigilia continuada.—Se llaman magiares los habitantes de Hungría y Transilvania.

14. Muy majito me resulta el granujiento trojero.—Aunque se redujesen sus fuerzas, gozaba de agerasia.—El dibujo de ese herraje parece un jeroglífico.—Ajilimójili es una especie de salsa; y coxcojilla, el juego conocido por la «pata coja».—No pudo ingerir ni el pequeño refrigerio contenido en una jícara, pues padecía de anginas y tenía irritada la laringe.—Con sigilo infliges ultrajes a las gentes.—Al prójimo, corrígele sin rigidez.—Eres el guía y vigía de esta generación tan escogida.—La berenjena es vianda preferida por los vegetarianos.—Es originaria del árabe la palabra aljébana, que también se dice aljébena, y significa jofaina.

15. Con las hilachas del traje hicieron un vendaje para protegerle la región coccígea de un absceso.—El jimio dormía sobre un anjeo.—Boj es un arbusto de madera amarillenta y sumamente dura.—Mejer es mover un líquido para obtener una mezcla.—La cojinúa es un pez de cola ahorqui-

llada.—El cerdo de cría, aún no apto para la matanza, se llama frajenco.—Cayó de bruces y se produjo una hinchazón gingival enorme.—La apología o panegírico fue desarrollado por el tribuno sin incurrir en la más ligera batología.—Se llama anejir al refrán popular puesto en verso.

9. REGLAS PARA EL USO DE LA H

Se escriben con **h:**

1. Las dicciones que empiezan por **ia, ie, ue, ui,** menos *Ueste* (Oeste); sus compuestos y también sus derivados, a excepción de los siguientes:

De **hueso:** *osar, u osario, óseo, osamenta, osificarse, osudo.*

De **huevo:** *óvalo, óvulo, óvolo, ovario, ovíparo, ovoide, ovoideo, ovalar, aovar, oval, ovar, ovado, ovaritis, ovas, overo, ovovivíparo, ovo.*

De **hueco:** *oquedad.*

De **huérfano:** *orfandad, orfanato.*

2. Muchas palabras que en su origen latino tienen **f,** como: *hacer,* de **facere;** *hormiga,* de **formica** y sus derivados.

3. Los vocablos que empiezan por **ipo, idr, ipe, iper, osp,** menos: *ipecacuana.*

4. Las palabras que empiezan por **u,** seguida de **m** y una vocal, como: *humedad.*

5. Los vocablos que comienzan por **orr,** menos: *orre (en orre),* y también por **or,** seguida de **m** o **n,** menos: *ormesí, ornar, ornamentar y ornitología.*

6. Las que empiezan por **ol,** seguida de **g:** *holgar.* Se exceptúa el nombre propio *Olga.*

7. Las palabras que principian por **er,** seguida de **m** o **n,** menos: *ermita, ermitorio, ermunio y Ernesto.*

8. Las palabras que empiezan por **za** o por **mo,** seguidas de vocal, menos: *zaino, moabita, moaré y Moisés.*

9. Se escribe **h** delante del diptongo **ue,** en medio de palabra, siempre que vaya precedido de vocal: *parihuela.*

10. Se escribe **h** antes de las vocales cuando representan al verbo **haber**: *he amado, ha de salir.* Después de las vocales, cuando son interjecciones: *¡ah!; ¡eh!; ¡oh!;* aunque también la forma *¡ha!* puede hacer de interjección.

Igualmente lleva **h** el adverbio **he**: *he aquí.*

11. Tienen **h** las palabras compuestas de **hecto** (ciento), **hepta** (siete), **hexa** (seis), **hemi** (mitad), **helios** (sol): *hectómetro, heptasílabo, hexaedro, hemisferio, heliógrafo.*

12. Los compuestos y derivados de los vocablos que tengan esta letra: *deshonra,* de **honra**; *habladuría,* de **hablar**.

13. Principales interjecciones que se escriben con **h**: *¡ah!, ¡ha!, ¡eh!, ¡oh!, ¡hala!, ¡bah!, ¡hola!, ¡huy!, ¡hu!*

Principales interjecciones que se escriben sin **h**: *¡ay!, ¡ea!, aúpa!, ¡ox!, ¡ojalá!, ¡ole!* u *¡olé!*

10. LECCIÓN PRÁCTICA DE LA H

Temas de palabras.

1. Osario, hueco, oquedad, huesudo, hipódromo, humedad, heredada, horno, truhán, aunar, óbolo, aovado, hipérbole, humilde, hacendoso, hornija, ornitología, holgar, olvido, moho, oloroso, desalojen, orfandad, desoído, erizar, meollo, anquilosis, huecú, alquimia, iniciar, caimiento, eufonía.

2. Hidrógeno, honrado, hablaba, holgura, humanidad, hacinamiento, acechar, aro, ahínco, ulceroso, cohete, anhelar, orgullo, hampa, coheredar, aviar, ahorrar, ayer, huracán, toalla, desahogado, hube, prohibir, uñas, higuera, hábil, hurí, buhedo, apatía, herbáceo, asceta, arisco, inodoro, deshambrido, ajorca.

3. Almohada, tahúr, aeródromo, homenaje, bohemio, habón, helgadura, hemisferio, meteoro, Hipólito, bahía, desahuciado, adherir, hulla, malhechor, hostil, vehemencia, exhausto, hiel, hache, desherbar, higos, ermita, hectogramo, arca, aovar, ocioso, parahúso, neófito, alear, itinerario, orto, higate, angosto, moharracho, aortitis, haraquiri, henil, hiniesta.

4. Hinojos, cacahuete, hedor, hule, hendidura, hortelano, exhortar, heno, hígado, hortensias, zaherir, alcohol, hojalata, inhibir, hundido, huestes, hebdomadariamente, hijuela, hotentote, recaída, hematemesis, ¡hala!, raído, parihuela, cairel.

5. Honda (de pastor y profunda), himno, habituar, alhajado, sarao, oneroso, horóscopo, hostería, hilachas, vahído, heliotropo, vehículo, hincapié, enhiesto, humillar, eufemismo, hematosis, hostilidades, aeroplano, hurón, ¡hurra!, horda.

6. Tuy, horma, homónimo, hisopo, hipocresía, harapos, enhebrar, aldehuela, hambre, orgía, urgía, retahíla, rehenes, prohijar, deshebillar, hematuria, enmohecer, buharda, alcahuete, hoz, horca, oasis, hastío, hombro, aullar, helénico, hazaña, añoso, husillo, isópodo, apear, ¡huchohó!, hipogeo, influenza.

7. Sáez, asido, hético (tísico), herpe, hernia, himeneo, hoguera, carabao, inalámbrico, índice, hincar, apero, halagar, hamaca, oro, hartar, loor, honesto, hongo, hortera, hucha, hurtar, olfato, hemiplejía, hispano, higa, azor, huelgo, balhurria, boa, alarife, ábrego, helero, antena, desorbitado, glauco, hidria.

8. Eucaristía, cacao, inhalación, hospedar, hirsuto, tahona, hormiga, hollar, hocico, horchata, ominoso, Alhucemas, ancas, mahometano, haz, hebra, hecatombe, helar, olor, huele, hornacina, inhumar, ahuyentar, acero, bacalao, halda, desalado, cohombro, agalla, ánsar, ardido, éneo, óseo, ermunio, helmintología, hercio o hertz, henrio o henry.

9. Hembra, henchir, estío, orificar, hirió, hidalgo, hilvanar, hogaño, ictericia, harén, hebilla, hálito, hada, hacia, fehaciente, vaho, prohibido, Piedrahíta, preámbulo, horrorizado, sabihondo, habichuela, habas, dehesa, higiene, eufónico, coartar, desazón, epilepsia, hetera, olmo, hollín, edil, humus.

10. Zanahoria, horripilante, mohíno, ansiar, aireado, irascible, exhalar, aviesa, cohibido, boquihundido, boquia-

bierto, incólume, malhadado, hostigar, obvio, helar, horizonte, airado, exonerado, hormiguillo, hostia, hermoso, enjaezar, ocre, edafología, ocelote.

11. Ornamento, hermano, Ernesto, hurtadillas, hélice, Huesca, humor, umbral, honduras, hacha, hemorragia, ajuar, hispanizar, alharaca, desusado, almohades, alcaloide, onomástico, zahorí, anatema, árido, arrullar, epidémico, caimán, ¡eh!

12. Hobachón, arduo, habitualmente, imán, holocausto, homilía, moharra, enrojecer, coevo, hinchar, hiena, uncido, ápice, haza, antaño, cohonestar, histérico, urna, hosquedad, añorar, harina, uvas, cohecho, hurgar, roer, aledaño, hopalanda, hito, elástico, argolla, acetre, astroso, naonato, judihuelo, nihilidad, recauchutar, hipoxia o anoxia.

13. Desollar, ególatra, empavesar, aherrojar, ortiga, tahalí, trashumante, hagiografía, hatear, ulular, sahumar, enojar, ¡aúpa!, opimo, agorero, taifa, halo, ubre, ojeada, hipnotizar, hesitar, acidez, azada, avituallar, exornado, urticaria, roela, ardite, humorada, ultratumba, hedentina, insania, overo, osudo, hodierno, anhidro, guardahúmo, enología, hiperoxia.

14. Euritmia, ergástula, parhelio, orlado, arenga, otero, mehala, arnés, aspa, herbajar, malhojo, axila, íleon, orzar, orangután, ariete, hanega, uremia, bahúno, herbaje, élitro, horuelo, bóer, orzuelo, ostentar, endilgar, caolín, coetáneo, opérculo, idolatría, iceberg, cohobo, encía, estereoscopio, ¡ea!

15. Allende, oboe, reata, menhir, dahír, átomo, halcón, haragán, hayuco, ijada, alhurreca, hemistiquio, hemoptisis, himplar, orón, huesa, heterodoxo, ignaro, inopia, jaharrar, innocuo, baobab, ¡evohé!, Jehová, Urano, pihuela, esplín, arriar, papahígo, émulo, huta, roedura, oropel, ¡bah!, rho.

16. Nihilismo, huno (de un pueblo de Asia), oblongo, orégano, alfar, alero, oca, eremita, aprisco, imbele, recua, rehílo, roano, sahornarse, paella, realce, zahareño, ínvido, alheña, afelio, traición, ¡upa!, zarzahán, opilación, univalvo.

17. Abano (abanico), cohen, iluso, empírico, aloque (rojo), airón, auriga, coagularse, reómetro, saeta, tea, alhumajo, axis, heptasílabo, alhamel, bienal, herma, alhorma, ejido, haberío, hexámetro, isotermo, hafiz, irisar, helióstato, acedera (sal de), hincón, hintero, inmiscuir, hispir, fluido, áulico, aeronaval.

18. Epitalamio, ¡hala!, hidrografía, alcahaz, enebro (arbusto), hipodérmico, apicultura, horticultura, aerífero, hexaedro, hexágono, hallulla, ánade, orillar, rehogar, zahón, vaharera, taheño, alajú, hipar, añil, ácrata, acidia, ardilla, irradiar, emporio, ente, usanza, inane, ¡hu! ¡hu! ¡hu!, ermitorio.

19. Hazmerreír, preeminencia, hatillo, traílla, oleaginoso, ueste, heder, ilegal, trué, haldear, tiorba, enema, anhídrido, clorhídrico, crehuela, tahúlla, híbrido, aorta, acial, arandela, auspicios, inundar, inervación, homólogo, emanación, epidermis, incrustar, órdago, ignívomo, cooperar, hurgonear, ormesí, hidronimia, hostelería u hotelería.

20. Otalgia, étnico, alijo, ablación, arqueta, hepatitis, abuhado, zoología, helioterapia, otitis, óptica, batihoja, avahar, adehala, ahoguío, bahurrero, bohío, ocre, ilicitud, cadahalso, cahíz, desosar, dehiscente, deidad, opalino, orobias, humazga, imbele, ¡oxte!, horuelo, ebonita, ¡huy!, epicúreo.

21. Onomatopéyico, edredón, orín, omnisciente, ratihabición, obstar, aspillera, coeficiente, ruar, acre, ahuchar, hornabeque, coercitivo, erial, inexhausto, matalahúva, incoar, harnero, espahí, hinco, ipecacuana, ampo, ¡ox!, taharal, obenque, enteco, caústico, acelga, ¡oh!, hertziana, vendehúmos, ebrio.

22. Ulario, occipucio, desabrido, hidrófobo, hatijo, arado, onubense, vihuela, horro, orear, jaez, equinoccio, ubicuidad, engreír, reojo, apetencia, alarido, alazán, alarmar, alicaído, alhorre, alumbre, ojal, croar, urbe, hisopo, desopilar, horado.

23. Sobrehaz, arcano, behetría, exorar, bohena, orografía, rehala, osezno, eunuco, eutrapelia, erisipela, unívoco, vahar, vaída, veteadura, buhedera, ahechar, alabeo, ambo, ataharre, exótico, hidropatía, amoníaco, ohmio u ohm, hepático, himenóptero, oleoducto, hipofosfito, uranio, zaino, incidir, aerofaro.

24. Aeronauta, alambre, álveo, abohetada, bauprés, agenda, alarbe, alhelí, alvéolo, anhélito, atabe, avante, avión, bausán, bohordo, barbitaheño, caoba, ámbito, áureo, bahorrina, barloa, peonza, horcadura, apoteosis, histérico, baharí, ábsit.

25. Cohechar, alambicar, buhonero, deshornar, desvaído, duunvirato, eccehomo, embaucar, emergente, haca, hacanea, hacina, halar (tirar de un cabo), harija, harón, hatajo (de ganado), batería, haxix, hayuco, haza, hazaleja, hebén, helecho, helvético, hemiciclo, hocino, hollejo, hontanar, alamar, hidrocarburo.

26. Ervilla, hemina, agareno, heñir, heptacordo, acicalar, apócrifo, herbar, herbazal, herbolario, herborizar, herboso, heresiarca, heria, hermético, herrete, herrial, herrón, herrumbre, hesitación, hexacordo, hexángulo, hiato, evo, exorbitante, éxodo, hopear, horambre, hornabeque, hornaza, horadar.

27. Orificio, alud, amagar, huebra, hiperclorhidria, inefable, onceno, aduar, coherente, hípico, inhiesto, oxiacanta, taha, humeral, oscense, moharra, odontología, orogenia, hoyanca, almohaza, ilación, huchear, acémila, desalmado, agredir, otear, efeméride, caótico, quintaesencia, Bootes, herético, emérito.

28. Abrahán, releer, arcada, homicidio, secuaz, caucho, alcahazar, Homobono, helioscopio, búho, armilar, barbihecho, ascio, barbechar, occisión, inacción, ensimismar, innato, husmo, enjuto, hastial, orzar, oxalme, taheño, urente, hopa, reactor.

29. Cloaca, soasar, edecán, atún, arráez, almiar, sobreseer, areópago, añoranza, arenque, ova, anea, almete, asen-

so, heliogábalo, añagaza, ubicar, entelequia, hipertrofia, antinomia, hender, umbilicado, miope, alhajar, uvate, homogéneo, heteroplastia, incordiar, contrahíncha, hedonismo, agar-agar.

30. Alejar, alojar, inmaculado, huelga, enjundia, hiemal, embolia, homófono, atuendo, perihelio, híspido, hospitalario, brahmanismo, islamita, odalisca, alnado, entenado, helicoidal, esguince, orza, harapiento, ¡ojalá!, euforia, arcilla, oftálmico.

31. Eolo, aceña, acequia, humorismo, atrito, ictiología, oliscar, menjurje, ogro, oíslo, hoto, aciago, ahorcar, alopecia, endrino, egotismo, itrio, estearina, aerosol, urca, útero, errante, zoólatra, inulto, aun, aún, mildiu, haplología.

Temas de frases

1. El humilde Apóstol Santiago, que tuvo el honor de que se le apareciese en Zaragoza, sobre un pilar, la Virgen María, era hermano de San Juan Evangelista e hijo de Zebedeo. Fue degollado en Jerusalén. Los restos los trajeron sus discípulos para inhumarlos en Galicia, donde huelga consignar que el pueblo hispano, en el que alienta la fe, postrado de hinojos, le abrió sus puentes con un homenaje emocionante.

2. Las célebres Cortes de Cádiz, que hicieron hincapié en aunar heterogéneas opiniones, buscando cohesión apropiada a las mismas, se reunieron en 1810 en la expresada capital andaluza. Allí se votó y promulgó, en 1812, la Constitución de la Monarquía, cuyo cumplimiento, ni oneroso ni ominoso, antaño igual que hogaño, no es rehusado por los Monarcas.

3. La nación africana de los almohades, henchida de orgullo al destruir el imperio de los almorávides, acechaba con avieso ahínco a los estados cristianos, pero éstos, aviando sus refulgentes y nunca enmohecidas moharras, exhibieron con habilidad sus huestes, saliendo hacia el enemigo apenas le otearon. Habituados a la lucha, rompieron las hostilidades

en Sierra Morena, con empuje de huracán, y coartando los movimientos del adversario, desahogadamente los ahuyentaron en la batalla de las Navas de Tolosa.

4. Un himno en loor del héroe portugués Duarte Almeida, que en la ínclita batalla de Toro, desorbitados sus ojos y horadada su enjuta carne, asido tenazmente a la inhiesta bandera, la defendió con las fuerzas exhaustas. Herido primeramente, cortados ambos brazos después, en el espantoso y caótico desorden del combate, con los dientes, prohibió al enemigo que le arrancara la honrosa insignia hasta haber exhalado el último hálito de su existencia en aras de la Patria.

5. El hospitalario islamita, admirador de Mahoma, alojó con atuendo al entenado o alnado harapiento y deshambrido.—¡Ojalá combatas la alopecia y goces de euforia!—La odalisca ocultó junto a la aceña, a la hora del orto, una orza llena de arcilla.—El herético cultivador del humorismo embarcó en el esquife.—Aseguran que el agua de tu acequia es inodora.—En la India practican el brahmanismo.—Bucle es un rizo de cabello en forma helicoidal.—Haragán es el vago que rehúye el trabajo y vive en ocio.—Influenza equivale a gripe.

6. El Papa Inocencio III fundó, en 1215, la Inquisición o Santo Oficio, famoso en España y en América por su actuación contra las ideas heterodoxas en los siglos XVI y XVII.—Urano es un planeta y uranio un metal.—Serán dados hoy de alta los heridos Horacio, Enriqueta y Hermenegildo, que son de Alhama; y Ernesto, Hidalgo, Heriberto e Hipólita, de Calahorra, alojados todos en el hospital más alejado.—Moharracho es sinónimo de mamarracho.—La antigua y hermosa ciudad italiana de Pompeya quedó hondamente sepultada bajo la lava de una horrorosa erupción del Vesubio, el año 79 de la Era cristiana.

7. Tomás de Torquemada ejerció de Inquisidor general de Castilla y Aragón durante dieciocho años consecutivos. Históricas efemérides le juzgan con dureza, achacándole haber actuado con extrema severidad. Su destacada figura y enérgico carácter le hicieron ser muy combatido.—Los ratones huyeron holgadamente, como ardillas, por ese intersticio,

después de hartarse de comer huevo hilado, arenques y los hollejos de las habichuelas.

8. Unos heraldos de hierática prestancia anuncian sin grandes alharacas la presencia de Isabel II en las galerías de palacio, la cual se dirige al templo a dar gracias al Supremo Hacedor por el nacimiento de su hija Isabel, y, a hurtadillas, burlando la vigilancia, surge en el umbral de una habitación palaciega, subrepticiamente, el regicida Martín Merino, para agredir a traición a la Soberana. Hostigado por su irascible y desabrido humor, en halagador ademán de mohína apariencia, sin importarle un ápice ser aprehendido, se aproxima como cohibido y ruboroso, con un memorial a la Reina, que nunca llegó a desoír las súplicas del pueblo, al que anhelaba complacer.

9. Ella, henchida de satisfacción, extiende su mano, y el enteco sacerdote bohemio, que abandonara el hábito de San Francisco, retratando su rahez y truhanesca condición, sin argüir motivo, sepulta su acerado puñal en el costado derecho de la egregia dama. Como el estado de la víctima no era desesperado, curó. A los cinco días pagó Merino, en la horca, su crimen, y el cadáver, reducido a cenizas en una hoguera, fue después esparcido en una oquedad del cementerio.

10. En un cercano hueco, estaban guardados los huesos de aquella sagrada osamenta.—Adquirimos de nuestros humildes y honrados padres vastas heredades.—Por tu holgazanería, no encendiste el horno.—El hipo es incoercible.—Los cohetes que ha tirado ese ocioso truhán han ahumado la habitación.—El ahorro debe ser ahora tu deseo.—El ermitaño acariciaba a los dos hermanos gemelos.—Envolvíamos el bolso de oro y aluminio, y las valiosas ajorcas de oro.

11. Tu ahijadita Honorina reía las festivas ocurrencias de Humberto.—Es necesario que compres las enredaderas, ya que en el jardín hay unos soberbios árboles, que tu abuelito plantó.—Desalojaron la hostelería, porque se hundía.—Aquella umbrosa y humilde morada es húmeda; en ella vivía el malrotador y apático Héctor, que desoía mis exhortaciones para que no contrajera tan exorbitantes deudas.—El auriga

recogía orégano y tea.—La abeja y la avispa son dos insectos himenópteros.—La horchata es una bebida refrescante.

12. Celebro el alivio de tus males y anhelo con vehemencia que no vuelvas a recaer.—Ufano estaba de que Hidalgo fuese ahijado suyo.—Probablemente, hará hincapié el oráculo en tu horóscopo.—El perverso, ínvido y vehemente hortelano cordobés produjo hilaridad al ermitaño en la verbena.—El tahúr analfabeto fue un desahogado bohemio, avecindado en esta villa.—El audaz acróbata se agravó hasta ser desahuciado de los médicos.—Ion es una partícula electrizada.

13. Atribuían lo huraño y hosco de su carácter a falta de urbanidad.—Hoy y ayer fueron días aciagos.—Fue aprehendido por hurto de una banasta de higos.—El malhadado deshollinador se hirió con un vidrio incandescente.—Isaac vio en la hondonada al ciervo herido.—Calixto, el bienhadado, rehúye nuestra amistad.—Hilario trabajaba en la era y en el huerto.—No echábamos en olvido la heroica acción de Emeterio.—Tal añagaza carece de enjundia.—No hiráis mi susceptibilidad.

14. Ahuyentaron al húngaro, cuyas hechiceras artes estaban prohibidas.—En el hemiciclo apareció el heraldo armado de espada con puño éneo.—La hemoglobina produce arcadas a Hipólito.—Se tributó al aviador habilidoso un homenaje humorístico en el aeródromo.—El hospiciano de Huelva era herbolario.—¡Bah!, estás airado porque tu hermano se ha metido en honduras.—Ayer me herí una pierna y me até una toalla alrededor.—Los grillos frotan sus élitros.

15. Se heló la huerta con los hielos del invierno.—Las hostilidades cesaron con el canje de rehenes.—El despabilado hortera ahorraba en su hucha la dozava parte del salario.—El jerife, que sujetaba en el ojal una hoja de albahaca, poseía una jirafa y un gerifalte, ave de cetrería.—Heriberto dijo que esperaba deshacer aquella combinación.—Se hubiese ahorrado Ernesto el hacinar la leña, que partía con el hacha en el umbral de su casa, si me llega a avisar.—El hipertrofiado heliogábalo era muy dado a la eutrapelia.—En *impudicia* existe haplología por la eliminación de una sílaba.

16. El hortelano exhortaba a su ahijado a que no se habituase al alcohol.—Llevaba hoy el hurón de tu hermano, en la aldehuela, un traje deshilvanado y deshilachado; eran harapos mal unidos.—No hay que confundir el uso de la hache en las palabras *hosquedad, añorar, aovar y zanahoria.*—¡Huy, que recaída más horripilante!—Olfateando las huellas, iba el perro tras las ancas de mi potro.—La bestia se hundió en un cenagoso huecú.—El ornamento de la ermita era antiquísimo.—Marchaba la caballería muy enjaezada, luciendo sus alamares.—¡Ay, qué lejos está la aldehuela!

17. Como vamos hacia el estío, huelga decir que iremos pronto a hartarnos y a hastiarnos de fruta al huerto de Piedrahíta.—Hipólito nos dejó boquiabiertos, pues salió incólume del horrible peligro.—Donde me hospedaba, disponía de una amplia habitación muy aireada e higiénica.—Estaba cohibido con tanta exhibición.—El herrero mató un búho, un azor, un halcón y un abanto junto a la alhóndiga.—La enología trata de la elaboración de los vinos.

18. El chico se hallaba mohíno porque aún no le traían los hojaldres recién hechos, que su padre ya había echado en olvido.—La picadura de una araña produjo a este hominicaco un habón que le originó una hematosis, que le curó un homeópata.—Estos desafueros son propios de gente del hampa.—Tal carga es bastante onerosa.—Los rebaños trashumantes arribaron a su aprisco por un empinado atajo.—Mi hoz está sobre el haz de gavillas.—¡Éa!, toca la vihuela.

19. Los bisoños infantes hincaron sus bayonetas en un acervo de heno.—Vivir con holgura es halagüeño.—Plexo solar es una red nerviosa que rodea la arteria aorta ventral.—Los éteres y el opio enervan.—Los enebros y los abedules se extienden por esa ribera donde ambula balhurria o gente baja.—Para excusarse de abonar adehalas, gajes o sobreprecios, alegaba que se hallaba inope, porque hubo de pagar las hechas o tributos sobre riegos.—La rho griega equivale a la *rr.*—La prohibición de bebidas alcohólicas en Estados Unidos aumentó el número de borrachos.

20. Salía del serrallo o harén el eunuco, algo beodo, yendo tras el alhamel, haberío o acémila, que el ignaro metió en el ejido, entre la rehala o rebaño, espantando al ganado,

que herbajaba, por lo que el mayoral arrojóle, ibídem, una piedra con la honda, y le produjo una epistaxis o hemorragia nasal.—La erección del herma o busto representativo del hafiz o guarda fue muy celebrada.—Enhebraba la aguja para hilvanar la levita.—Hodierno la emoción nos contuvo el huelgo.

21. El alcahaz o jaula contenía varias ocas y algunas perdices cogidas con orzuelo o trampa por un hábil bahurrero.—Los de Huelva se llaman onubenses, y los de Huesca, oscenses.—Visitamos tu pueblo, apreciando los pingües beneficios que allí rinde la horticultura y la apicultura, y el maestro nos invitó a comer una paella en lo alto de un cerro u otero, y a admirar un menhir o monumento antiquísimo que se conserva junto a un ovil.—¡Ojalá se salve Hugo!

22. Aquello fue una orgía, donde las hechizadas bacantes aclamaban a Baco, y al grito de ¡evohé!, escanciaban como borrachas.—En aquel almiar de heno había un fugitivo.—Los valencianos de la Huerta aína usan zaragüelles.—Vi entrar en la huta varias alimañas.—En la pequeña laguna o buhedo croaban las ranas.—Tengo una cocinera hispalense que deshuesa hábilmente las aves y, ya desosadas, las rehoga con inimitable maestría.—Ohmio es unidad de resistencia eléctrica.

23. No le importó ni un ardite presentarse en público como un ente astroso, hecho un verdadero eccehomo.—Salió la yegua del apero con su horcajo al pescuezo, sin haronía, por los ondulados campos, hacia la era, donde se apeó el basto gañán que la conducía.—Ovidio, después de barbihecho, lo mismo heñía en la tahona que iba a barbechar o arar las hazas.—Acosada la ardilla, dio más vueltas que una peonza.—Ascio es el que vive en la zona tórrida y urente.

24. El agente de la caravana excavó en la oquedad para hacer crujir la base de aquella esfinge egipcia.—El heterodoxo Homobono bebió en el alfar el acíbar hasta las heces.—El espía giboso, que estaba ebrio de ajenjo, expió sus hazañas en la enhiesta horca.—En la despensa hay odres, y en sus vasares, varias botas de alcohol.—El talabartero adquirió badana para hacer harneros y arneses.—Hepatitis es la inflamación del hígado; y otitis, la del oído.—La planta del

liquen se halla constituida por la simbiosis de un hongo y una alga; en ella no se distinguen hojas ni tallos.—Se hizo el haraquiri.

25. El ingeniero de esta explotación hidráulica ostenta, ufano, una medalla de honor por su invento sobre la obtención del ázoe.—Aquella horda salvaje deshinchó el globo cautivo de los aeronautas.—En las hendiduras de la dehesa hay abejas, hormigas y hongos.—El hotentote, que vestía con harapos muy andrajosos, estaba cohibido ante el reyezuelo.—El vehículo arribó al extremo del bohío camagüeyano, cerca de la urbe.—¡Hala!, inicia la imantación de la antena.

26. El imán atrae al hierro y al acero.—Tu adhesión ha sido inoportuna y desairada.—En el estereoscopio admiramos los arcanos de las regiones inhabitadas por el hombre, donde un ingente iceberg se precipita como informe alud.—El cuento de hadas en que se pinta la hidra o monstruo como una deidad no tiene ilación.—Hoy hay, en la cueva de la abacería, zanahorias, ortigas, alubias, orégano, varios cahíces de avena y veintiún kilos de cacahuetes.—Huebra o jovada es la yugada que aran dos bueyes en el día.—Yeyuno, en zoología, se llama a una parte del intestino delgado, que comienza en el duodeno y acaba en el ilion o íleon.—El henil está lleno de panojas.—La vaca era zaina.

27. Esta plantación de ipecacuana es ubérrima.—En la aldehuela hay una ermita y un eremita.—El desagüe del alero es por el umbral.—Volaba sobre los embravecidos océanos el alado hidroavión, que, oteando a barlovento y a sotavento, vio cómo las onduladas olas batían a babor y estribor a un barco, por cuya hermética cubierta resbalaban las aguas.—Seguí el itinerario señalado por el cohen o hechicero y recogí la olla de barro en que había hormigas.—Buharro es ave rapaz.

28. Hiede aquella zahúrda, donde hozan los jabalíes, con un hedor pestilente, y su bahorrina o agua inmunda desemboca por un husillo, en el que se irguen o yerguen los helechos e hinojos y donde, a la vez, se erguían otras plantas, que exudaban aromáticas exhalaciones.—En la ribera del arroyo acechaba el cazador furtivo al orangután para derri-

barle.—Aquiles, el tocayo del invulnerable héroe de Troya, se ahorcó de la horcadura de un árbol.—Baharí es otra ave de rapiña.

29. Soplaba el ábrego cuando el ardido alarife de la catedral nos causó gran desazón al ser víctima de un ataque de epilepsia por presenciar que había ardido el andamiaje de su construcción, como si fuese un seco hachón rociado de petróleo.—Opérculo es una pieza lateral que cubre las agallas de los peces.—El incauto y desalado rufián riñó, por su especial idiosincrasia, con una hetera o mujerzuela pública.—Llevé el ánsar hasta la hacienda, con el asenso del edil.—Theta es una letra griega.—El zoólatra venera a los animales.

11. REGLAS PARA EL USO DE LA C Y DE LA Z.

El uso acertado de estas dos letras es inconfundible, y, sin embargo, en algunas regiones las emplean indebidamente.

Usaremos z cuando fonéticamente no fuere posible el empleo de c, como en *zambullir, venzo, zurdo*, donde no cabe el uso de la c. En cambio, emplearemos c en ejemplos como: *vencer* y *recitar*, porque la c se ha de preferir si no hay alteración fonética en la palabra. Existe un número muy limitado de vocablos que, pudiéndose escribir con c, llevan z, y son: *Santa Zita, Ezequiel, San Zenón, Zebedeo, zeda o zeta, ¡zis, zas!, zigzag, zipizape, zendo, zendavesta, zéjel, hertziana.* Hay unos cuantos que se pueden escribir de las dos formas: *cinc o zinc, cedilla o zedilla, cingiberáceo o zingiberáceo, zelandés o celandés, zeugma o ceugma, cebra o zebra, cenit o zenit, ázimo o ácimo* y alguno más.

El debido empleo de la c sencilla o doble no ofrecerá dificultad alguna a la persona que tenga conocimientos de francés. Para ello, traducirá a dicho idioma la palabra, observando que la referida letra, generalmente, se convierte en t cuando en español se emplea una sola c. Cuando se conserva en francés la c seguida de t, es porque en nuestra lengua lleva, comúnmente doble c. Ejemplo: *legislación* y *administración* se escriben con una sola c, y así vemos que, en su versión al francés, se convierte en **t:** *législation, administra-tion.* En cambio, *instrucción* y *dirección* llevan doble **c,** y, en efecto, advertimos que, traducidas al francés, conservan una **c** seguida de **t:** *instruction, direction.*

Antes de **t,** siempre se escribirá **c** y no **z:** *actividad, tacto;* se exceptúa *azteca.*

12. REGLAS PARA EL USO DE LA **D** Ý DE LA **Z,** AL FINAL DE PALABRA.

Se escribe **d** a fin de palabra, cuando el plural termina en **des;** y **z,** cuando el plural finaliza en **ces:** así, *red* y *pez* se escriben con **d** y **z,** respectivamente, como se comprueba al hacer los plurales: *redes* y *peces.*

También se escribe **d** final en las segundas personas del plural de todos los imperativos: *atad, vended, unid.*

13. REGLAS PARA EL USO DE LA **I, Y, LL.**

1. Al principio de palabra, siempre se escribirá **i,** no **y,** cuando hace veces de vocal, es decir, cuando va delante de consonante. Diremos, pues: *Isabel, ilustrísimo,* y no *Ysabel, ylustrísimo.*

2. Al final de palabra se pondrá **i** cuando vaya acentua-da; **y,** cuando no lleve acento, como: *oí, reí; hoy, rey.*

3. Las palabras que terminen en singular con **y,** lleva-rán esta letra al formar el plural, como: *leyes,* de *ley; bueyes,* de *buey.*

4. En las formas de los verbos cuyos infinitivos no tie-nen ni **y,** ni **ll,** siempre se escribe **y,** como: *oyes, vaya, haya, yerro, yergo, cayó, recluyó, poseyendo,* etc., de *oír, ir ha-ber, errar, erguir, caer, recluir* y *poseer.*

5. Se escribe con **y** la sílaba **yec:** *proyecto, inyectar.*

6. Igualmente se escriben con **y** las voces que comien-zan por el sonido **yer:** *yermo, yerno.*

7. También se escribe **y** a continuación de **ad, dis** y **sub:** *adyacente, disyuntiva, subyugar.*

14. REGLAS PARA EL USO DE LA M Y DE LA N

1. Se usa **m** antes de **b** y de **p**, como: *impulso, imbécil;* menos en algunos nombres propios extranjeros, como en *Hartzenbusch* y *Gutenberg*, y menos en el adjetivo anticuado *bienplaciente*.

2. La **m** suele preceder inmediatamente a la **n** en las palabras simples, v. gr.: *columna, gimnasia.*

En las palabras compuestas, la primera letra es siempre **n**, y la segunda puede ser **m** o **n**; por ejemplo: *inmortal, innegable*, menos en algunos compuestos de voz latina, como: *omnipotente, omnisciente* (de *omnis*, todo). La **m** nunca se duplica en nuestro idioma; sólo la llevan doble el adjetivo *commelináceo*, las letras griegas *gamma* y *digamma* y los nombres propios *Emma, Mariemma* y *Emmanuel*.

3. Se pone **m** al final de algunas palabras procedentes de otras lenguas, como *álbum, ídem.*

4. **N** se usa siempre que sigue **v:** *enviar.*

5. El prefijo negativo *in: invicto*, se convierte en **im** antes de **b** y de **p**; ejemplos: *imborrable* (que no se puede borrar), *imposible* (no posible). Se cambia en **ir** cuando precede a una palabra que empieza por **r**, como *irremediable* (no remediable). Se transforma en **i** delante de **l:** *ilegal* (no legal).

15. REGLAS PARA EL USO DE LA R.

1. La **r** tiene sonido suave (*marisma, salir*) siempre que no vaya en principio de palabra (*ropa*) ni enmedio, precedida de consonante (*enrolar*), porque, en estos casos, a pesar de escribirse sencilla, sonará fuerte.

2. La **rr** se usa en medio de dicción para sonidos fuertes entre dos vocales: *barruntar.*

3. En las palabras compuestas se observan las mismas reglas que en las simples, como: *grecorromano, vicerrector, radiorreceptor, enrejar, alrededor.*

16. REGLAS PARA EL USO DE LA S Y DE LA X.

1. Sobre el uso de estas dos letras, pocas son las reglas que se pueden dictar, puesto que el empleo de una o de otra está basado en la etimología. Así los compuestos de las preposiciones latinas **extra** o **ex** (fuera) se escribirán siempre con **x**, como: *extravagante* (que vaga fuera), *extraordinario* (fuera de lo ordinario), *extramuros* (fuera de los muros), *extrajudicial* (fuera de lo judicial), *expulsar* (echar fuera), *extemporáneo* (fuera de tiempo), etc., sin confundir dichas palabras con las que, a pesar de comenzar con idénticos sonidos, no llevan en su significación nada que haga referencia a **fuera**, porque no son compuestas de **extra** ni de **ex**, como acontece con *estrategia, estratagema, estrafalario, estragado, estrabismo, estrangular, estrave, estrambótico, estrambote, estrato, estraza,* etc.

2. Observaremos que siempre que el sonido sea equivalente a **cs** o a **gs**, se escribe **x**, como: *examen, axioma*.

3. Se escribe **s** delante de las consonantes **b, d, f, g, l, m, q,** menos en *exfoliar* y *exquisito*.

4. Se usa **ex** y no **es** en las palabras que principan por este sonido y a continuación tienen **h** o una vocal, como: *exhalar, exasperar,* con excepción de *ese, esa, eso, esotro, esófago, esencial, esencia, ésula, esotérico* (oculto), *esecilla* (alacrán), *eseíble* (lo que puede ser), *esenio* (individuo de una secta), *esópico* (de Esopo).

5. Se escribe también **x** delante de las sílabas **pla, ple, pli, plo, pre, pri, pro.**

Ejemplos: *explayar, explotar, expreso, exprimir,* etc. Se exceptúan tan sólo *esplénico, esplenio, esplenitis* y *esplique* (armadijo).

6. Acerca de la preposición latina **ex**, de la que acabamos de hablar, diremos que se escribe separada cuando se antepone a nombres de dignidades o cargos para denotar que ya no los tiene la persona de quien se habla: *ex regente;* cuando va precediendo a nombres o adjetivos de persona, indicando que ésta ha dejado de ser lo que aquéllos signifi-

can: *ex monárquico;* y en locuciones latinas, usadas en español: *ex cáthedra.*

7. Hay algunas palabras que muchas personas las confunden, escribiéndolas erróneamente con x, por parecer así su sonido, tales como: *espontáneo, espléndido, estreñido, estremecer, espectro, estructura, espectáculo, estricto, estricnina, estentóreo, estratosfera,* etc.

17. LECCIÓN PRÁCTICA DE LAS LETRAS C, Z, D, I, Y, LL, M, N, R, S, X.

Temas de palabras.

1. Pez, tapiz, virtud, flexible, luz, estreñido, espléndido, estrechar, luxación, estratagema, extranjero, exigüidad, boxeo, sed, desairado, desrizar, asfixia, auxiliar, psicología o sicología, exceso, yute, paz, aflicción, atropello, esparcir, vid, jayán, cripta, sayón, acullá, pléyade, casulla, llar, susurro, tungsteno.

2. Arroyo, axioma, estricnina, esclarecer, exención, exhausto, exégesis, eximir, esforzar, exuberante, exagerado, intoxicar, espectro, extenuado, flexibilidad, exultación, convexo, extrañar, reflexionar, maxilar, excelso, epopeya, yugo, intersticio, extracción, exangüe, bayadera, patrulla, astigmatismo, amígdala.

3. Estremecer, léxico, expansión, expectorar, filoxera, extravagante, anexión, frambuesa, salud, flexión, taxativamente, leyenda, zambullir, nexo, exhalar, adquisición, inexactitud, usted, subrayar, azogue, fragmento, pared, escrutinio, sextil, rebollo, resollar, royo (rubio), deducción, caballo, espadaña.

4. Manresa, subarrendar, yacer, codorniz, espontáneo, éxito, yegua, zarzaparrilla, Troya, azotea, exceder, expedito, excitar, yunque, expiar (purgar una falta), yoduro, ceniza, zurdo, máximas, lacayo, explorar, alcayata, gamellón, al estricote, nailon, yóquey o yoqui, masoquismo.

5. Exasperar, excelencia, irrogar, anécdota, expresión, subrepticio, explorador, yarda, extraordinario, eléctrico, yerno, seso, exótico, exquisito, exclusivo, yodo, enredoso, esófago, azucarera, leguleyo, yerro, estentóreo, sexteto, serrallo, cricquet, desempleo.

6. Loyola, experiencia, textil, amistad, yema, azufre, expreso, elixir, Sixto, mayordomo, excepción, yesería, extralimitarse, excusarse, óxidos, Vizcaya, tacto, Isabel, zigzag, corteza, exterior, laxante, laya, yedra, ayer, mella, mayólica, sestercio, textorio, sextina, sexma, rebollidura, llamear, centella, peyorativo, factótum, exantemático, mnemotecnia o nemotecnia.

7. Espectáculo, expectativa, Enrique, ayunar, tórax, exterminio, esperma, oxígeno, axiomático, esculpir, execrar, pretextar, estructura, protestar, extremeño, rey, saya, exequias, ensayo, escasez, gallo, estrépito, escoger, oxiacanta, circunspección, oxear, moxa, bellota, zaragüelles, coleóptero, coyote, prospección, anamnesis, mixomatosis, amnesia, gasoducto, metralleta, azeuxis, escorar, yudo o judo, alumnado, dextrórsum.

8. David, verdad, feliz, juez, raíz, cecear, oxidado, adalid, coz, malrotar, cizaña, dilección, proximidad, césped, escarmiento, hoz, yermo, excéntrico, autoridad, estrangular, enredar, trayectoria, espeluznante, ónix, superstición, pelirrubio, oxalme, oscense, plebeyo, malla (tejido), esquisto, estratosfera, chicle, esclerosis, estrógeno, exogamia.

9. Rayo, laúd, rapaz, rayano, sexto, pollo (ave), escrofuloso, perdiz, bueyes, reí, esencial, accidente, quiosco, sandez, hallazgo, tocayo, esplendor, proyectil, ex profeso, facsímile, sexcentésimo, aleluya, gollería, excogitar, yantar, textura, ardid, inextricable, transubstanciación, vellido, llambria, pseudo o seudo, uxoricida, septicemia, enrolar, bienplaciente, flictena.

10. Bayeta, sexo, exhortar, eructar, sexagésimo, áspid, honroso, paroxismo, exonerar, exordio, expulsar, excomulgar, expendeduría, excremento, espasmo, inexorable, zipiza-

pe, espiar (mirar), técnico, especular, explosivo, ¡ox!, espejismo, testuz, diyambo, constatar, escamiforme, lux.

11. Inescrutable, estrujar, eyacular, ostracismo, abyecto, escuálido, estragar, transfixión, ronronear, jollín, gayo (alegre), poyo (banco de piedra), sexenio, especial, equinoccio, tesitura, cocción, haxix, esquí, plexo, copto, espartano, farallón, facticio, neumotórax, rayón, yogur, extrarradio, xilófono, oxítono, amayuela, erradicar, laxante, detección, explosionar.

12. Contrarréplica, Villarcayo, píxide, piyama, transición kilovatio, especioso, oxear, contrición, exvoto, gnomo, o nomo, exorcismo, estreno, estrado, estropicio, defección, macsura, laxar, suspicacia, sáxeo, exulcerar, tollo, traílla, Neptuno, extremoso, pollino, solsticio, escayola, dioptría, hertziana, cacto, eclosión, maximizar, yeísta, robot.

13. Papagayo, coyunda, Majzén, expoliación, exacción, saxófono, pollera, opción, espliego, apotegma, exudar, extorsión, oxte ni moxte, eccema, profilaxis, táctil, xilófago, acceso, succión, dextro, floklore, taxímetro, vaya, jurisdicción, axis, extraviado, extradición, extrajudicial, botella, silla, centolla.

14. Cremallera, palimpsesto, yeyuno, axila, accésit, boya, bugalla, bayo, boyal, cayo, cabuyera, cabilla, borrufalla, claraboya, caquexia, bizma, cahíz, arbollón, bayuca, belez, bellote, boyante, cleptómano, coadyuvé, alcubilla, expugnar, sestear, manirroto, expósito, estribillo, tobillo, raya, alcaller, afta.

15. Batayola, bistec, convoy, corrupto, dux, eccehomo, ataxia, eslabón, esparaván, estertor, estivo, estrabismo, estrafalario, hesitación, hexacordo, hexángulo, hiato, estribar, excarcelar, exclaustrado, excoriación, excrecencia, excursión, extremo, inaccesible, expropiar, exprimir, llanura, gallardete, pella, maxvelio o maxwell.

16. Execrable, exfoliación, exinanición, existimación, éxodo, exorable, exorar, disección, asceta, exorbitante,

exorcismo, exornar, exótico, expeler, explayar, esparavel, expletivo, explícito, exfoliación, escisión, exponer, exportar, verdegay, razzia, estriar, escofina, sujeción, discreción, extrasístole, escandir.

17. Enranciar, escarceo, coxcojilla, escrutar, transacción, escudriñar, espiral, sello, monorrítmico, extrínseco, fláccido, escrúpulo, red, pillo, sexángulo, escarnio, estruendo, callo, descoyuntar, vellón, grillo, mayar, doncella, pararrayos, mayestático, pirotecnia, relapso, iconoclasta, proxeneta, atrición, azagaya, espolique, instinto, nictálope, docto, difteria, secuoya.

Temas de frases

1. Exceden a toda ponderación los espléndidos parques de Versalles, residencia predilecta donde exclusivamente se expansionaban los Reyes de Francia y respiraban el puro oxígeno de sus exuberantes jardines. El exterior del palacio mide 415 metros, y fue construido por deseo expreso de Luis XIV.—Acusados los moriscos de extralimitarse, manteniendo estrechas relaciones, para común auxilio con los turcos y berberiscos, fueron, sin excepción, arrojados de España. Excusamos decir que sus exageradas protestas y extravagantes pretextos no fueron escuchados ni lograron transacción alguna.

2. El religioso agustino Martín Lutero, promovedor del cisma protestante en Alemania, armó gran batahola entre los creyentes, exhortándoles a combatir esencialmente los votos monásticos, el celibato de los sacerdotes, el Purgatorio, el dogma de la transubstanciación del pan y del vino y la Comunión bajo una sola especie. Tradujo la Biblia en lengua vulgar. Murió en 1546. De aquí salió la secta de los protestantes. La Iglesia condenó dichos errores en el Concilio de Trento y excomulgó a los adictos.

3. Hernán Cortés, hidalgo extremeño, se esforzó en organizar espontáneamente una expedición marítima, y fundó con feliz éxito la ciudad de Veracruz.—La Ley sálica excluye taxativamente del Trono al sexo femenino y a sus descendientes.—Próximo a Plasencia, cuya Catedral de gótica estructura es notabilísima, se halla el histórico Monasterio de

Yuste.—Como su malhadado esposo Luis XVI, murió en la guillotina, en 1793, María Antonieta, a quien condenó la inflexibilidad de un inexorable tribunal revolucionario, en conmovedor espectáculo.

4. En un escogido fragmento de cierta carta dirigida a Tiberio, se pinta con bastante exactitud el retrato físico del Hijo de Dios, que estremeció al mundo con el ineluctable y viril sacrificio a que le llevó la extremada dilección que sentía por el género humano, cuyas faltas expió.

5. Era Cristo de aventajada y no excesiva estatura, y de rostro venerable; su agraciada cara no tenía arrugas; la frente, llana; la nariz y la boca, excelentemente perfectas; los ojos, azules claros; la barba, pequeña y poblada, partida en medio; poca abundancia de vello, sus cabellos eran de color avellana no madura, lisos hasta las orejas, y desde éstas, rizados sin exageración, y según costumbre de los nazarenos, largos y divididos en medio de la cabeza; la conformación del cuerpo era simétrica; brazos y manos, 'muy bonitos; su afabilidad le acreditaba de exquisito tacto; tenía aspecto sencillo y expresión grave.

6. Alfonso XI fue sucedido por su hijo Pedro I, llamado *el Cruel;* pero el bastardo Enrique, escudado en su esclarecida procedencia, le disputó, exasperado, la Corona, y en los aireados campos de Montiel, la malicia del subvencionado caudillo Duguesclín vio el modo expeditivo de enfrentarlos.—Como una exhalación, excitados, se fueron a las manos, Pedro y Enrique, ansiosos de exterminarse. Como aquél era más forzudo y de mejor salud, cayó con estrépito encima de Enrique, que yacía estrujado, medio descoyuntado, asfixiado y con las fuerzas exhaustas.

7. Entonces, el traidor lacayo Duguesclín, que a la expectativa espiaba la lucha, lejos de inhibirse, se valió de la excelente estratagema de darles la vuelta, pronunciando la paradójica frase «Ni quito ni pongo rey, pero ayudo a mi señor».—El ambicioso Enrique llevó a cabo la heroicidad de hundir su daga en el corazón del indefenso hermano, sin experimentar aflicción alguna al contemplarlo yerto.—Así fue como subió, incólume, al Trono, el asesino Enrique II, primero de la bastarda dinastía de los Trastamara.

8. Reflexiona lo extraño de que los roedores estremezcan al alcohólico naranjero.—El autor del homicidio expiará su crimen.—El fiel cancerbero se extravió en medio de aquel oasis.—La exigüidad de su remuneración le hundió en la miseria.—Félix estaba extenuado.—Armaron un zipizape con las aleluyas.—Son excelentes máximas, dignas de esculpirse.—No te expansiones leyendo cosas que revelan un gusto estragado.—El fausto hallazgo le produjo un accidente.—Proparoxítono y esdrújulo son sinónimos.

9. No le hicieron la autopsia; sus exequias se celebraron con todos los honores, al octavo día.—Coadyuvé a que su benevolencia fuera extrema.—El osado arguyó que diluviaba.—La perversa y aleve conducta de ese joven extraviado, cuyas hazañas y viciosos hábitos conocemos, ponen de relieve su condición.—No hay excusa para la aviesa intención al preparar la coartada.—El elixir que he pedido es contra el escrofulismo.—El ciervo volador es un insecto coleóptero semejante al escarabajo, de mandíbulas ahorquilladas.

10. A duras penas y hacinado con las innumerables gentes, pude estrechar su mano.—No existe causa para que te eximas de responsabilidad en la intoxicación.—Ese tapiz es de buena estructura.—Con excesiva exactitud comenzó en Manresa la lucha de boxeo.—La zarzaparrilla no es excitante.—Me zambullí en un baño de agua tibia sin el menor estremecimiento.—La extraordinaria anécdota exasperó al lacayo.—El manejo con la zurda es enredoso.—La difteria es infecciosa.

11. Una exhalación eléctrica convirtió en ceniza, con su deslumbrador zigzag, las yeserías, en una extensión de mil yardas.—Sixto, mi yerno, el mayordomo de Isabel, es natural de Vizcaya.—Es una sandez que remitas a tu tocayo el facsímile.—El estrépito que hizo el rapaz asustó a la perdiz que acechabas.—Lo esencial es que el ensayo sea dirigido por Enrique.—Se auxiliaba el extranjero por un procedimiento de mnemotecnia y, sin esforzar su memoria, exhibía un exagerado léxico.—Llegamos al golf montados en un tándem.

12. Pretextó que yo protestaba de las excentricidades del payaso.—Es exacto que siempre permanecía al pie del yun-

que.—Se irrogan perjuicios a la explotación textil.—Conviene hacer gimnasia en local bien aireado.—Adquirí cinco bueyes y once yeguas como una gollería.—El estreñimiento se combate con un laxante.—Como se trata de una infamia, se me exacerbó la bilis y se me exaltaron los nervios.—La estreptomicina es un excelente antibiótico.—Le amo y le odio porque en mí coexiste un execrable sentimiento de ambivalencia.

13. El bandido, estrechando entre sus manos la garganta de la fláccida víctima, la estranguló en el establo, detrás de unas estacas.—Fue en vida un hombre excelente, aunque algo estrafalario, y su mala estrella le excluyó de mi establecimiento, no obstante ser un dependiente exacto en el cumplimiento de su deber y que pensaba siempre en cosas prácticas y excelsas.—Los exploradores lanzaron varios proyectiles.—El espectáculo de la ejecución del uxoricida servirá de escarmiento.—El bienplaciente David jugaba al cricquet.

14. El malayo estaba en connivencia con el vizconde de Villarcayo.—La veleta del pabellón giraba veloz, junto a la claraboya.—La resurección del israelita no era una exageración irrisoria de la secta ortodoxa.—La yesca hizo arder la saya de la hereje.—La yegua baya y el caballito alazán son del bávaro hercúleo.—El gato hidrófobo maya con maullidos quejumbrosos.—El histrión expuso sus yerros, explicando el motivo de dichas equivocaciones.—La región de la atmósfera, superior a la troposfera, se llama estratosfera.

15. Los gnomos o nomos de la Alhambra son pigmeos de fábula.—Los claveles de ese vergel espiran un olor enervante.—El avaro no dijo oxte ni moxte.—El proyectil le atravesó la aorta, seccionándole varias venas.—Los eccemas surgen en la región subcutánea.—La exacción de ese tributo es una expoliación y me puso en tal tesitura, que me dio un acceso de furia.—La recaída en tu enfermedad fue originada por la falta de profilaxis.—Bebimos vodka, tocamos la vihuela y masticamos chicle.—Anamnesis es el examen clínico de antecedentes de un enfermo.

16. Era sexagenario y gozaba de gran flexibilidad.—Subarrendé la expendeduría por escasez de venta.—Con tu mal

genio, me exasperas e irritas, porque excede tu carácter estrambótico a toda ponderación, pero no te valdrá la estratagema.—Se seccionó la yugular el excarcelado, por razones inextricables.—Saqué la deducción de que aquello era una pléyade de ascetas.—Fue exclusivamente a la anexa capilla para llevar su ofrenda o exvoto a la Virgen.—Huyendo el criollo por el arroyo, es fácil que haya hallado la bayeta.

17. Los albañiles extendieron el yeso con la llana.—Los gallos y los papagayos tienen voz chillona.—El gamellón es la pila donde se pisan las uvas.—El oleaje que batía el rompeolas destruyó los sillares del muelle. —Con las mollas de una grulla confeccioné un bistec exquisito, que soasado en el llar de mi hogar, se repartió a la patrulla.—La bayadera egipcia exhibía sus aptitudes coreográficas ante el nabab que, bajo gigantesca sombrilla de veteadas varillas, se extasiaba con las convulsiones de la bailarina.—En Honduras occidental hay yacimientos de gneis o neis.—Me tiró a la cabeza una pella de barro.—Tropecé con el testuz del buey.—Me extirpé las amígdalas.—Vivo extrarradio de la población.

18. Me desollé la mano al coger del hoyo la olla abollada.—Las nieves extienden perennemente su alba veste sobre las llambrias de ese collado.—Los equinoccios y los solsticios son puntos de la eclíptica y del zodíaco.—Desde los adarves del abandonado castillo, las mujeres de los guerrilleros echaban óleo hirviente sobre las cabezas de los invasores, que protegidos por yelmos, seguían avanzando en la explanada rocallosa.—La escayola es yeso espejuelo calcinado.—En el tubo digestivo tenía grave afta; y en la visión, varias dioptrías.—El pelirrubio Sixto se enroló en el Tercio.—Flictena es un tumorcito de la piel, semejante a una ampollita.—Su extrasístole era debida a la aortitis.—El vate escande sus versos.

19. Su Santidad Pablo VI ha dicho: «Emplearemos todas las energías para que la Iglesia Católica que esplende en el mundo como una bandera izada, pueda atraer a sí a todos los hombres».—Miguel Ángel fue un genio exuberante; en su labor exhaustiva de arquitectura, pintura y escultura estampó su esplendorosa impronta. Cultivó todas las bellas artes sin que realizase ninguna en interpretación peyorativa. Muy diestro en música y excelente poeta. Legó a la posteridad

grandiosas concepciones ejecutadas principalmente en el Vaticano; en ellas imprimió el sello de sincero creyente.

20.   ¡Qué ricas amayuelas voy a comer hoy!—Se ha iniciado una activa campaña para la erradicación de la tuberculosis.—El yudo o judo es un sistema de lucha originario del Japón que exige una gran destreza.—Últimamente, la Academia admitió la palabra *nailon*, para designar el producto sintético del que se obtienen hilos o filamentos elásticos y resistentes.—Petroleoquímica es la industria que utiliza el petróleo o gas natural.—Al jinete profesional de carreras de caballos se le conoce con el nombre inglés de yóquey.—Constatar equivale a comprobar personalmente.

Capítulo III

LOS ACENTOS

1. ACENTO PROSÓDICO Y ORTOGRÁFICO

Acento prosódico es la mayor intensidad acústica con que se hiere una determinada sílaba, denominada sílaba tónica, al pronunciar una palabra. Así, por ejemplo, el nombre *origen* tiene el acento prosódico en la sílaba *ri;* y la palabra *azahar* lleva dicho acento en la sílaba *har,* porque es en ellas precisamente donde carga la fuerza de la pronunciación.

Acento ortográfico es una rayita oblicua que se coloca sobre una vocal de la sílaba tónica cuando lo preceptúan las reglas que se transcriben más adelante.

Según el lugar que en ellas ocupe la sílaba tónica las palabras pueden ser:

Sobresdrújulas, cuando la sílaba tónica es anterior a la antepenúltima: *Avísamelo, fusílesele.*

Esdrújulas o **proparoxítonas,** cuando la sílaba tónica ocupa el antepenúltimo lugar: *incrédulo, rápido.*

Llanas, graves o **paroxítonas,** cuando la tónica es la penúltima sílaba: *puerta, tintero.*

Agudas u **oxítonas,** cuando la fuerza del acento prosódico carga sobre la última sílaba: *laurel, ciclón.*

2. DIPTONGO Y TRIPTONGO

Diptongo (dos sonidos) es el conjunto de dos vocales que se funden en una sola sílaba. La unión puede ser de las vocales fuertes **a, e, o** con las débiles **i, u,** o con la **y,** como en *hay, aire, cual, fiel, soy,* etc., o simplemente de las vocales débiles entre sí, o con la **y,** como *ruido, viudo, ¡huy!*

Triptongo (tres sonidos) existe cuando las vocales fuertes van precedidas y seguidas de vocales débiles o precedidas de vocal débil y seguidas de **y,** interviniendo en una sola sílaba: *codiciáis, Camagüey.*

Diptongos y ejemplos:

ai o *ay*...	baile,	hay	*ia*	limpia	
ei o *ey*...	aceite,	ley	*ie*	miedo	
oi u *oy*...	heroico,	hoy	*io*	principio	
ui o *uy*...	ruiseñor,	¡huy!	*iu*	ciudadano	
au	autorizar		*ua*	yegua	
eu	deuda		*ue*	pueblo	
ou	bou		*uo*	continuo	

Triptongos y ejemplos:

iai	diferenciáis	*iei*	conferenciéis	
uai o *uay*	menguáis, ¡guay!	*uei* o *uey*.	averigüéis, buey	
iau	miau	*ieu*	haliéutico[1]	
uau	guau	*ioi*	hioides	

Casos en que no hay **diptongos** ni **triptongos,** sino **hiato** o **azeuxis,** que según indica la Academia, es el encuentro de dos vocales que se pronuncian en sílabas distintas:

Las vocales fuertes, unidas entre sí, no forman ni diptongos ni triptongos, salvo en licencia poética, la que recibe el nombre de *sinéresis;* figura que consiste en hacer de dos sílabas, una, como: *real* por *re-al.*

---

1) Este adjetivo no lo registra la Academia, pero se halla en los diccionarios Espasa y Larousse con el significado de *perteneciente a la pesca.*

No hay **diptongo** al juntarse una vocal fuerte con otra débil si lleva la palabra el acento prosódico en la débil: *decía, oído, rúa, falúa.*

Tampoco hay **diptongo** en los verbos terminados en **uir**, a pesar de que para los efectos de la acentuación ortográfica es norma de la Academia la de que se omita la tilde en el infinitivo y en todas las voces llanas o graves formadas por ellos, como: *recluir, huido, influido, constituido.*

Asimismo, los verbos terminados en **iar uar** que disuelven el diptongo en la primera persona del presente de indicativo no lo tienen en ninguna de las del singular ni en la tercera del plural de los presentes de indicativo, imperativo y subjuntivo. Ejemplos: *ampliar* y *actuar,* que destruyen el diptongo en *amplío, actúo,* no lo tienen en las personas y tiempos ya dichos, así como *aliviar, mediar* y *amortiguar* siempre tendrán diptongo, puesto que no lo disuelven en *alivio, medio* ni en *amortiguo.*

Sobre la disolución del diptongo en los verbos finalizados en **iar** o **uar** se hace un estudio detallado en el libro *Cuestiones Gramaticales.*

La Academia detalla algún caso más en que no hay diptongo, por razón del origen de las palabras; como en *criar,* que procede de *creare,* donde la **i** es **e;** y en *piar* porque se ha eliminado la consonante que en el latín seguía a la vocal débil: *pipare.*

Tampoco lo hay en ciertas dicciones compuestas cuyo primer elemento sea un prefijo: *reunión.*

Deja de haberlo también con la figura *diéresis,* en la que, para dar a la palabra una sílaba más, se permite deshacer un diptongo, pronunciado separadamente las vocales del mismo: *fi-el,* por *fiel; su-a-ve* por *sua-ve.*

El **triptongo** se deshace en las segundas personas del plural de los presentes de indicativo y de subjuntivo de los verbos finalizados en **iar, uar,** que disuelven el diptongo en el presente de indicativo, como ya hemos visto. Por lo tanto, no habrá triptongo en: *desconfiáis, desconfiéis; telegrafiáis, telegrafiéis; situáis, situéis,* etc.

abras sobresdrújulas y esdrújulas.

Se acentúan todas ortográficamente: *fusílesele, cántaro*.

Palabras llanas, graves o paroxítonas.

Se acentúan en los siguientes casos:

1. Cuando acaban en consonante que no sea **n** ni **s**: *cárcel, dátil, Sánchez, álbum*.
2. Cuando finalizan en **n** o **s** precedida de otra consonante, como: *bíceps, tríceps, fórceps*, salvo que esa otra consonante fuese precisamente **n** o **s**, como *Rubens*.
3. Cuando terminan en vocal débil, con acentuación prosódica, seguida de diptongo y **s** final, como: *escribíais, teníais*.

Palabras agudas u oxítonas.

Llevarán acento ortográfico en los siguientes casos:

1.º Cuando terminen en vocal: *Perú, escogí, dominó, sofá, amé, paipái*.

2.º Cuando finalicen en consonante que sea **n** o **s**: *turrón, Leganés*, salvo que esta **n** o **s** final esté precedida de otra consonante que no sea ni **n** ni **s**. Así no se acentuarán: *Canals, Isern*, pero en cambio sí *Orleáns*[1].

3.º Las dos reglas precedentes no son aplicables a los monosílabos que, en general, no llevan acento, salvo cuando éste se usa en *función diacrítica* para diferenciar palabras de la misma estructura y distinta significación u oficio gramatical (ver pág. 97).

Palabras compuestas.

El vocablo simple que forme parte, como primer elemento, de uno compuesto, no llevará el acento ortográfico que

---

1) A los efectos de acentuación, la y final se considerará como consonante, por lo que no procederá atildar: *taray, convoy, maguey, Uruguay*, etc.

como simple le correspondería. Se escribirá: *decimoséptimo, decimonono, tiovivo, baloncesto*, etc.

Se exceptúan los adverbios finalizados en **mente,** que conservarán en el adjetivo el acento gráfico que le pertenezca como simple: *dócilmente, comúnmente.*

En los compuestos de dos o más adjetivos unidos con guión, cada componente mantendrá su acentuación prosódica y también la ortográfica pertinente: estudio *gramáticocrítico-histórico.*

Los gentilicios de pueblos, fundidos por sus caracteres comunes, se escribirán sin separación alguna: *iberoamericano, hispanoamericano, indogermánico,* voces compuestas que no se acentuarán en su primer elemento.

Finalmente, los compuestos de verbo con enclítico más complemento, como: *metomentodo, sabelotodo, sanalotodo, curalotodo,* no se han de escribir en adelante con el acento que solía ponerse en el verbo, así como tampoco se atildarán: *zampalopresto, siguemepollo.*

Letras mayúsculas.

Las letras mayúsculas se acentúan igual que las minúsculas.

4. OBSERVACIONES QUE HAY QUE TENER PRESENTES PARA LA ACENTUACIÓN Y QUE COMPLEMENTAN LAS REGLAS FUNDAMENTALES ANTERIORES.

1. Cuando en una palabra haya encuentro de vocal fuerte con otra débil o de débil con fuerte y cargue la entonación prosódica en una de ellas, habrá que distinguir según que sea sobre la fuerte o sobre la débil.

a) Si recae en la vocal fuerte, entonces existe diptongo y procederá marcar el acento sobre dicha vocal fuerte, siempre que corresponda de acuerdo con las reglas fundamentales de la acentuación, antes transcritas. Ejemplos: *óigame, aindamáis, Agnusdéi, parabién, huésped, diócesis,* etc.

b) Si, por el contrario, es en la vocal débil en la que carga la fuerza del acento prosódico, se atildará dicha letra, sea cualquiera la sílaba en que se halle colocada y, con ello, quedará deshecho el diptongo, como: *teúrgia, ataúd, ganzúa, tenían, embaír, freír, oír*[1].

La letra muda **h** se considera inexistente para los efectos de acentuación, por lo que, colocada entre vocales, procede marcar la tilde en voces como *ahínco, tahúr, búho,* etcétera; y no es incompatible con que haya diptongo, según vemos en *rehilar* y *ahuchar,* verbos que dejan de tenerlo, por ejemplo, en *rehílo* y *ahúcho* porque al cargar la entonación prosódica sobre la vocal débil, siempre queda deshecho el diptongo y se atilda la palabra, de acuerdo con lo que acabamos de exponer en el párrafo precedente.

2. La combinación **ui** a los efectos de acentuación se considera como diptongo y únicamente se atilda, en su segunda vocal, cuando expresamente lo prescribe alguna de las reglas fundamentales de la acentuación. Por consiguiente, llevará acento ortográfico *cuídate,* como esdrújula, y *substituí,* como aguda finalizada en vocal; pero no se pondrán acentos en voces llanas como *huida, fluido,* etc., ni en los infinitivos terminados en **uir,** que seguirán escribiéndose sin acentuar: *huir, derruir, contribuir, construir.*

3. Las formas verbales que llevan acento ortográfico, lo conservarán aun cuando aumenten su terminación con pronombre enclítico: *escribióme, roguéle*[2].

---

1) En las *Nuevas Normas* de la Real Academia figuraba la 16.ª, que establecía la supresión del acento ortográfico en los infinitivos terminados en *air, eir, oir.* Después se acordó dejar sin aplicación dicha norma y, por tanto, estos infinitivos quedan sujetos a la regla general del encuentro de vocal fuerte átona con débil tónica, según la cual corresponde acentuar la débil: *Embaír, reír, desoír,* y así los recoge la última edición, de 1970, del Diccionario oficial.

2) Esta regla figura entre las que se publican al final del último *Diccionario* de la Academia (año 1970) cuando trata de la acentuación y pone como ejemplos: *pidióme, conmovíla, rogóles, convencióles, andaráse,* porque ni ésta ni cualquiera otra forma verbal con el aditamento de *enclíticos* ha de considerarse como vocablo compuesto, ya que advierte la *Gramática* de la Academia (número 187) que para que un vocablo sea compuesto, es preciso que se fundan en la mente dos ideas formadas por dos voces distintas o por una voz y un prefijo, y se junten en la escritura las voces que designan dichas ideas, como *padrenuestro* de *padre* y *nuestro; deshora* de *des* y *hora.*

También se atildarán, con sujeción a las reglas fundamentales, las que se convierten en esdrújulas o sobresdrújulas por el aditamento de enclíticos: *átalos, cómelo, pídeselo.*

4. No se trazará acento gráfico sobre los monosílabos *dio, vio, fue, fui.* Sin embargo, cuando con ellos se formen palabras esdrújulas por la adición de enclíticos, deberán acentuarse: *dióseles, vióseles, fuéseles* y *fuimonos.*

5. De los verbos acabados en **uir,** únicamente *inmiscuir* se conjugaba como regular: *inmiscúo, inmiscúa,* etc.; pero ahora se autorizan también dichas formas con y: *inmiscuyo, inmiscuya,* etc.

6. Los nombres propios extranjeros se escribirán, en general, sin ponerles ningún acento que no tengan en el idioma a que pertenecen; pero podrán acentuarse a la española cuando lo permitan su pronunciación y grafía originales, como *Wáshington, Édison, Ándersen, Wágner, Schiller, Mózart, Tolstói.*

Si se trata de nombres geográficos ya incorporados a nuestra lengua o adaptados a su fonética, tales nombres no se han de considerar extranjeros y habrán de acentuarse gráficamente de conformidad con las reglas generales, como: *Nápoles, Berlín, Moscú, Perpiñán.*

Igualmente, las expresiones latinas se acentuarán gráficamente con arreglo a nuestra ortografía, como: *memorándum, paternóster.*

7. También se utiliza la tilde para la función diacrítica y para la enfática o ponderativa, conforme explicamos en la página 97.

8. La preposición **a** y las conjunciones **e, o, u,** no llevarán acento; solamente la **o** cuando vaya entre cifras: 7 ó 9.

9. Toda letra debe acentuarse cuando le corresponda, aunque sea mayúscula.

10. Cada palabra, al hacer el plural, conserva el acento prosódico en la misma sílaba en que lo tiene en singular, menos *régimen* y *carácter,* que lo corren una sílaba a la derecha: *regímenes* y *caracteres.*

11. La Academia autoriza la escritura y pronunciación de determinadas palabras con distintas grafías, como: *reúma* o *reuma; dinamo* o *dínamo; tortícolis* o *torticolis* (véase página 129).

5. LECCIÓN PRÁCTICA DE ACENTOS

Distinguir en los siguientes ejemplos las **vocales,** las **sílabas directas, inversas** y **mixtas,** las **palabras monosílabas** y **polisílabas,** las **sobresdrújulas, esdrújulas, llanas** y **agudas,** las **compuestas,** los **diptongos** y **triptongos,** y explicar la regla por que se rigen para su acentuación. Señalar las diferentes sílabas de las palabras que indique el profesor.

Saúl emprendió la huida en el regio automóvil de Matías.
Continuó el continuo sacrificio como yo lo continúo.
Perdisteis las púas y confiáis en que se encuentren.
El dúo del barítono y la tiple fue magnífico.
Aunque mediéis, no confiéis, si continuáis con Elías.
Influimos con el farmacéutico para daros la cocaína.
Ilion es lo mismo que íleon.
Sería que mi tía estaba seria al llegar a Valparaíso.

Amortiguáis, guardáis, despreciéis y *aviéis* se **acentúan en** las *aes* y *ees,* respectivamente; asimismo, *alelíes, maíces, desvirtúo* y *perpetúas* se **acentúan en** las *íes* y *úes.*

Los amigos Sáenz y Sainz presenciaron cómo en mi finca de Ondárroa había fluido agua del manantial sobre el que pasaban los cables conductores del fluido eléctrico.

Retahíla lleva acento porque deshace el diptongo.

Me dio Sebastián el parabién, ebrio de alegría.
Después averigüé la causa de su ausencia.
Ya sabia yo que la savia del árbol es útil.
Del miércoles al sábado llegará José Luis Díaz.
El espléndido huésped fue héroe en Guipúzcoa.
El prócer Cristóbal González nació en Elgóibar.
Compraríamos maletas, si no tuviésemos baúles.

Tu número será aproximadamente el decimoséptimo.
Cuídate y corrígete ese carácter de hiel.
Atiéndasemele hoy con afán. Leí toda la lección.
Gayton fue un escritor. No soporto ese pandemónium.
Como no abreviéis, me agobiáis.
Éramos veintiséis dentro del convoy a Espeluy.

Son substantivos las palabras *dátil, óleo, Cádiz, nácar, esparteína, anea, mártir, lápiz, cárcel, náuseas, urea, éter, flúor, liquen, limpiaúñas, petróleo y oboe.*

Son adjetivos los vocablos *fácil, fútil, difícil, volátil, empíreo, etéreo, ágil, estéril, asiduo, mutuo, epicúreo, instantáneo y melifluo.*

¡Adiós!, me voy a otro país en busca de salud.
Biceps es de origen latino.
Orleáns es ciudad francesa, y Canals, española.
Ese buey vino del Paraguay.
Si congeniáis, pues ¿por qué rabiáis?
Para mí y para ti, era un semidiós.
El desahuciado tomaba cafeína y caseína.
Esas ganzúas las compré en el Brasil por cien reis.
Seguís siendo tan pusilánimes como erais.
Cuando leéis, parecéis un moscardón.
¡Ojalá remediéis mi mal! ¿No os santiguáis?
Tú no has poseído una fortuna igual a la mía.
Ínterin vuelvo, recoge del árbol toda la nuez.
Teúrgia es la magia de los antiguos gentiles.

Ya leímos la lección los alumnos Víctor Martínez, Andrés Sánchez, Dámaso Álvarez, Cesáreo López y César Jiménez.

Huiste tú a la vez que huisteis todos los que nunca debisteis huir de Tuy ni de Bernuy.
Séanos dado enseñar al nérveo transeúnte, de sáxeo corazón, el viejo saúco del jardín que poseo en Lyón.
Han sido galardonados con el premio Nobel, como hombres de excepcional inteligencia y de extraordinarios conocimientos en su respectiva especialidad, los españoles don

95

Jacinto Benavente, don José Echegaray, don Santiago Ramón y Cajal, don Juan Ramón Jiménez y don Severo Ochoa Albornoz.

El baloncesto se juega con un balón semejante al que se emplea para el balompié.

¡Qué hombre más atento es este donjuán!

¿Cuáles de las siguientes formas verbales llevan acento ortográfico y cuáles no se atildan, según «las nuevas normas» de la Academia?: aislado, aíslo, aupado, aúpo, buido, cohibido, cohíbo, embaír, freír, oír, prohibido, prohíbo, rehúso, rehúyo, reír, reúno.

Hay quien confunde el acento en:

acrobacia	decagramo	jesuítico	perífrasis
aeródromo	decalitro	mampara	perito
ahínco	decilitro	mástil	policromo
anécdota	decigramo	mendigo	prístino
apoplejía	decimonono	metalurgia	quilogramo
ardido	Eolo	miligramo	quilolitro
balompié	erudito	mililitro	retahíla
baloncesto	estratosfera	mohíno	Rumania
bronconeu-	exegeta	Mondariz	sutil
monía	féretro	monograma	tahúr
búho	gumía	mosén	tedeum
buido	hazmerreír	neumonía	telegrama
cenit	hectogramo	Nobel[1]	tiovivo
centigramo	hectolitro	océano	Tokio
centilitro	hipocondría	oftalmía	vahído
coctel	inédito	opimo	zafiro
colega	ínterin	pátina	zahína
cóndor	intervalo	penitenciaría	zahúrda
cuadriga	jesuita	periferia	zaino

---

1) Ver nota [1] de la página 220.

6. LECCIÓN PRÁCTICA SOBRE LA ACENTUACIÓN DE LAS PALABRAS HOMÓNIMAS

Tú no adviertes que tu proposición no es ventajosa para mí.

¿Quién asegura que este gabán es de éste?

Cuál más, cuál menos, dice que sí, si le preguntan.

¿Cuánto recabó él para sí? Pues cuanto quiso.

¿Dónde compras tú el té? Lo compro donde te dije ayer.

¿Qué quieres que haga con esta carta de ésa?

Sé más claro en tu escritura y aun en tu expresión.

El solo es una jugada de tresillo.

Aquél es mi primo, y éste, mi cuñado.

Esa pluma es de ése. ¿Cúyo es este bastón?

Ese lapicero es de aquélla.

Mi novia tiene mucho aquel.

Éstos no saben aún lo que aquéllos dirán.

Visité a tu paisano, cuya fortuna es inmensa.

¿Cuándo llega el tren? Cuando sea la hora.

¿Oís ese solo de flauta?

Sólo así me convencerás; mas si me faltas un solo día, no pienses más en mi ofrecimiento, el cual no será cumplido.

Aún tengo esperanza de que se dé por vencido, pues sé de buena tinta cuán apesadumbrado se halla.

El premio es tan bueno cuan fue tu conducta.

Me respondió con un rotundo sí.

Porque soy curioso, quiero averiguar el porqué.

No ignoro el cómo y el cuándo.

Por unas causas y por otras te doy muchas gracias.

7. ACENTUACIÓN DE LAS PALABRAS HOMÓNIMAS

Palabras homónimas son las que tienen igual estructura, pero hacen oficios gramaticales diferentes. El acento que sobre ellas, en ciertos casos, se coloca, lleva el nombre de «diacrítico» porque determina la función gramatical que entonces desempeña la palabra.

PALABRAS	SE ACENTÚAN	NO SE ACENTÚAN	EJEMPLOS
Aun	Cuando pueda substituirse por *todavía*.	Cuando equivalga a *también, hasta, inclusive, ni siquiera.*	Aún llueve. Lo haré con tu apoyo y aun sin él.
Solo	Cuando es adverbio puede llevar acento para evitar anfibologías.	Cuando es adjetivo o substantivo.	Sólo me gusta el solo de violín y el solo de tresillo. El niño ya anda solo. *Anfibológico:* Yo aguardo solo tu llegada.
Mas	Cuando es adverbio o nombre.	Cuando es conjunción.	Mas necesito más detalles. El más y el menos.
De	Cuando es verbo.	Cuando es preposición.	Dé al vecino parte de su hacienda.
Se	Cuando es verbo.	Si es pronombre, signo de impersonalidad o de pasiva.	*Sé* bueno que ya *sé* que *se* marchó tu padre, por lo que *se* teme que ahora *se* hable de él.

Porque	Cuando es nombre.	Cuando es conjunción.	Hablo porque sé el porqué.
Que, cual, quien, cuyo, cual, donde, cuanto, cuanta, cuan, cuando, como	Siendo interrogativos, admirativos, dubitativos, en sentido distributivo o ponderativo, y además, cuál y quién, si hacen de pronombres indefinidos, y cómo y cuándo, si hacen de nombres.	En cualquier otro caso.	¿Cuándo sales? ¿Qué haces? ¿Quién llama? ¡Cuán grande es mi dolor! No sé qué pensar. Cuál asiente, cuál disiente. ¿Dónde vas? ¿Cómo es? El cómo y el cuándo. Cuándo tú, cuándo yo. ¿Cúya culpa ha sido?
El, mi, tu	Siendo pronombres personales.	Siendo pronombres adjetivados: el, artículo, y mi, nota musical.	Tú y él visteis mi casa. Hasta mí no llega el mi de tu guitarra.
Si	Siendo adverbio, pronombre personal o adverbio substantivado.	Cuando es conjunción o nota musical.	Dile que sí, si es para sí mismo. Obtuve el sí. Me disuena el si de tu violín.
Este, esta; ese, esa; aquel, aquella, y sus plurales	Siendo pronombres[1].	Siendo pronombres adjetivados, y aquel, siendo nombre.	Éste, ése y aquél son hermanos; ésta, ésa y aquélla son hermanas. Este joven, ese muchacho y aquel niño son hermanos; esta joven, esa muchacha y aquella niña son hermanas. Tiene mucho aquel.

1) Cuando estos pronombres pueden ser substituidos por el artículo, no llevan acento. Así vemos en la *Gramática* de la Real Academia, edición 1931: *Aquel (el) que canta, sus males espanta. Exclamaciones como aquella (la) de Fray Luis de León. Aquí están aquellos (los) que beben las dulces aguas. Este (el)* último es muy poco usado. Y, en general es lícito prescindir del acento siempre que no exista riesgo de anfibología, como no lo hay si decimos *este es el sitio que yo elegí.*

Capítulo IV

USO ACERTADO DE LOS SIGNOS DE PUNTUACIÓN

«Hay necesidad de signos de puntuación en la escritura, porque sin ellos podría resultar dudoso y obscuro el significado de las cláusulas.

»Los que se usan en castellano son éstos: **coma** (,), **punto y coma** (;), **dos puntos** (:), **punto final** (.), **puntos suspensivos** (...), **principio de interrogación** (¿), **fin de interrogación** (?), **principio de admiración** (¡), **fin de admiración** (!), **paréntesis** ( ), **diéresis o crema** (¨), **comillas** («»; ""; "„; "; '), **guión** (-), **raya** (—), **dos rayas** (=). La coma, los puntos y paréntesis indican las pausas más o menos cortas que en la lectura sirven para dar a conocer el sentido de las frases; la **interrogación** y la **admiración** denotan lo que expresan sus nombres, y la segunda, además, queja, énfasis o encarecimiento; la **diéresis** sirve en unos casos para indicar que la u tiene sonido, como ya se ha dicho, y en otros se puede emplear para deshacer un diptongo; las **comillas** señalan las citas, o dan significado especial a las palabras que comprenden; el **guión** es signo de palabra incompleta; la **raya** lo es de diálogo o de separación de palabras, cláusulas o párrafos; las **dos rayas** sólo se usan ya en las copias para denotar los párrafos que en el original van aparte.»

No puede haber reglas exactas para fijar el empleo de algunos de los signos de puntuación, y especialmente de la coma[1], sino unas cuantas normas para casos generales, puesto que la clase de estilo, la forma de redacción, la intención del escritor y otras causas exigen el uso circunstancial de signos que escapan a todo precepto reglado que pudiera dictarse.

Se exponen, pues, las normas más corrientes.

1. USO DEL PUNTO

Punto final es el que se coloca al fin del escrito.

Punto y aparte ha de ponerse al hacer referencia a un asunto diferente del tratado en el párrafo anterior, o cuando se considera el mismo bajo otro aspecto.

Punto y seguido se usa cuando terminamos un concepto y seguimos razonando sobre el mismo tema.

Vanidad de vanidades y todo vanidad, dice el Sabio. Vi todo lo que se hace debajo del sol, y todo era vanidad.—P. Estella.

Puntos suspensivos se emplean cuando conviene al escritor dejar en suspenso el sentido o cuando, por respeto, duda o temor, deja de decirse cosa fácil de comprender.

Te atreves a hacer cargos a ese infeliz, cuando ayer, tú mismo... Pero más vale dejarlo; el tiempo lo aclarará todo.

2. USO DE LOS DOS PUNTOS

Se colocan dos puntos después de los vocativos con que se comienza un discurso:

Señoras y señores:

Después de las expresiones *muy señor mío, mi querido amigo* y similares.

En los documentos dimanados de las autoridades o funcionarios públicos, después de las palabras *ordeno y mando, hago saber, fallo, certifico.*

---

1) **Véase** *Cuestiones Gramaticales,* del mismo autor, capítulo titulado «Sobre confusiones y errores en la acentuación ortográfica».

En las instancias o solicitudes, después de las palabras *suplica, expone.*

Después de las palabras *a saber, por ejemplo, verbigracia.*

Antes de una proposición que es resumen o consecuencia de lo precedente:

La ley debe ser clara, precisa, uniforme: interpretarla es corromperla.—Napoleón.

Antes de la transcripción de frases de otro texto:

El famoso Don Quijote así comienza: «En un lugar de la Mancha, de cuyo nombre no quiero acordarme...»

Se utilizan dos puntos entre una enumeración y la proposición que la indica:

Los enemigos del alma son tres: Mundo, Demonio y Carne.

Después de los dos puntos se escribe el vocablo siguiente indistintamente con mayúscula o minúscula.

3. USO DEL PUNTO Y COMA

Usamos punto y coma para separar entre sí los miembros de los períodos que constan de varias oraciones entre las que se colocan comas, sin que sea inconveniente el que vaya una conjunción detrás de este signo:

Si la mujer pone en el marido los ojos, descansa en el amor; si los vuelve a sus hijos, alégrase con su virtud.—Fray Luis de León.

También se usa este signo en párrafos algo extensos, antes de las conjunciones adversativas. Si el párrafo es corto, basta con que preceda una coma a las expresadas conjunciones:

Todo en amor es triste;
mas triste y todo,
es lo mejor que existe.—Campoamor.
El asno sufre la carga, pero no la sobrecarga.

Pondremos punto y coma cuando, después de varios incisos separados por comas, hayamos de emplear una oración

que se refiera a los mismos o los abarque y comprenda
todos:

*El incesante tránsito de coches, la notable afluencia de
gentes, el ruido y griterío en las calles, la desusada animación en la ciudad; todo me hace creer que se da hoy la primera corrida de toros.*

4. USO DE LA COMA

La coma se utiliza para aislar unas oraciones de otras,
vayan o no precedidas de conjunción.

*Las fuentes la entretienen, los prados la consuelan, los
árboles la desenojan, y las flores la alegran.—Cervantes.*

También se emplea cuando se colocan, en forma conse-
cutiva, varias partes de la oración iguales por su función y
clase, a menos que queden unidas mediante las conjunciones
y, ni, o:

*Los mares y ríos, los vientos, montes, selvas y llanos
manifiestan haber hecho Dios todas las generaciones de los
hombres, todas las edades del Mundo, la composición de los
cielos, las estrellas, luminarias, signos y planetas.—Licen-
ciado Pedro Hernández.*

Tiempo, viento, mujer y fortuna presto se mudan.
Los vocativos irán siempre entre comas:
Llora, mujer, y vencerás.

Se pone coma al invertir el orden de oraciones o de complementos, y adelantar lo que debe ir después; la coma se
pondrá al fin de la parte que se adelante:

Donde se gasta más que se gana, viene pronto la ruina.
Con otro ea, llegaremos a la aldea.

Si la transposición es corta, puede omitirse la coma.

Cuando se interrumpe el sentido de la oración y se inter-
calan palabras, irán éstas entre comas:

*Suprimid la mentira, dijo un filósofo, y habréis hecho im-
posible las relaciones sociales.*

Se pone coma antes y después del gerundio no conjunto y del participio absoluto, con las palabras que de ellos dependan:

Si la instrucción, mejorando las artes, atrae la riqueza, también la riqueza, produciendo el lujo, inficiona y corrompe las costumbres.—Jovellanos.

El Juez, oídas las partes, falló en conciencia.

La elipsis del verbo se indicará con una coma, y la conjunción continuativa *pues* irá entre comas:

Usar, pues, de venganza con el superior es locura; con el igual, peligroso; con el inferior, vileza.

También se colocan entre comas las expresiones: *finalmente, por último, en efecto, sin embargo, sin duda, por consiguiente, en fin,* y otras similares:

Diremos, finalmente, que los acontecimientos se precipitaron y, en efecto, el desenlace sobrevino rápidamente.

Se escriben entre comas las oraciones de relativo explicativas: *Mi tío, que es militar, fue a la guerra.*

Para juzgar de la importancia del uso de la coma, citemos la frase de Benavente en *Los intereses creados: y resultando que no, debe condenársele;* suprimida la coma, cambia el sentido. Asimismo, en: *si te quisiera, mal podría perderte,* varía escribiendo: *si te quisiera mal, podría perderte.*

5. USO DE LA INTERROGACIÓN Y DE LA ADMIRACIÓN

Los signos de interrogación y admiración se colocan delante y detrás de la oración interrogativa o admirativa, y si la oración es tal que encierra en sí pregunta y admiración, se pone al principio un signo de una clase, y al final, el de la otra. Si las oraciones interrogativas o admirativas son varias, breves y seguidas, no hay necesidad de que, exceptuada la primera, empiecen con letra mayúscula. Estos signos se colocan donde empieza y termina el sentido interrogativo o admirativo, aunque sea en el centro del período:

Mas si es Dios, ¿qué hace en el infierno? Si es hombre ¿cómo tiene tanto atrevimiento? Si es Dios, ¿qué hace en el

sepulcro? Y si es hombre, ¿cómo despoja nuestro limbo?
¡Oh, Cruz, cómo tienes burladas nuestras esperanzas y cau-
sada nuestra perdición! En un árbol, alcanzamos todas nues-
tras riquezas; y ahora en el de la Cruz, las perdemos.—Fray
Luis de Granada.

¿Qué dices?, ¿qué haces?, ¿qué piensas? ¡Hasta cuándo
durará tanto sufrir, madre mía!

¡Que esté negado al hombre saber cuándo será la hora
de su muerte?

¿Qué persecución es ésta, Dios mío!

6. USO DEL PARÉNTESIS

Ponemos paréntesis cuando interrumpimos el sentido del
período para hacer una aclaración oportuna o necesaria:

No se curó de estas razones el arriero (y fuera mejor que
se curara, porque fuera curarse en salud), antes, trabando
de las correas, las arrojó gran trecho de sí.—Cervantes.

7. USO DE LA DIÉRESIS Y COMILLAS

Diéresis (¨) se coloca sobre la **u** en las sílabas *gue, gui,*
cuando ha de pronunciarse esta vocal, como *cigüeña, lengüi-*
ta, pingüino, vergüenza, pingüe, argüir (reglas de la g).

También se utiliza sobre la primera vocal de un diptongo,
cuando, usando de licencia métrica, conviene al poeta des-
hacerlo para dar a la palabra una sílaba más, como *rü-i-do.*

Comillas se utilizan para las citas de cláusulas o períodos
ajenos que intercalamos en un escrito.

También se emplean las comillas para voces o citas en
idioma extranjero.

8. USO DEL GUIÓN

«Cada vocablo de por sí, ya simple, como *guardia, po-*
ner, ya compuesto, como *salvaguardia, reponer,* se ha de

escribir aislado, o con entera separación del que le preceda o siga.

En la escritura hay necesidad muchas veces de dividir una palabra, y entonces se ha de observar lo siguiente:

1.º Cuando al fin del renglón no cupiere un vocablo entero, se escribirá sólo una parte, la cual siempre ha de formar sílaba cabal. Así, las palabras *con-ca-vi-dad, pro-tes-ta, sub-si-guien-te, ca-ri-a-con-te-ci-do,* podrán dividirse a fin de renglón por donde señalan los guiones que van interpuestos en dichas voces, mas no de otra suerte.

Esto no obstante, cuando un compuesto sea claramente analizable como formado de palabras que por sí solas tienen uso en la lengua, o de una de estas palabras y un prefijo, será potestativo dividir el compuesto separando sus componentes, aunque no coincida la división con el silabeo del compuesto. Así podrá dividirse *no-sotros* o *nos-otros, de-samparo* o *des-amparo.*

2.º Como cualquier diptongo o triptongo no forma sino una sílaba, no deben dividirse las letras que lo componen. Así, se escribirá *gra-cio-so, tiem-po, no-ti-ciáis, a-ve-ri-güéis.*

3.º Cuando la primera o la última sílaba de una palabra fuere una vocal, se evitará poner esta letra sola en fin o en principio de línea.

4.º Cuando al dividir una palabra por sus sílabas haya de quedar en principio de línea una *h* precedida de consonante, se dejará ésta al fin del renglón y se comenzará el siguiente con la *h: al-haraca, in-humación, clor-hidrato, des-hidratar.*

5.º En las dicciones compuestas de preposición castellana o latina, cuando después de ella viene una *s* y otra consonante además, como en *constante, inspirar, obstar, perspicacia,* se han de dividir las sílabas agregando la *s* a la preposición y escribiendo, por consiguiente, *cons-tan-te, ins-pirar, obs-tar, pers-pi-ca-cia.*

6.º La *ch* y la *ll*, letras simples en su pronunciación y dobles en su figura, no se desunirán jamás. Así, *co-che* y *ca-lle* se dividirán como aquí se ve. La erre *(rr)* se halla en el mismo caso, y por ello debe cesar la costumbre de separar los dos signos de que consta, y habrán de ponerse de esta manera: *ca-rre-ta, pe-rro.*

7.º Cuando los gentilicios de dos pueblos o territorios formen un compuesto aplicable a una tercera entidad geográfica o política en la que se han fundido los caracteres de ambos pueblos o territorios, dicho compuesto se escribirá sin separación de sus elementos: *hispanoamericano, checoslovaco, afroantillano.* En los demás casos, es decir, cuando no hay fusión, sino oposición o contraste entre los elementos componentes, se unirán éstos con guión: *franco-prusiano, germano-soviético.*

8.º Los compuestos de nueva creación en que entren dos adjetivos, el primero de los cuales conserva invariable la terminación masculina singular, mientras el segundo concuerda en género y número con el nombre correspondiente, se escribirán uniendo con guión dichos adjetivos: *tratado teórico-práctico, lección teórico-práctica, cuerpos técnico-administrativos.*»

9. USO DE LA RAYA

«1.º Este signo se emplea en los diálogos, como puede verse en el ejemplo siguiente: *Maravillado el capitán del valor de aquel soldado, le mandó venir a su presencia y le dijo: —¿Cómo te llamas? —Andrés Pereda, contestó el valiente. —¿De dónde eres? —De Castilla. —¿De qué pueblo? —De Bercimuel.*

2.º Empléase también al principio y al fin de oraciones intercalares completamente desligadas, por el sentido, del período en que se introducen: *Los celtíberos —no siempre habían de ser juguete de Roma— ocasionaron la muerte de los dos Escipiones.*»

10. LECCIÓN PRÁCTICA PARA EJERCITAR LOS DIVERSOS SIGNOS DE PUNTUACIÓN

1. Pues, conforme a esta consideración, sube tú agora, hermano, a este mesmo monte y extiende un poco los ojos por

las plazas, por los palacios, por las audiencias y por las oficinas del mundo, y verás ahí tantas maneras de pecados, tantas mentiras, tantas calumnias, tantos engaños, tantos perjurios, tantos robos, tantas invidias, tantas lisonjas, tanta vanidad y, sobre todo, tanto olvido de Dios y tanto menosprecio de la propria salud, que no podrás dejar de maravillarte y quedar atónito al ver tanto mal. Verás la mayor parte de los hombres vivir como bestias brutas, siguiendo el ímpetu de sus pasiones, sin tener cuenta con ley de justicia ni de razón más que la tendrían unos gentiles, que ningún conoscimiento tienen de Dios, ni piensan que hay más que nacer y morir. Verás maltratados inocentes, perdonados los culpados, menospreciados los buenos, honrados y sublimados los malos; verás los pobres y humildes abatidos, y poder más en todos los negocios el favor que la virtud. Verás vendidas las leyes, despreciada la verdad, perdida la vergüenza, estragadas las artes, adulterados los oficios y corrompidos en muy gran parte los Estados. Verás a muchos perversos y merecedores de grandes castigos, los cuales, con hurtos, con engaños y con otras malas maneras, vinieron a tener grandes riquezas, y a ser alabados y temidos de todos. Y verás, así a éstos como a otros, que apenas tienen más que la figura de hombres, puestos en grandes oficios y dignidades. Y, finalmente, verás, en el mundo, amado y adorado el dinero más que Dios, y muy gran parte de las leyes divinas y humanas, corrompidas por él; y en muchos lugares no queda ya de la justicia más que sólo el nombre della. Y vistas todas estas cosas, entenderás luego con cuánta razón dijo el Profeta: *"El Señor se puso a mirar dende el cielo sobre los hijos de los hombres, para ver si había quien conociese a Dios o le buscase; mas todos habían prevaricado y héchose inútiles, y no había quien hiciese bien ni solo uno."*

Fray Luis de Granada.
Guía de Pecadores.

2.   —Vuelva usted dentro de quince días.

Volví, y el señor viejo me dio una nota que ponía: "Aviraneta, Eugenio, Archivo Clases Pasivas."

Marché a este Archivo y empezaron las dificultades.

El archivero me advirtió que no se podían ver los legajos. Yo le expliqué que no se trataba de obtener ninguna pensión, sino de un estudio histórico. El archivero hizo como que me oía y me dijo que volviera al cabo de quince días.

Volví, y el archivero no estaba; no había más que un mozo.

Expliqué al mozo lo que me había prometido el archivero. El mozo sacó un cuaderno y me preguntó:

—¿En qué fecha murió este señor?

—No sé a punto fijo; es lo que busco.

—¿Cómo se llamaba?

—Aviraneta e Ibargoyen, Eugenio.

El mozo repasó el cuaderno muy serio y me dijo:

—No está.

—¿Usted quiere dejarme ver el cuaderno? —le pregunté.

—Véalo usted si quiere. Es inútil. No está.

Cogí el cuaderno, y en la primera página, el primer nombre ponía: Eugenio de Aviraneta e Ibargoyen.

—Pues está aquí —le dije al mozo.

—Aviraneta..., Aviraneta. Usted no me lo ha dicho así.

—Quizá me haya equivocado —dije, y pensé entre mí: "¡Con qué gusto le pegaría un puntapié a este imbécil!"—. Vamos a ver dónde está.

—Armario tantos..., estante tantos..., número de legajos tantos... —leyó el mozo.

Marchó después; cogió un legajo; lo miré yo; no había nada de Aviraneta.

—¿No nos habremos equivocado de número? —pregunté yo, ya escamado, y fui a ver el catálogo.

Efectivamente, el mozo se había equivocado de número, y en otro legajo estaba la hoja de servicios de Aviraneta.

—Déjeme usted leerla.

—No, no —me dijo el mozo—. Pida usted permiso al jefe.

Fui a ver al jefe. Me escuchó como escuchan los empleados españoles, mirando a otra parte, y me dijo que esperara. Esperé en una oficina.

¡Y pensar que algunos se asombran de que hayamos perdido las Colonias! Lo que a mí me asombra es cómo no hayamos perdido, con esta burocracia, hasta los pantalones.

Por fin me dejaron tomar unos apuntes atropelladamente.

Pío Baroja
Memorias

3. Castilla... ¡Qué profunda, sincera emoción experimentamos al escribir esta palabra! La escribimos después de un largo período motivado por una enfermedad, en que no hemos puesto la pluma sobre el papel. A Castilla, nuestra Castilla, la ha hecho la literatura. La Castilla literaria es distinta —acaso mucho más lata— de la expresión geográfica de Castilla. Ahora, cuando después de tanto tiempo volvemos a escribir, al trazar el nombre de Castilla, se nos aparecen en las mientes cien imágenes diversas y dilectas de pueblecitos, caminos, ríos, yermos desamparados y montañas. ¿Qué es Castilla? ¿Qué nos dice Castilla? Castilla: una larga tapia blanca que en los aledaños del pueblo forma el corral de un viejo caserón; hay una puerta desmesurada. ¿Va a salir por ella un caballero amojamado, alto, con barbita puntiaguda y ojos hundidos y ensoñadores? Los sembrados se extienden verdes hacia lo lejos y se pierden en el horizonte azul. Canta una alondra; baja su canto hasta el caballero, y es como el himno —¡tan sutil!— del amor y de lo fugaz. Castilla: el cuartito en que murió Quevedo, allá en Villanueva de los Infantes; una vieja vestida de negro nos lo enseña y suspira. Pensamos si suspira *todavía,* porque ésta es la misma viejecita que tenía piadosamente una vela encendida en tanto que a Don Francisco le estaban poniendo en pies y manos los sagrados aceites. Castilla: en León, en un mediodía de primavera, hemos dejado la ciudad y hemos salido al campo, y ya en el campo, caminando por este camino bordeado de enhiestos chopos —cuyas hojas temblotean—, nos hemos detenido y nos hemos sentado en una piedra. ¡Minutos de serenidad inefable, en que la historia se conjunta con la radiante Naturaleza! A lo lejos se destacan las torres de la catedral; una campana suena; torna el silencio. Los siglos han creado todas esas maravillas artísticas; ante nosotros, átomos en la eternidad, se abren arcanos e insondables los tiempos venideros.

Azorín

El paisaje de España visto por los españoles

4. Este humanismo español es de origen religioso. Es la doctrina del hombre que enseña la Iglesia católica. Pero ha penetrado tan profundamente en las conciencias españolas, que la aceptan, con ligeras variantes, hasta las menos religiosas. No hay nación más reacia que la nuestra a admitir la

superioridad de unos pueblos sobre los otros o de unas clases sociales sobre otras. Todo español cree que lo que hace otro hombre lo puede hacer él. Ramón y Cajal se sintió molesto, de estudiante, al ver que no había nombres españoles en los textos de medicina. Y, sin encomendarse a Dios ni al diablo, se agarró a un microscopio y no lo soltó de la mano hasta que los textos tuvieron que contarle entre los grandes investigadores. Y el caso de Cajal es representativo, porque en el momento mismo de la humillación y la derrota, cuando los estadistas extranjeros contaban a España entre las naciones moribundas, los españoles se proclamaron unos a otros el Evangelio de la regeneración. En vez de parafrasear a San Agustín y decirse que la verdad habita en el interior de España, se fueron por los países extranjeros para averiguar en qué consiste su superioridad, y ya no cabe duda de que el convencimiento de que podemos hacer lo que otros pueblos, nos está, en realidad, regenerando.

Ramiro de Maeztu
Defensa de la Hispanidad

5. Todo el caserío se arrebata por un otero, y sube triangularmente. Las cuencas de las ventanitas y de los desvanes; los labios de los postigos; todas las casas, se fijan en Sigüenza, y le preguntan atónitas, fisgonas, durmiéndose; y las que tienen la sombra en un rincón de la ceja del dintel, le miran de reojo. Algunas rebullen sin frente, porque en seguida les baja la visera pardal del tejado; otras tienen la calva huesuda y ascética del muro que prosigue. Arriba, la parroquia, de hastiales lisos, y en medio, el campanario, con una faz quemada de sol y la otra en la umbría; un esquilón a cada lado de la nariz de la esquina; en lo alto, la cupulilla, con las graciosas asas de los contrafuertes chiquitines, como un cántaro dorado; el follaje de la veleta se embebe y se sumerge en el azul.

Si terminase así el pueblo, resultaría de una fórmula de perfección, o de simulación intelectualista. Pero, no; todavía hay un derrocadero, crispado, roído, de belén de corcho, con figuritas aldeanas tendiendo ropa; y en cada lienzo que ponen a secar se precipita una hoguera de sol. La cima, de escombros antiguos, está tapiada; un portalillo, en la punta de la caperuza, una cruz: el cemento sin ciprés... Desde allí se verá el mar. Viene su aire salino; palpita entre los almendros, y parece que se hinchen unas velas gloriosas, muy blancas. La lumbre, de mediodía de Oriente, aquí no ciega; aquí unge la carne torrada de los bardales, de las techumbres, de la piedra; se coge a todos los planos y aristas, modelando con paciencia lineal las cantoneras, los pliegues, los remiendos, los paredones de albañilería agraria, la paz del tejido, la prisa de una cuesta...

Gabriel Miró
Años y leguas

Yo, señor, no soy malo, aunque no me faltarían motivos para serlo. Los mismos cueros tenemos todos los mortales al nacer y sin embargo, cuando vamos creciendo, el destino se complace en variarnos como si fuésemos de cera y en destinarnos por sendas diferentes al mismo fin: la muerte. Hay hombres a quienes se les ordena marchar por el camino de los cerdos y de las chumberas. Aquéllos gozan de un mirar sereno y el aroma de su felicidad sonríen con la cara del inocente; éstos otros sufren del sol violento de la llanura y arrugan el ceño como las alimañas para defenderse. Hay mucha diferencia entre adornarse las carnes con arrebol y colonia, y hacerlo con tatuajes que después nadie ha de borrar ya.

Nací hace ya muchos años —lo menos cincuenta y cinco— en un pueblo perdido por la provincia de Badajoz; el pueblo estaba a unas dos leguas de Almendralejo, agachado sobre una carretera lisa y larga como un día sin pan, lisa y larga como los días —de una lisura y una largura como usted, para su bien, no puede ni figurarse— de un condenado a muerte.

Era un pueblo caliente y soleado, bastante rico en olivos y guarros (con perdón), con las casas pintadas tan blancas, que aún me duele la vista al recordarlas, con una plaza toda de losas, con una hermosa fuente de tres caños en medio de la plaza. Hacía ya varios años, cuando del pueblo salí, que no manaba el agua de las bocas y sin embargo, ¡qué elegante!, nos parecía a todos la fuente con su remate figurando un niño desnudo, con su bañera toda rizada al borde como las conchas de los romeros.

Camilo José Cela
La familia de Pascual Duarte

Capítulo V

COMPLEMENTOS

1. NUMERACIÓN ROMANA

La numeración romana utiliza **siete letras** del alfabeto latino empleadas siempre en forma de mayúsculas. Su uso es muy frecuente, sobre todo para indicar el número de orden de los capítulos y tomos de una obra; para designar los siglos; para diferenciar papas, emperadores y reyes del mismo nombre.

Las letras	I	V	X	L	C	D	M
Representan	1	5	10	50	100	500	1.000

Reglas para escribir y leer números romanos.

Las reglas que debemos tener en cuenta para escribir y leer números romanos son las siguientes:

1.ª Si a la *derecha* de una cifra se pone otra igual o menor, el valor de la primera queda aumentado en el valor de la segunda.

2.ª La cifra I antepuesta a la V o a la X, les resta una unidad; lo mismo que la X, precediendo a la L o a la C, las disminuye en diez unidades, y la C, precediendo a la D o a la M, en cien unidades.

3.ª En ningún número se debe poner una misma letra más de tres veces seguidas, a pesar de que la I y la X se vean empleadas hasta cuatro veces, especialmente en inscripciones y libros antiguos.

4.ª La V, la L y la D no pueden duplicarse, pues hay otras letras (X, C y M) que ya representan su valor duplicado.

5.ª El valor de los números romanos queda multiplicado por tantas veces mil como rayas horizontales se coloquen encima de los mismos.

6.ª Si entre dos cifras cualesquiera existe otra de menor valor, se combina con la siguiente para disminuirla.

Ejemplos para practicar la escritura de números romanos:

1.	I.	30.	XXX.	89.	LXXXIX.
2.	II.	31.	XXXI.	90.	XC.
3.	III.	39.	XXXIX.	91.	XCI.
4.	IV.	40.	XL.	99.	XCIX.
5.	V.	49.	XLIX.	100.	C.
6.	VI.	50.	L.	101.	CI.
7.	VII.	51.	LI.	109.	CIX.
8.	VIII.	59.	LIX.	114.	CXIV.
9.	IX.	60.	LX.	149.	CXLIX.
10.	X.	61.	LXI.	399.	CCCXCIX.
11.	XI.	68.	LXVIII.	400.	CD.
12.	XII.	69.	LXIX.	444.	CDXLIV.
13.	XIII.	70.	LXX.	445.	CDXLV.
14.	XIV.	71.	LXXI.	449.	CDXLIX.
15.	XV.	74.	LXXIV.	450.	CDL.
16.	XVI.	75.	LXXV.	899.	DCCCXCIX.
17.	XVII.	77.	LXXVII.	900.	CM.
18.	XVIII.	78.	LXXVIII.	989.	CMLXXXIX.
19.	XIX.	79.	LXXIX.	990.	CMXC.
20.	XX.	80.	LXXX.	999.	CMXCIX.
21.	XXI.	81.	LXXXI.	1.666.	MDCLXVI.
29.	XXIX.	88.	LXXXVIII.	954.419.	CMLIVCDXIX.

2. ADJETIVOS NUMERALES ORDINALES

1.º	Primero.	25.º	Vigésimo quinto.
2.º	Segundo.	26.º	Vigésimo sexto.
3.º	Tercero.	27.º	Vigésimo séptimo.
4.º	Cuarto.	28.º	Vigésimo octavo.
5.º	Quinto.	29.º	Vigésimo noveno.
6.º	Sexto.		o nono.
7.º	Séptimo o sétimo.	30.º	Trigésimo.
8.º	Octavo.	31.º	Trigésimo primero.-
9.º	Noveno o nono.	40.º	Cuadragésimo.
10.º	Décimo.	50.º	Quincuagésimo.
11.º	Undécimo.	60.º	Sexagésimo.
12.º	Duodécimo.	70.º	Septuagésimo.
13.º	Decimotercero	80.º	Octogésimo.
	o decimotercio.	90.º	Nonagésimo.
14.º	Decimocuarto.	100.º	Centésimo.
15.º	Decimoquinto.	200.º	Ducentésimo.
16.º	Decimosexto.	300.º	Tricentésimo.
17.º	Decimoséptimo.	400.º	Cuadringentésimo.
18.º	Decimoctavo.	500.º	Quingentésimo.
19.º	Decimonono	600.º	Sexcentésimo.
	o decimonoveno.	700.º	Septingentésimo.
20.º	Vigésimo.	800.º	Octingentésimo.
21.º	Vigésimo primero.	900.º	Noningentésimo.
22.º	Vigésimo segundo.	1.000.º	Milésimo.
23.º	Vigésimo tercero.	1.000.000.º	Millonésimo.
24.º	Vigésimo cuarto.		

487.º Cuadringentésimo octogésimo séptimo.
576.º Quingentésimo septuagésimo sexto.
799.º Septingentésimo nonagésimo nono.

3. PRINCIPALES EXPRESIONES CUYA ESCRITURA EN UNA SOLA PALABRA O EN DOS PUEDE OFRECER DUDA

abajo (de)
abasto (dar)
abecé
a bordo

a bulto
acabose (nombre)
acabóse (verbo y pro-
        nombre)

acerca y cerca (adver-
        bios)
a cuestas
además

a dentro }
adentro } 1
a deshora
ad hoc[2]
a Dios *(preposición
y nombre)*
adiós *(nombre)*
a donde }
adonde } 3
adrede
afín *(próximo)*
afuera
agnusdéi
aguafiestas
aindamáis
a látere[2]
al rededor }
alrededor } 1
a medias
a menudo
anteanoche
anteanteanoche
anteayer
antebrazo
antefirma
antemano
antepecho
antesala
antevíspera
a parte *(preposición
y nombre)*
aparte *(adverbio)*
a penas }
apenas } 1
a pesar
aposta }
a posta } 1
a prisa }
aprisa } 1
a propósito *(m. adv.)*
apropósito *(nomb.)*
así mismo }
asimismo } 1
asonada
a tiempo
a veces

¡Ave María! *(excl.)*
avemaría *(nomb.)*
besalamano
besamanos
bienaventurado
bienestar
bienhechor
bienintencionado
bienvenida
bocamanga
campo santo
camposanto
comoquiera *(adv.)*
como quiera que
(*m. adv.*)
conmigo
con que *(prep. y relat.)*
conque *(conjunción)*
consigo
contigo
contrafuerte
contramaestre
contraorden
contrapeso
contratiempo
correveidile
corto circuito
cumpleaños
damajuana
debajo
de balde
de frente
de fuera }
defuera } 1
de prisa }
deprisa } 1
de pronto
de repente
de veras
dieciséis al diecinueve[4]
donde quiera *(adv. y
verbo o m. adv.)*
dondequiera *(adv.)*
duermevela
encima
encinta

en fin
enfrente
enhorabuena
enhoramala
en medio
en seguida }
enseguida } 1
entreacto
entresuelo
entretanto *(adv.)*
entretela
entretiempo *(nomb.)*
ex abrupto }
exabrupto } 5
ex cáthedra[2]
ex libris[2]
ex profeso[2]
extraoficial
extrarradio
extremaunción
exvoto *(nombre)*
gentilhombre
guardabarrera
guardabarros
guardabosque
guardacostas
guardaespaldas
guardafrenos
guardagujas
guardameta
guardamonte
guardamuebles
guardapolvo
guardapuntas
guardarropa
guardavía
inter nos[2]
lavacoches
limpiabarros
limpiabotas
limpiadientes
limpiaúñas
malcriado
malestar
malintencionado
mapamundi

medianoche
mediodía
metomentodo
parabién *(nombre)*
parabrisas
paracaídas
parachoques
pararrayos
pasatiempo
paternóster
pisapapeles
por fin
por mayor
por menor *(m. adv.)*
pormenor *(nomb.)*
por que *(prep. y rel.)*
porque *(conj.)*
porqué *(nomb.)*
por supuesto
portaaviones
portalámpara
portallaves
portamonedas
por tanto
¡por vida! *(interj.)*
pues que
quehacer *(nombre)*
quienesquiera *(pron.)*

quienquiera *(pron.)*
quitamanchas
quitasol
ricahembra
rompeolas
sacabocados
sacacorchos
sacamuelas
salvabarros
salvavidas
salvoconducto
sanctasanctórum
sanseacabó
santiamén
semicírculo
servofreno
sin embargo
sin fin *(prep. y nomb)*
sinfín *(nombre)*
sinnúmero *(adj.)*
si no *(conj. y adv.)*
sino *(conj.)*
sin vergüenza *(preposición y nombre)*
sinvergüenza *(nombre o adjetivo)*
sobre manera
sobremanera

sobrescrito
so pena
sordomudo
sujetapapeles
también *(adv.)*
tan bien *(adverbios)*
tampoco *(adv.)*
tan poco *(adv. y adj)*
tapacubos
tejemaneje
telesilla
tirabuzón
tiralíneas
tocadiscos
tos ferina
trabalenguas
vaivén
varapalo
veintiuno al veintinueve
vía crucis[2]
vicepresidente
vicerrector
vicesecretario
viceversa
visto bueno
zigzag
¡zis, zas!

---

1) Se escribe indistintamente separado o junto. En el primer caso es modo adverbial; en el segundo, adverbio.

2) Locución latina.

3) Recomienda la Academia escribirlo separadamente cuando el antecedente va callado, y junto, cuando va expreso: *vamos a donde ayer; te cito en el café adonde tú vas.*

4) También puede escribirse: *diez y seis, diez y siete, diez y ocho,* y *diez y nueve.*

5) Como modo adverbial, se escribe con dos palabras; pero como nombre, en significado de *salida de tono,* con una sola.

4. LECCIÓN PRÁCTICA CON EJERCICIOS DE EXPRESIONES QUE DEBEN ESCRIBIRSE EN UNA SOLA PALABRA O EN DOS

1. En el mercado de abajo, venden legumbres a bajo precio, casi de balde.—A menudo no doy abasto a tanto trabajo.—Acerca de la batalla, te diré que murieron cerca de mil hombres. —Además, hizo adrede lo del tiralíneas. —Vete afuera y no estés alrededor de la casa.—Es preciso allegar recursos. —Anteanoche y anteanteanoche ha llovido como anteayer. —Si hago el viaje a bordo del vapor *María Luisa,* abordo el problema en seguida. —Después de haber puesto aposta tanta antefirma, me duele el antebrazo. —Estaba apoyado en el antepecho del balcón. —Entretanto, hay que aguardar en la antesala, entre tanto desconocido. —Calculo a bulto que el portamonedas, el pisapapeles y el salvavidas te costarían mil pesetas. —Pesas tanto que no te puedo llevar a cuestas a donde te acuestas. —Asimismo, el acusado se echó la culpa a sí mismo. —¿Conque ahora vas a salir con ese quitasol!—¿Cómo se escriben *salvabarros* y *salvoconducto?*

2. Hubo una asonada de mil demonios.—Se retira conmigo a deshora de la noche.—He recibido un besalamano de ese bienaventurado, al que deseo muchos parabienes.—El que es bienintencionado y bienhechor, prodiga bienestar a sus semejantes.—Conque tú verás con qué dinero pagamos la deuda, aunque sea a medias.—El sordomudo se asustó con el zigzag de los rayos.—Ante todo, el contramaestre dio contraorden.—El día de tu cumpleaños hubo un contratiempo.—Debajo de la mesa está la damajuana.—Iremos donde quiera tu padre, pero, dondequiera que sea, estaré contigo sólo dos horas.—A propósito, ¿has visto el apropósito que han estrenado en el teatro?—Tráeme el tintero que tienes enfrente; ¿no lo ves encima de la mesa?—En el entreacto, le di la enhorabuena.—Al oír tocar a rebato, sufrió un arrebato.—Sanseacabó esto.

3. La entretela de este abrigo indica que es de entretiempo.—El guardagujas y el guardafrenos son hermanos.—El gentilhombre dejó el guardapolvo en el guardarropa.—El limpiabotas tropezó con el limpiabarros.—Al descender el paracaídas, chocó con el pararrayos.—En efecto, me pareció

un pasatiempo agradable.—Juanito siente malestar si no usa limpiadientes, así como también limpiaúñas.—No tengo que hacer, a pesar de mis quehaceres en general y de este quehacer cotidiano.—Quien quiera batirse, dé un paso al frente, en la seguridad de que quienquiera que avance, será derrotado en un ¡zis zas! de mi espada.—En un santiamén limpió el vestido con el quitamanchas.—De repente, saltó el tapón, sin necesidad de sacacorchos.—Si no quiero esto, sino lo otro.—El sacamuelas vendía quitasoles.—Tengo tos ferina.

4. Ese malcriado me causó malestar con sus exabruptos.—También bordó toda la mantelería, y tan bien lo hizo, que llamó la atención su trabajo.—Llegué de viaje ex profeso, porque tampoco me conformaba con ganar tan poco sueldo.—Tenemos que ir a casa de José Antonio, a fin de darle la enhorabuena por el bautizo del recién nacido.—El muy sinvergüenza no se bañó con taparrabo.—El adormilado vicerrector movía su cabeza al compás del vaivén del tren.—Sin embargo, este año no pasaré la Semana Santa en Sevilla, so pena de que con antelación se acabe este tejemaneje que aquí me retiene.—El vicesecretario recibió un buen varapalo del vicepresidente, cuando, ex abrupto, comenzó a gritar.—La policía detuvo a parte de los revoltosos, que, después de breve declaración, fueron llevados a la cárcel, donde se dispuso que los alojasen aparte.—Vengo de fuera muy cansado del trabajo, aun cuando por defuera parezca que estoy animoso.—A fines de este mes, saldrán a subasta todos los campos afines a nuestra dehesa.—No es fácil adivines el porqué de mi preocupación.—El antepenúltimo hizo de aguafiestas desde enfrente.—Las calamidades por que atraviesas no deben llevarte a la desesperación.

5. TRATAMIENTOS DE CORTESIA

El Rey tiene tratamiento de *S. M.* (Su Majestad). Al principio del escrito se pondrá *Señor*. Si es Reina, *Señora*. En la antefirma, se pone: *A. L. R. P. de V. M.* (a los Reales pies de Vuestra Majestad). En el sobre, *A Su Majestad el Rey X.*

Los Príncipes y las Infantas tienen el de *Alteza Real,* y el escrito se encabeza así: *Serenísimo Señor o Serenísima Se-*

ñora. En la antefirma se pondrá *A. L. P. de V. A. R.* (a los pies de Vuestra Alteza Real). En el sobre, *A Su Alteza Real el Príncipe X.*

Los Jefes de Estado o Presidentes de la Nación tienen tratamiento de Excelencia. En el cuerpo del escrito se dirá *Vuestra Excelencia* (V. E.).

Tienen título de *Excelentísimo Señor:* Los Ministros; los Gobernadores civiles y militares; los Generales; los Embajadores; los Ministros Plenipotenciarios de primera clase; los Consejeros de Estado; los Grandes de España y sus primogénitos; los Caballeros del Toisón y los del Collar; los que posean una Gran Cruz; el Presidente del Tribunal Supremo; los Presidentes de Sala, Magistrados y Fiscales del Tribunal Supremo, y los Presidentes y Fiscales de las Audiencias Territoriales.

En la cabeza del escrito y al pie del mismo se pondrá *Excmo. Sr.* En el texto se utilizará la abreviatura de *V. E.* (Vuestra Excelencia). En el sobre se dirá *Excelentísimo Señor.*

Títulos de *Excelentísimos o Ilustrísimos* lo tienen algunos Ayuntamientos, y de *Excelentísimas* las Diputaciones provinciales.

El tratamiento de *Ilustrísimo Señor* corresponde a los Subsecretarios; Directores Generales; Jefes Superiores de Administración; Presidentes de Salas de las Audiencias Territoriales; Presidentes y Fiscales de las Audiencias Provinciales.

En la cabeza del escrito y al pie del mismo se pondrá *Iltmo.* o *Ilmo. Sr.* En el texto, se utilizará la abreviatura de *V. I.* o *V. S. I.* (Usía Ilustrísima). En el sobre se dirá *Ilustrísimo Señor.*

El tratamiento de *Usía* (V. S.) es debido a los Jefes de Administración; confesores de S. M.; Coroneles; Magistrados de las Audiencias Territoriales y Provinciales y Jueces de primera instancia.

Los Duques, Marqueses, Condes o Vizcondes solamente tienen tratamiento de *Señoría,* a menos que fueren Grandes de España y, por lo mismo, *Excelentísimos.*

La mujer cónyuge tiene el tratamiento del esposo, aunque quede viuda, en tanto no contraiga nuevo matrimonio.

El Sumo Pontífice tiene tratamiento de *Su Santidad*. Todo escrito se encabezará *Santísimo Padre* o *Beatísimo Padre*, y lo mismo en la antefirma, añadiendo *B. L. P. de V. B.* (besa los pies de Vuestra Beatitud). En el sobre, *A Su Santidad* o *Al Padre Santo*.

A los Cardenales les corresponde el tratamiento de *Eminencia Reverendísima* (Emcia. Rvma.).

Los Arzobispos y Obispos tienen tratamiento de *Excelentísimos y Reverendísimos*.

El Clero concede el tratamiento de *Reverendo* a los Superiores de Comunidad; a los profesos, *Padre y Madre;* a los legos, *Hermanos*, y a las monjas, *Sor*.

6. ABREVIATURAS MÁS CORRIENTES

a	área.
(a)	alias.
@	arroba.
Admón.	Administración.
Adm.ᵒʳ	Administrador.
adj.	adjetivo.
adv.	adverbio.
af.ᵐᵒ	afectísimo
antic	anticuado.
art. o *art.º* .	artículo.
B. L. M. o	
b. l. m. . .	besa la mano.
B. L. P. o	
b. l. p. . . .	besa los pies.
B. O.	Boletín Oficial.
cénts.	céntimos.
C. M. B. o	
c. m. b. . . .	cuya mano beso.
conj.	conjunción.
C. P. B. o	
c. p. b. . .	cuyos pies beso.
c/c	cuenta corriente.
Comp.ª,	
Cía.	Compañía.

D. O. M. . . .	Deo Óptimo Máximo.
D. o *Dn.* . . .	don.
D.ª o *Dña.* .	doña.
Dr.	Doctor.
dra.	derecha.
Em.ª	Eminencia.
Emmo.	Eminentísimo.
E.	Este.
E. M.	Estado Mayor.
ENE.	Estenordeste.
E. P. D. . . .	en paz descanse.
E. P. M. . . .	en propia mano.
ESE.	Estesudeste.
etc. o & . . .	etcétera.
Exc.ª	Excelencia.
Excmo.	Excelentísimo.
Fr.	Fray.
g.ᵈᵉ o *gue.* .	guarde.
Ha.	hectárea.
ibíd.	ibídem.
íd.	ídem.
Ilmo o *Iltmo.*	Ilustrísimo.

J. C.	Jesucristo.
kg.	kilogramo, kilogramos.
kl.	kilolitro, kilolitros.
km.	kilómetro, kilómetros.
m.	minuto, minutos. metro, metros.
m²	metro cuadrado, metros cuadrados.
m³	metro cúbico, metros cúbicos.
M.ª	María.
m. adv.	modo adverbial.
M. Il.ᵉ S. o *M. I. Sr.* .	Muy Ilustre Señor.
mm.	milímetro, milímetros.
Mons.	Monseñor.
N.	Nombre desconocido, Norte.
N.ª S.ª	Nuestra Señora.
N. B.	Nota bene.
n./c.	nuestra cuenta.
NE.	Nordeste.
NNE.	Nornordeste.
NNO.	Nornoroeste.
NO.	Noroeste.
N. S. J. C. .	Nuestro Señor Jesucristo.
n.º, núm. ..	número.
nomb.	nombre.
O.	Oeste.
ONO.	Oesnoroeste.
OSO.	Oessudoeste.
P. A.	por ausencia, por autorización.
pág., págs. .	página, páginas.
%	por ciento.
‰	por mil.
P. D.	posdata.
p. ej.	por ejemplo.
P. O.	por orden.
P. P.	por poder.
p. pdo.	próximo pasado.
pral.	principal.

prep.	preposición.
pron.	pronombre.
ptas. o *pts.* .	pesetas.
Q. B. S. M. o *q. b. s. m.*	que besa su mano.
Q. B. S. P. o *q. b. s. p.*	que besa sus pies.
Q. D. G. o *q. D. g.* . .	que Dios guarde.
q. e. g. e. . .	que en gloria esté.
q. e. p. d. . .	que en paz descanse.
q. e. s. m. . .	que estrecha su mano.
q. s. g. h. . .	que santa gloria haya.
R.	responde o respuesta.
Rbi.	recibí.
R. D.	Real Decreto.
relat.	relativo.
R. I. P.	*requiéscat in pace* (descanse en paz).
R. M.	Reverenda Madre.
R. O.	Real Orden.
R. P.	Reverendo Padre.
Rvmo.	Reverendísimo.
S.	Sur.
S. A. R. ...	Su Alteza Real.
s/c.	su cuenta. su casa.
S. D. M. ...	Su Divina Majestad.
s. l. n. a. ...	sin lugar ni año.
S. M.	Su Majestad.
Ser.ᵐᵒ, Sermo.	Serenísimo.
S. o *Sn.*	San.
S. N.	Servicio Nacional.
S. S. S.	su seguro servidor.
S.ª o *Sra.* ..	Señora.
Sta. o *S.ᵗᵃ* .	Santa.
Sr.	Señor.
Srta.	Señorita.
S. R. M. ...	Su Real Majestad.
S. S.	Su Santidad.
SS. AA.	Sus Altezas.
SE.	Sudeste.

SO.	Sudoeste.		V. Em.ª	
SSE.	Sudsudeste.		Rvma. ...	Vuestra Eminencia
SSO........	Sudsudoeste.			Reverendísima.
SS. MM. ...	Sus Majestades.		vg., v. g. o	
Stmo.......	Santísimo.		v. gr.	verbigracia.
V.	versículo.		V. M.......	Vuestra Majestad.
V.º B.º	Visto bueno.		V. R.	Vuestra Reverencia.
V. o Ud. ...	usted.		V. O. T. ...	Venerable Orden
Uds	ustedes.			Tercera.
V. A. R. ...	Vuestra Alteza Real.		V. S.	Usía.
V. E.	Vuestra Excelencia,		V. S. I. o V.	
	Vuecencia.		I.	Usía Ilustrísima.

Hoy impera en todos los idiomas el constante uso de siglas: *ONU, FIFA, RENFE*, etc., iniciales de la entidad que representan.

7. LECCIÓN PRÁCTICA

Escribir al dictado esta carta para ejercitar las **abreviaturas** y los **tratamientos.**

Muy Sr. mío: Participo a Ud. que por Decreto de veintisiete p. pdo. ha sido aprobada la modificación de precio en la @ de trigo; y apenas recibí su b. l. m., marché a retirar de la c/c 15.000 ptas., para dar abasto en seguida a la adquisición de todo el grano que llegue de afuera, porque ¿por qué causa hemos de exponernos, ex profeso, a tener que andar comprando pequeñas cantidades a menudo?

Los transportes se realizarán por la RENFE.

Si no se confirmaran mis temores, sino que se lograsen sus deseos, en la adjudicación de la herencia de D. Baltasar (q. e. p. d.), estaríamos de enhorabuena, a pesar de tener que ceder el 20 % a sus consanguíneos más próximos.

Venden un sinnúmero de muebles de los siglos XV y XIX, pues los hay de los años MCDXLIV y MDCCCXCIX. No están, sin embargo, bien conservados; esto se lo comunico a propósito de lo que me escribió Ud. anteayer.

Anteanoche, pasaron por aquí SS. MM. los Reyes de Italia y SS. AA. RR. los Infantes, acompañados del excelentísimo Sr. Gobernador y del Excmo. y Rvmo. Sr. Obispo. Iban a saludar a su Exc.ª el Presidente de la República Portuguesa y a su Em.ª Rvma. el Cardenal, que marchará en breve al lado de S. S. Pablo VI.

Conque ya saben Uds. con qué novedades contamos.

Saludos a D.ª Antonia y a la Srta. Lucía (c. p. b.).

Les ofrezco a Uds. mi nuevo domicilio en la calle José M.ª Puig, n.º 4, piso pral. dra.

Su afmo. y s. s., q. e. s. m.

8. PRINCIPALES LOCUCIONES LATINAS EMPLEADAS EN ESPAÑOL

En español se emplean, con frecuencia, ciertas locuciones latinas, en la mayor parte de los casos como modos adverbiales. Son las más corrientes:

ab aeterno	desde muy antiguo.
ab initio	desde el principio.
ab intestato	sin testamento.
ab irato	arrebatadamente.
ab ovo	desde el principio.
ábsit	¡Dios nos libre!
accésit	segundo premio.
ad calendas graecas	para un tiempo que nunca llegará.
ad hoc	para un fin determinado.
ad líbitum	a gusto; a voluntad.
ad nútum	a voluntad.
ad pédem lítterae	al pie de la letra.
ad reféréndum	para ser aprobado por el superior.
a fortiori	con mayor razón o motivo.
álter ego	otro yo.
a nativitate	de nacimiento.
a posteriori	posteriormente a la prueba.
a priori	con anterioridad a la prueba.
aut César aut nihil	o César o nada.
bis	dos veces.
cálamo currente	al correr de la pluma.
casus belli	motivo para declarar la guerra.
consummátum est	todo se ha acabado.
córam pópulo	ante la multitud.
cumquibus	recursos, dinero.

currículum vitae	relación de méritos que caracterizan a una persona.
déficit	cantidad que falta.
dei gratia	por la gracia de Dios.
de jure	conforme a derecho.
deo volente	Dios mediante.
de pópulo bárbaro	de pueblo bárbaro (cosa atroz).
desiderátum	el mayor deseo.
de verbo ad vérbum	palabra por palabra, a la letra.
de visu	de vista (testigo de).
directe ni indirecte	directa ni indirectamente.
do ut des	doy para que des.
dura lex, sed lex	la ley es dura, pero es ley.
ergo	por tanto; luego.
ex abrupto	arrebatada, bruscamente.
ex cáthedra	con autoridad de maestro.
ex libris	de los libros pertenecientes a.
ex profeso	de propósito.
fíat lux	hágase la luz.
hábeas corpus	derecho del detenido a ser oído.
hic jácet	aquí yace.
ibídem	allí mismo.
ídem per ídem	lo mismo lo uno que lo otro.
in albis	en blanco, sin nada.
in artículo mortis	en el último extremo.
incontinenti	al instante.
in fraganti	en el momento de cometerse el delito.
in illo témpore	en aquélla época.
in medio virtus	la virtud se halla en el medio.
in pártibus infidélium	en países de infieles.
in perpétuum	perpetuamente; para siempre.
in púribus	desnudo; en cueros.
intelligenti pauca	al buen entendedor, pocas palabras.
ínter nos	entre nosotros.
ínter vivos	entre vivos.
ipso facto	en el acto; por el mismo hecho.
ipso jure	por la naturaleza de la ley.
ítem más	además.
lapsus cálami	error de pluma.
lapsus linguae	equivocación al hablar.
manu militari	militarmente; por la fuerza armada.
mare mágnum	confusión de asuntos.
modus vivendi	modo de vivir.
motu proprio	espontánea, voluntariamente.
multa paucis	mucho en pocas palabras.
mutatis mutandis	cambiando lo que se deba.

némine discrepante	por unanimidad; sin contradicción; sin oposición.
nequáquam	de ningún modo.
ne quid nimis	nada con demasía.
nihil nóvum sub sole	nada hay nuevo bajo el sol.
non plus ultra	no más allá.
peccata minuta	error o falta leve.
per áccidens	accidentalmente.
per fas et per nefas	por una cosa o por otra; de grado o por fuerza.
per saécula saeculórum	por los siglos de los siglos.
per se	por sí mismo.
plus minusve	más o menos.
quid pro quo	una cosa por otra.
quod scripsi, scripsi	lo escrito, escrito está.
quousque tándem!	¡hasta cuando!
relata réfero	refiero lo que he oído.
sine die	sin fecha determinada.
sine qua non	condición sin la cual no.
sponte sua	por su voluntad.
statu quo	en el estado actual.
sub júdice	pendiente de resolución.
súfficit	basta.
sui géneris	muy especial.
superávit	exceso.
súum cuique	a cada cual lo suyo.
ultimátum	último plazo.
urbi et orbi	a los cuatro vientos.
ut supra	como arriba.
vae victis!	¡ay de los vencidos!
vale	pásalo bien.
velis nolis	quieras o no quieras.
veni, vidi, vici	llegué, vi, vencí.
verbi gratia (o verbigracia).	por ejemplo.
vox clamantis in deserto ...	predicación en desierto.
vox pópuli	del dominio público (voz del pueblo).

Varias de estas expresiones se utilizan también como substantivos.

9. PALABRAS MÁS CORRIENTES QUE ACEPTA LA REAL ACADEMIA CON DISTINTAS GRAFÍAS

Aunque ambas formas habrán de tenerse por igualmente correctas, la Academia da preferencia, en acepciones sinónimas, a las que se citan en primer lugar, como las más corrientes en el uso moderno:

A

abalizar	balizar
abarca	albarca
abiogénesis	abiogenesia
abotagarse	abotargarse
abovedar	bovedar
abuelo-a	agüelo-a (fam.)
acepillar	cepillar
acera	hacera
achicoria	chicoria
aclarar	clarar
acné	acne
adiestrar	adestrar
adive	adiva
adonay	adonaí
adonde	a donde (ver página 118)
adormitarse	dormilarse
afilo	áfilo
afín	afine
agilitar	agilizar
aguinaldo	aguilando
agujerear	agujerar
¡agur!	¡abur!
¡ah!	¡ha!
ahumar	ajumar
aína	hina (anticuado)
ajabeba	jabeba, jabega
alacena	alhacena
albahaca	albaca
albañal	albañar
albihar	abiar

albóndiga	almóndiga
alcaucil	alcaucí
alfar	alfahar
alfarero	alfaharero
alfarjía	alfajía
alféizar	alfeiza
algecireño	aljecireño
alhelí	alelí
aljébana	aljébena
almocárabe	almocarbe
almogavería	almogavaría
áloe	aloe
alquermes	alkermes
alrededor	al rededor, alderredor
altiplanicie	altiplano
altramuz	atramuz
alveolo	alvéolo
amancillar	mancillar
amaraje	amarizaje, acuatizaje.
amarar	amarizar, acuatizar.
amatista	ametista
ambidextro	ambidiestro
ambrosía	ambrosia
ambutar	embutar
ameba	amiba
amedrentar	amedrantar
amojonar	mojonar
amonedar	monedar, monedear
amoniaco	amoníaco[1]

---

1) Y cuantas terminan en **iaco,** que indistintamente pueden ir sin acento o atildarse en la i.

amueblar	amoblar	arúspice	aurúspice
anamnesis	anamnesia	arveja	alverja
ananás	ananá	asaetear	saetear
anaranjado	naranjado	asalariar	salariar
anchoa	anchova	asemejarse	semejarse
anejo	anexo	así mismo	asimismo
anemone	anémona, anemona	asperjar	asperger
aneurisma	neurisma	áspid	áspide
anfisbena	anfisibena	astricción	adstricción
anseático	hanseático	astringir	adstringir
anteanoche	antenoche	atarjea	atajea, atajía
anteayer	antier (fam.)	atenacear	atenazar
anteojera	antojera	atlanticense	atlantiquense
anticristo	antecristo	atmósfera	atmosfera
anticuar	antiguar	atosigar	tosigar, toxicar
anublar	nublar	atrancar	trancar
anudar	añudar	atravesar	travesar
aovar	ovar	atriaca	atríaca
apalear	palear	audiófono	audífono
apartamiento	apartamento	audiómetro	audímetro
apenas	a penas, apena	aulaga	aliaga
aplauso	plauso	aupar	upar
aplebeyar	emplebeyecer	aureola	auréola
apócope	apócopa	aurífero	aurígero
apoteósico	apoteótico	aurragado	ahurragado
aprisa	a prisa, apriesa	autenticar	autentificar
arborecer	arbolecer	avutarda	avetarda, avucasta
archivolta	arquivolta	axil	axial
areola	aréola	ázimo	ácimo
ariscarse	hariscarse	azor	aztor
armario	almario	azoramiento	azaramiento
armonía	harmonía	azud	azuda, azut
arpa	harpa	azuela	achuela
arpía	harpía		
arpillera	harpillera		
arrabal	rabal		**B**
arrabalero	rabalero		
arráez	arrayaz, arraz	bacará	bacarrá
arramblar	arramplar	badila	badil
¡arre!	¡harre!	bahúno	bajuno
arrear	harrear	bajar	abajar
arremangar	remangar	balandra	balandro
arria	harria	bálano	balano
arriero	harriero	balaustre	balaústre
artemisa	artemisia	baldaquín	baldaquino
arteriosclerosis	arterioesclerosis	baldonar	baldonear

bambolear	bambalear
bambú	bambuc
baptisterio	bautisterio
baquiano	baqueano
barahúnda	baraúnda o vo-rahúnda
barboquejo	barbuquejo
bargueño	vargueño
barnizar	embarnizar
batahola	bataola, tabaola
baturrillo	batiborrillo, batibu-rrillo
bazofia	gazofia
benjuí	menjuí
bequeriana	becqueriana
beréber	bereber o berebere
béisbol	beisbol
besamel	besamela
besuquear	besucar
betlemita	betlehemita
bezoar	bezaar, bezar
bicípite	bicéfalo
bimano	bímano
bípedo	bípede
bisabuelo	bisagüelo
bisbisar	bisbisear
biselar	abiselar
bisílabo	disílabo
bisnieto	biznieto
bisojo	bizco
bisté	bistec
bizcocho	biscocho
boceras	voceras
bohemio	bohemo
bohío	buhío
bondadoso	bondoso
boniato	buniato, moniato
bórax	borraj
botonadura	abotonadura
bronquiolo	bronquíolo
bruces, de	buces, de
bufé	ambigú
buhardilla	bohardilla, boardi-lla, guardilla
buitrón	butrón
burujo	borujo

C

cabrestante	cabestrante
cabriolar	cabriolear
cacahuete	cacahuey, cacahué, cacahuate.
cachupín	gachupín
calafatear	calafetear
calcañar	calcañal
calidad	calidez
calidoscopio	caleidoscopio
calina	calima
caluroso	caloroso
cambalachear	cambalachar
canciller	chanciller
cantiga	cántiga
cantilena	cantinela
canturriar	canturrear
canuto	cañuto
capitel	chapitel
caranday	carandaí
carbunco	carbunclo
carcaj	carcax
cardiaco	cardíaco
cartaginense	cartaginiense
casi	cuasi
caudimano	caudímano
caviar	cavial
cebra	zebra
cedilla	zedilla
cejijunto	cejunto
celtíbero	celtibero
cementerio	cimenterio
cenit	zenit
centellear	centellar
centimano	centímano
centolla	centollo
cercén	cercen
cerner	cernir
certísimo	ciertísimo
césped	céspede
cíclope	ciclope
ciempiés	cientopiés
cimborrio	cimborio
cimbrar	cimbrear
cinc	zinc

cine	cinema
cingiberáceo	zingiberáceo
circunscrito	circunscripto
cliché	clisé
cloquear	clocar
coadjutor	coadyutor
cóccix	coxis
cociente	cuociente
cocodrilo	crocodilo
cochitril	cuchitril
cogulla	cugulla
cohombro	cogombro
cojijo	cosijo
comiscar	comisquear
compartimiento	compartimento
compasar	acompasar
compilar	copilar
complejidad	complexidad
concadenar	concatenar
conclave	cónclave
confesonario	confesionario
confucianismo	confucionismo
congoleño	congolés
conmisto	conmixto
construir	costruir (antic.)
conterráneo	coterráneo
contornear	contornar
contraalmirante	contralmirante
convergir	converger
coñá	coñac
copto	cofto
coque	cok
cordezuela	cuerdezuela
correveidile	correvedile
cotidiano	cuotidiano
criatura	creatura (antic.)
cribar	acribar
crin	clin
crisantemo	crisantema
croar	groar
cuadrienio	cuatrienio
cuadrumano	cuadrúmano
cuadrúpedo	cuadrúpede
cuáquero	cuákero
cuarteto	cuarteta
cuatrimestre	cuadrimestre

culombio	coulomb
cursilería	cursería

Ch

chabola	chavola
chalé	chalet
champaña	champán
chapear	chapar
chapurrar	chapurrear
charolar	acharolar
checoslovaco	checoeslovaco
chipriota	chipriote, cipriota
chirusa	chiruza
¡chis!	¡chist!
chistar	chitar
chófer	chofer

D

decaimiento	descaimiento
decalcificación	descalcificación
decenviro	decenvir
decimoctava	decimaoctava
decimocuarta	decimacuarta
decimonona	decimanona
decimoquinta	decimaquinta
decimoséptima	decimaséptima
decimosexta	decimasexta
decimotercera	decimatercera
decimotercia	decimatercia
decimotercio	decimotercero
decrecer	descrecer
deformar	desformar, disformar
defuera	de fuera
demonomanía	demoniomanía
de prisa	deprisa
desapego	despego
desbarajuste	desbarahúste
desbrozo	desbroce
descalabrar	escalabrar
descolorar	decolorar, descolorir

desconvenir	disconvenir	elixir	elíxir
descrito	descripto	emigración	migración
desenhornar	deshornar	empapuzar	empapujar, empapizar
desfalcar	defalcar		
desflecar	desflocar	empellar	empeller
desgana	desgano	enamoricarse	enamoriscarse
desgañitarse	desgañifarse	enclocar	encoclar
desharrapado	desarrapado	encovar	encuevar
despabilar	espabilar	endósmosis	endosmosis
despeluzar	despeluznar, espeluznar	en flagrante	in fraganti
		engañamundo	engañamundos
despinzas	despinces	engañifa	engañifla
desplacer	displacer	engatusar	encatusar
despueble	despueblo	engrosar	engruesar
destornillador	atornillador	enhestar	inhestar
destornillar	desatornillar	enhiesto	inhiesto
desviación	deviación	enhorabuena	norabuena
devalar	davalar	enjaezar	jaezar
dice o dícese	diz	enranciarse	arranciarse
didacticismo	didactismo	en seguida	enseguida
diecinueve	diez y nueve	entremeter	entrometer
dieciocheno	deciocheno	envidia	invidia (antic.)
dieciocho	diez y ocho	eremitorio	ermitorio
dieciséis	diez y seis	ergástulo	ergástula
diecisiete	diez y siete	eructo	eruto
difamar	disfamar	erraj	herraj
dihueñe	dihueñi	escafandra	escafandro
dije (adorno)	dij	escalofrío	calofrío, calosfrío
dinamo	dínamo	escombrar	desescombrar, descombrar
dintel	lintel		
diócesis	diócesi	escotar	descotar
disconformidad	desconformidad	escote	descote
disección	disecación	escupitina	escupetina
disminuir	diminuir	esfumar	difumar
doctrinar	adoctrinar	esfuminar	difuminar
dolorido	adolorido	esfumino	difumino
dominó	dómino	españolizar	españolar
duermevela	dormivela	esparadrapo	espadrapo
durmiente	dormiente	especiería	especería
duunviro	duunvir	espiritoso	espirituoso
		espurrear	espurriar
		estandarizar	estandardizar
E		estereotipia	estereotipa
		estratego	estratega
eccema	eczema	estriar	istriar
égida	egida	etíope	etiope

eutrapelia	eutropelia
evitar	vitar
excoriación	escoriación
excoriar	escoriar
excrecencia	excrescencia
exósmosis	exosmosis
exprimidera	exprimidor
éxtasis	éxtasi

F

facsímil	facsímile
faltriquera	faldriquera
fanega	hanega
fangal	fangar
fárrago	farrago
feliz	felice (poét.)
femineidad	feminidad
feroz	feroce
festonear	festonar
fideicomiso	fidecomiso
fisonomía	fisionomía
flaccidez	flacidez
fláccido	flácido
florentino	florentín
folklore	folklor o folclor
forcejar	forcejear
fosco	hosco
fosforecer	fosforescer
frac	fraque
fragancia	fragrancia (antic.)
fraile	fray
franjar	franjear
fréjol	fríjol
frontal	frental
fulgoroso	fulguroso
fumarola	fumorola
furúnculo	forúnculo
furriel	furrier
fútbol	futbol

G

galop	galopa
galopar	galopear
gallofear	gallofar
gambax	gambaj
gangrena	cangrena
gangrenarse	cangrenarse
garguero	gargüero
garvín	garbín
garrar	garrear
garrocha	garlocha
gerifalte	girifalte
gibraltareño	jibraltareño
gigote	jigote
gladíolo	gladiolo, gradíolo, gradiolo
Gloria Patri	gloriapatri
gnomo	nomo[1]
golosinear	golosinar
gollería	gullería
gongo	gong
gordiflón	gordinflón
gozne	gonce
grafila	gráfila
grandullón	grandillón
graznar	gaznar
grietarse	grietearse
grillarse	agrillarse
gritería	griterío
groelandés	groenlandés
grujir	brujir
guacamol	guacamole
guadarnés	guarnés
guantada	guantazo
güisqui	whisky

H

halo	halón
hámago	ámago

---

1) Y cuantas empiezan por **gn**, que pueden también escribirse sin la g inicial.

134

harapo	arrapo	icnografía	ignografía
harén	harem	ictericia	tiricia
havar	havara	iguana	higuana
hegemonía	heguemonía	ijada	ijar
hégira	héjira	ilion	íleon
heliotropo	heliotropio	impúbero	impúber
helvecio	helvético	incontinenti	incontinente
hemiplejía	hemiplejia	indio	indo
hemorroide	hemorroida	inescrutable	imperscrutable
hender	hendir	infeliz	infelice (poét.)
hendidura	hendedura	inficionar	infeccionar
henojil	cenojil	inmoble	inmóvil
henrio	henry	inmutable	inmudable
herbajar	herbajear	innocuo	inocuo
hercio	hertz	insignia	insinia (antic.)
hermafrodita	hermafrodito	insubstancial	insustancial
héspero	véspero	intercolumnio	intercolunio
hetera	hetaira	intransmisible	intrasmisible
hético	héctico, ético	intrincar	intricar
hetiquez	etiquez	inverosímil	inverisímil
hexagonal	sexagonal	investir	envestir
híades	híadas	invierno	ivierno, hibierno
hidromancia	hidromancía[1]	irreducible	irreductible
hidromel	hidromiel		
hiedra	yedra		
hierba	yerba		
hipótesis	hipótesi	**J**	
hipoxia	anoxia		
hisopear	hisopar	jabalcón	jabalón
hisopo	guisopo	jabera	javera
hogaño	ogaño	jaca	haca
hojaldre	hojalde	jaguar	yaguar
holgorio	jolgorio	jaguarzo	juaguarzo
¡hopo!	¡jopo!	jaharrar	jarrar
hostelería	hotelería	japonés	japonense
huélfago	huérfago	jenabe	jenable, ajenabe
huésped	huéspede	jengibre	ajengibre
humareda	humarada	jenízaro	genízaro
		jerbo	gerbo
		jiennense	giennense
I		jindama	gindama
		jineta	gineta (mamífero)
ibero	íbero o iberio	jovada	jubada
icario	icáreo		

1) Y todas las finalizadas en **mancia** (adivinación), que indistintamente pueden ir sin acento o atildadas en la **i**.

K

kan	can
kappa	cappa
kiliárea	quiliárea
kilo	quilo
kilogramo	quilogramo
kilolitro	quilolitro
kilómetro	quilómetro
kinesiterapia	cinesiterapia o qui-nesiterapia
kirie	quirie

L

lagrimoso	lacrimoso
langostino	langostín
latinar	latinear
latrocinio	ladronicio
lauréola	laureola
legaña	lagaña
legible	leíble
lenteja	lanteja
lentejuela	lantejuela
léxico	lexicón
lezna	lesna
lintel	lindel
lisonjear	lisonjar (antic.)
lodazal	lodazar
lomienhiesto	lominhiesto
longísimo	longuísimo
lubina	llubina, lobina
lubricación	lubrificación
lubricar	lubrificar
lucillo	lucilo
lucubrar	elucubrar

M

macadán	macadam
macedonio	macedónico
madurez	madureza
maestrescuela	maestreescuela
majestuoso	majestoso

mal humor	malhumor
mallorquín	mallorqués (antic.)
mama	mamá
manganesa	manganesia
manivacío	manvacío
manutención	mantención
manzanar	manzanal
maravedís	maravedises, ma-ravedíes
mare mágnum	maremagno
marginar	margenar
mariguana	marihuana
marsopa	marsopla
martillar	martillear
maullar	mayar, maular
mausoleo	mauseolo
máximo	máximum
maxvelio	maxwell
mayonesa	mahonesa
medieval	medioeval
medievo	medioevo
medula	médula
mejicano	mexicano
mejunje	menjunje, menjurje
melopeya	melopea
memorando	memorándum
meñique	menique
metamorfosis	metamorfosi
metempsicosis	metempsícosis
meteoro	metéoro
meticón	metijón
metopa	métopa
mezcolanza	mescolanza
mildiu	mildeu
mimbre	bimbre
mínimo	mínimum
minorar	aminorar
minué	minuete
miriñaque	meriñaque
miriópodo	miriápodo
misil	mísil
mistela	mixtela
mistificar	mixtificar
mixtifori	mistifori
mixto	misto
mixtura	mistura

mnemotecnia	nemotecnia[1]
moblaje	mueblaje
mogol	mongol
moharra	muharra
moharracho	moharrache
monacillo	monaguillo
monomaniaco	monomaníaco, mo-nomaniático
morbididad	morbilidad
mordiscar	mordisquear
morueco	murueco
moscardón	moscarrón
¡moxte!	¡moste!
mozárabe	muzárabe
muaré	moaré, muer, mué
murciélago	murciégalo
murmullo	murmurio

N

nacarado	anacarado
nailon	nilón
neocelandés	neozelandés
nervosidad	nerviosidad
nogueral	nocedal
nómada	nómade
Noroeste	Norueste
nubloso	nuboso
nutria	nutra

O

oboe	obué
obscuro	oscuro
obvio	ovio
odómetro	hodómetro
Oeste	Ueste
ohmio	ohm
ojaranzo	hojaranzo
ojimiel	ojimel
¡olé!	¡ole!
óleo	olio

olimpiada	olimpíada
ológrafo	hológrafo
omóplato	omoplato
ondoso	undoso
ondular	undular
ónice	ónix, ónique
oploteca	hoploteca
optimar	optimizar
orca	orco
orgía	orgia
ósmosis	osmosis
ostra	ostia
overo	hovero
¡ox!	¡oxe!
oxear	osear

P

pabilo	pábilo
padre nuestro	padrenuestro
pagel	pajel
pailebote	pailebot
paladial	palatal
palangana	palancana
palitroque	palitoque
paniaguado	paniguado
panoja	panocha
pantuflo	pantufla
papá	papa
paquebote	paquebot
paráclito	paracleto
paralaje	paralaxis, paralaxi
parangonar	paragonar
pararrayos	pararrayo
parásito	parasito
pardusco	pardisco
parhelio	parhelia
paronomasia	paranomasia
paroxismo	parasismo
parvedad	parvidad
¡pche!	¡pchs!
pecíolo	peciolo
pediatra	pediatra

---

1) Y cuantas principian por **mn,** que pueden también escribirse sin la m inicial.

pedimento	pedimiento (antic.)	proscrito	proscripto
pelícano	pelicano	prótesis	próstesis
península	penisla	psiquíatra o	
pensil	pénsil	psiquiatra	siquíatra o siquia-
pentágrama	pentagrama		tra[1]
perendengue	pelendengue	púber	púbero
perenne	perene	pudrir	podrir
perífrasis	perífrasi	puertorriqueño	portorriqueño
período	periodo	pulverización	polvorización
peruano	peruviano	pusilánime	pusilánimo
pespuntar	pespuntear		
pez	pece (antic.)		
pezuña	pesuña		**Q**
pijama	piyama		
pinnado	pinado	quejigal	quejigar
piretógeno	pirógeno	quermes	kermes
piriforme	periforme	querubín	querube, querub
pitonisa	fitonisa	quinesiólogo	kinesiólogo
platanar	platanal	quiosco	kiosco
pleamar	plenamar	quiromancia	quiromancía
plébano	plebano	quitapón	quitaipón
pléyades	pléyadas	quizá	quizás
plombagina	plumbagina		
pluviómetro	pluvímetro		
podíatra	podiatra		**R**
podredumbre	pudredumbre (antic.)		
		raglán	ranglán
polígloto-a	poligloto-a	raíl	rail
polvera	polvorera	rascar	arrascar (antic.)
polvoriento	pulverulento	rasguño	rascuño
pollastro	pollastre	rastrojo	restrojo
pomarada	pumarada	recauchar	recauchutar
pos	post	redondear	arredondear
posdata	postdata	reembolsar	rembolsar
postmeridiano	posmeridiano	reembolso	rembolso
pracrito	prácrito	reemplazar	remplazar
présago	presago	reemplazo	remplazo
présbita	présbite	rehala	reala
presidiario	presidario	releje	relej
pretencioso	pretensioso	reloj	reló
prisa	priesa	remangar	arremangar
prócer	procero-a, procéro-a	rempujar	arrempujar
		renacuajo	ranacuajo
producible	productible	rendija	rehendija

---

1) Cuantas palabras comienzan por **ps** pueden escribirse sin la **p** inicial.

138

repantigarse	repanchigarse
reprender	reprehender
reprensión	reprehensión
resplandor	resplendor (antic.)
retractación	retratación
reúma	reuma
revoltillo	revoltijo
riguroso	rigoroso
róbalo	robalo
rodear	arrodear
rosalera	rosaleda

S

sabihondo	sabiondo
salidizo	saledizo
salivazo	salivajo
salpullir	sarpullir
saltabanco	saltimbanco, saltimbanqui
salvaguardia	salvaguarda
salvamento	salvamiento
sánscrito	sanscrito
sarraceno	sarracino o sarracín
saxofón	saxófono
sefardí	sefardita
seísmo	sismo
selvático	silvático
selvoso	silvoso
septena	setena
septenario	setenario
septiembre	setiembre
séptimo	sétimo
serbio	servio
serrar	aserrar
serrín	aserrín
seudo	pseudo
silabear	silabar
silvicultura	selvicultura
simia	jimia
simio	jimio
simplista	simplicista
síncopa	síncope
siquiera	siquier

sirimiri	chirimiri
sobreexcitar	sobrexcitar
sobrentender	sobreentender o subentender
sobresdrújulo	sobreesdrújulo
sobreveste	sobrevesta
sobrexceder	sobreexceder
socaliña	sacaliña
somnámbulo	sonámbulo
sondar	sondear
sonrojar	sonrojear
sonrosar	sonrosear
sopesar	sospesar
sotaventarse	sotaventearse
subscribir	suscribir
subscripción	suscripción
subscriptor	subscritor, suscritor o suscriptor
subscrito	subscripto, suscrito o suscripto
substancia	sustancia
substanciar	sustanciar
substantivo	sustantivo
substituir	sustituir
substituto	sustituto
substracción	sustracción
substraer	sustraer
subversión	suversión
subversivo	suversivo
subvertir	suvertir (antic.)
Sudeste	Sureste
Sudoeste	Suroeste
suministrar	subministrar

T

tambor	atambor
taracea	ataracea
taracear	ataracear
tarara	tarará
tarumba	turumba
tensar	tesar
testuz	testuzo
tétanos	tétano
tifus	tifo

tintinar	tintinear	transmudación	trasmudación
tortícolis	torticolis	transmudamiento	trasmudamiento
traílla	treílla	miento	
transalpino	trasalpino	transmudar	trasmudar
transandino	trasandino	transmutable	trasmutable
transatlántico	trasatlántico	transmutar	trasmutar
transbordar	trasbordar	transmutativo	trasmutativo
transcribir	trascribir	transmutatorio	trasmutatorio
transcripción	trascripción	transparencia	trasparencia
transcripto	trascripto	transparentarse	trasparentarse
transcrito	trascrito	transparente	trasparente
transcurso	trascurso	transpirable	traspirable
transcurrir	trascurrir	transpiración	traspiración
transferencia	trasferencia	transpirar	traspirar
transferible	trasferible	transpirenaico	traspirenaico
transferir	trasferir	transponer	trasponer
transfiguración	trasfiguración	transportación	trasportación
transfigurar	trasfigurar	transportador	trasportador
transfijo	trasfijo	transportamiento	trasportamiento
transfixión	trasfixión	miento	
transflor	trasflor	transportar	trasportar
transflorar	trasflorar	transporte	trasporte
transflorear	trasflorear	transposición	trasposición
transformar	trasformar	transpositivo	traspositivo
transfregar	trasfregar	transtiberino	trastiberino
transfretano	trasfretano	transvasar	trasvasar
transfretar	trasfretar	transverberación	trasverberación
tránsfuga	trásfuga	ración	
tránsfugo	trásfugo	transversal	trasversal
transfundir	trasfundir	transverso	trasverso
transfusión	trasfusión	tranviario	tranviero
transfusor	trasfusor	trasanteayer	trasantier
transgredir	trasgredir	trasañejo	tresañejo
transgresión	trasgresión	trascendental	transcendental
transgresor	trasgresor	trascendente	transcendente
translinear	traslinear	trascender	transcender
translúcido	traslúcido	traslación	translación
transmarino	trasmarino	traslaticio	translaticio
transmigración	trasmigración	traslativo	translativo
transmigrar	trasmigrar	tresdoblar	trasdoblar
transmisible	trasmisible	tribual	tribal
transmisión	trasmisión	triglifo	tríglifo
transmitir	trasmitir	triple	triplo
transmontano	trasmontano	tristeza	tristura
transmontar	trasmontar, tramontar	troj	troje, trox

U

ubicuidad	ubiquidad
¡uf!	¡huf!
ujier	hujier
umbría	ombría
unísono	unisón
untuoso	untoso
urdimbre	urdiembre
urraca	hurraca
usufructo	usufruto (antic.)
usufructuar	usufrutuar
usurear	usurrar
utopía	utopia

V

vagabundear	vagamundear
vagabundo	vagamundo
vahear	vahar
vahído	vaguido
valuar	avaluar
vallisoletano	valisoletano
vapular	vapulear
varice	várice o variz
vatio	watt
vecera	vecería
ventisca	ventisco
ventiscar	ventisquear
verderón	verderol, verdón
vermú	vermut
verosímil	verisímil
viduño	vidueño
vigésimo	vicésimo
vilorta	belorta

violoncelo	violonchelo
visigodo	visogodo
visualizar	visibilizar
vitorear	victorear
vivaque	vivac
volatilizar	volatizar
volframio	wolfram o wolframio
voltereta	volteleta
voraz	vorace
vuelo	volido
vulcanología	volcanología

Y

yacente	yaciente
yámbico	jámbico
yero	hiero
yogur	yagurt (antic.)
yóquey	yoqui
yudo	judo
yugoslavo	yugoeslavo

Z

zafiro	zafir, zafira
zahína	sahína
zambullir	zabullir
zanahoria	azanoria
zaragutear	zarabutear
zarrapastroso	zaparrastroso
¡zas, zas!	¡zis, zas!
zeda	ceda, zeta o ceta
zelandés	celandés
zeugma	ceugma, zeuma

10. ALGUNOS VOCABLOS INCORRECTOS O DE USO NO AUTORIZADO POR LA REAL ACADEMIA DE LA LENGUA

(Se indica, en segundo término, la palabra que debe ser utilizada.)

abadesal	*por* abacial	aljedrez	*por* ajedrez
abogación	» abogacía	altielocuencia	» altilocuencia
abotijarse	» abotagarse	aluego	» luego
absenteísmo	» absentismo	alumaje	» encendido
abuja	» aguja	allulla	» hallulla
abujero	» agujero	amarillar	» amarillear
acarretear	» carretear	amarilloso	» amarillento
aciel	» acial	ameliorar	» mejorar
acluecarse	» aclocarse	amohosarse	» enmohecerse
acotejar	» ordenar	anecdota	» anécdota
acredor	» acreedor	anerobio	» anaerobio
acrobacía	» acrobacia	anexionamiento	» anexión
adlátere	» a látere	anfructuoso	» anfractuoso
admósfera	» atmósfera	anodo	» ánodo
aereolito	» aerolito	antidiluviano	» antedilu-
aereonauta	» aeronauta		viano
aereoplano	» aeroplano	antropóideo	» antropoideo
aereostática	» aerostática	aplopejía	» apoplejía
aerodromo	» aeródromo	aquiesciencia	» aquiescencia
aerostato	» aeróstato	aquijotado	» quijotesco
aflautar[1]	» atiplar	árdido	» ardido
afono	» áfono	armatroste	» armatoste
afusilar	» fusilar	armónium	» armonio
aguardientoso	» aguardentoso	arrebuñar	» arrebujar
aijares	» ijares	arrecostarse	» recostarse
alborotista	» alborotador	arrellenarse	» arrellanarse
alcali	» álcali	artitrismo	» artritismo
alcohómetro	» alcoholímetro	asertar[3]	» aseverar
alcol	» alcohol	ástil	» astil
alfarfa	» alfalfa	atiforrado	» atiborrado
álgido[2]	» acalorado	autentizar	» autenticar o
alhajera	» estuche		autentificar
aliaje	» mezcla, unión	avariosis	» sífilis
alibi	» coartada	avichucho	» avechucho

---

1) Se admite *aflautado*. 2) Se admite en el sentido de *muy frío*. 3) Se admite *aserto*.

142

azuloso	*por*	azulino		consumación[8]	*por*	consumición
barajear	»	barajar		contimás	»	cuanto más
baratez	»	baratura		contusionar[9]	»	contundir
bastardeamien-to[1]	»	degeneración		coopartícipe	»	copartícipe
				coopropietario	»	copropietario
bayonesa	»	mahonesa o mayonesa		cornúpeto	»	cornúpeta
				coscurro	»	cuscurro
bebé	»	nene		costancia	»	constancia
bembrillo	»	membrillo		costante	»	constante
benevolente[2]	»	benévolo		costipado	»	constipado
bolinche	»	boliche		crepé	»	añadido, pelo postizo
bonitura	»	lindeza				
botellería	»	botillería		cuádriga	»	cuadriga
bronconeumo-nia	»	bronconeu-monía		cuadrigésimo	»	cuadragési-mo
bullaranga	»	bullanga		changuear	»	bromear
buscapié	»	buscapiés (cohete)		changuero	»	chancero
				charlista	»	conferen-ciante
cábila	»	cabila				
canturia	»	canturía		charolador	»	charolista
carátula[3]	»	portada de un libro		cheche	»	valentón
				debut	»	estreno
carnecería	»	carnicería		decágramo	»	decagramo
catapún	»	cataplum		decálitro	»	decalitro
catodo	»	cátodo		decígramo	»	decigramo
cénit	»	cenit		decílitro	»	decilitro
centígramo	»	centigramo		defeccionar[10]	»	desertar
centílitro	»	centilitro		defectuosidad	»	defecto
circustancia	»	circunstancia		deje	»	dejo
coaligarse[4]	»	coligarse		demagogía	»	demagogia
combina	»	combinación		dentrífico	»	dentífrico
comentariar[5]	»	comentar		derrogar	»	derogar, abolir abolir
conceptua-ción[6]	»	concepto				
				desapercibido[11]	»	inadvertido
condor	»	cóndor		desaveniencia	»	desavenencia
confort	»	comodidad		desayunar	»	desayunarse
confraternizar	»	confraternar		desinfestar	»	desinfectar
conquibus	»	cumquibus		desopilar[12]	»	hacer reír
constelado[7]	»	estrellado		desorienta-miento	»	desorienta-ción
constelar	»	cubrir				

1) Se admite *bastardear*. 2) Se admite *benevolentísimo,* superlativo de *benévo-lo*. 3) Se admite en el significado de *careta*. 4) Se admite *coalición*. 5) Se admite *comentario*. 6) Se admite *conceptuar*. 7) Se admite *constelación*. 8) Se admite *consumación* en sentido de *extinción* y en el de *llevar a cabo completamente un acto*. 9) Se admite *contusión, contuso*. 10) Se admite *defección*. 11) Se admite en el sentido de *desprevenido*. 12) Se admite en el sentido de *curar la opilación*

despaturrar	*por*	despatarrar	espúreo	*por*	espurio
despeluchar	»	despeluzar	esquíes	»	esquís
despostillar	»	desportillar	esteróscopo	»	estereoscopio
desquebrajar	»	resquebrajar	estratósfera	»	estratosfera
desquijarrar	»	desquijarar	estudiado	»	fingido
destornillarse	»	desternillarse	exégeta	»	exegeta
desvastar	»	devastar	exencionar[4]	»	eximir
diabetis	»	diabetes	externar	»	exteriorizar
diatesis	»	diátesis	exterritoria-	»	extraterrito-
díceres	»	rumores	lidad		rialidad
dicionario	»	diccionario	factage	»	facturación
diferiencia	»	diferencia	fané	»	lacio, ajado
diforme	»	deforme o	feretro	»	féretro
		disforme	fetiquismo	»	fetichismo
diplómata	»	diplomático	filatura	»	hilandería
discernir[1]	»	otorgar, con-	folletón	»	folletín
		ceder	frustro	»	desgastado
disgresión	»	digresión	fuete	»	látigo
dislacerar	»	dilacerar	fulgir	»	fulgurar
diverger	»	divergir	fustrar	»	frustrar
domellar	»	domeñar	garage	»	garaje
dragaje	»	dragado	geráneo	»	geranio
electrolisis	»	electrólisis	gesto	»	rasgo
embrollista	»	embrollón	goal	»	gol
empalidecer	»	palidecer	grijo	»	guijo
encomioso	»	encomiástico	haliéutico	»	perteneciente
enfatuado	»	infatuado			a la pesca
			hectógramo	»	hectogramo
enquencle	»	enclenque	hectólitro	»	hectolitro
entabicar	»	tabicar	herborista	»	herbolario
envoltijo	»	envoltura	heroina	»	heroína
epatar	»	asombrar	heterodojía	»	heterodoxia
epígrama	»	epigrama	hidrolisis	»	hidrólisis
epilepsía	»	epilepsia	hipocondria	»	hipocondría
equivoco	»	equivocación	hostilización[5]	»	hostilidad
esculturar[2]	»	esculpir	humadera	»	humareda
escurrideras	»	escurriduras	ileíble	»	ilegible
esparcer	»	esparcir	imbíbito	»	incluido
esparramado	»	desparra-	imperfec-	»	deteriorar
		mado	cionar[6]		
espelma	»	esperma	imprimido	»	impreso
espionar[3]	»	espiar	inaguración	»	inauguración

---

1) Se admite en el significado de *distinguir entre varias cosas*. 2) Se admiten *escultura y escultural*. 3) Se admite *espionaje*. 4) Se admite *exención*. 5) Se admite *hostilizar*. 6) Se admite *imperfección*.

144

inapercibido	*por*	inadvertido		lunch	*por*	refrigerio
inaplacable	»	implacable		madrasta	»	madrastra
inapto	»	inepto		magüer	»	maguer
inclusive-	»	inclusiva-		Mahomet	»	Mahoma
mente		mente		manflorita	»	hermafrodita
inclusives	»	inclusive		mansarda	»	buhardilla
indígeno	»	indígena		manuntención	»	manutención
indiscriminado	»	indistinto		marroquinería	»	tapicería
infantilidad	»	infantilismo		medical	»	medicinal
inficcionar	»	inficionar		medicamen-	»	medicación
inflingir	»	infligir		tación		
influenciar[1]	»	influir		metereología	»	meteorología
inmergir	»	sumergir		métomentodo	»	metomentodo
inracional	»	irracional		mielero	»	melero
inrompible	»	irrompible		milígramo	»	miligramo
insanidad	»	insania		mililitro	»	mililitro
insectología	»	entomología		modisto	»	modista
insápido	»	insípido		moñiga	»	boñiga
insectólogo	»	entomólogo		munumento	»	monumento
ínsulas	»	ínfulas		nádir	»	nadir
interín	»	ínterin		naide	»	nadie
intérvalo	»	intervalo		necrologia	»	necrología
intraducibilidad	»	intraducible		neumonia	»	neumonía
intrínsico	»	intrínseco		nuevecientos	»	novecientos
iodo	»	yodo		óboe	»	oboe
jampa	»	umbral		obstruccionar[3]	»	obstruir
jefactura	»	jefatura		oceano	»	océano
jipar	»	hipar		ofertar[4]	»	ofrecer
kepis	»	quepis		oftalmia	»	oftalmía
khedive	»	jedive		ójala	»	ojalá
kilógramo	»	kilogramo		ópimo	»	opimo
kilólitro	»	kilolitro		orfelinato	»	orfanato
lampista	»	lamparero		pantomina	»	pantomima
lampistería	»	lamparería		pápiro	»	papiro
lengüista	»	lingüista		paralelógramo	»	paralelogramo
leontina	»	cadena reloj		paralís	»	parálisis
licenciosidad[2]	»	libertinaje		parisién o	»	parisiense
licorero	»	licorista		sino		
limpiada	»	cepilladura		pasablemente	»	medianamente
linóleum	»	linóleo		patina	»	pátina
logarismo	»	logaritmo		patúa	»	dialecto
londonense	»	londinense		pedícuro	»	pedicuro

---

1) Se admite *influencia*. 2) Se admite *licencioso*. 3) Se admite *obstrucción*.
4) Se admite *oferta*.

pelerina	*por*	esclavina	ritornello	*por*	retornelo
peluche	»	felpa	robinetería	»	grifería
pepla	»	plepa	rolo	»	rodillo de im-
periféria	»	periferia			prenta
perifrasis	»	perífrasis	ropo	»	cordel
pesaje	»	acto de pesar	rosquituerto	»	rostrituerto
pícia	»	pifia	Rumanía	»	Rumania
pipudo	»	excelente	sábelotodo	»	sabelotodo
pirinaico	»	pirenaico	sediciente	»	fingido
pirriarse	»	pirrarse	sepultación	»	sepultura
plastrón	»	pechera	significancia	»	significación
platabanda	»	arriate	síguemepollo	»	siguemepollo
polícromo	»	policromo	siniestrar	»	ser víctima de
polvorero	»	polvorista			un siniestro
popurrí[1]	»	mesa revuelta,	sóviet	»	soviet
		miscelánea	sucetible	»	susceptible
pórfiro	»	pórfido	supertición	»	superstición
portafolio	»	cartera	suple	»	suplemento
preciosura	»	preciosidad	supremacia	»	supremacía
preminencia	»	preeminencia	suspense	»	suspensión
prescinto	»	precinto	suspensores	»	tirantes
pretencioso	»	presuntuoso	sútil	»	sutil
pretendido	»	imaginado	targeta	»	tarjeta
primar	»	sobresalir	tartufo	»	persona hipó-
pristino	»	prístino			crita y falsa
probalidad	»	probabilidad	telégrama	»	telegrama
provistar	»	proveer	tigresa	»	tigre hembra
pueblada	»	tumulto	tiraje	»	tirada
puf	»	adorno	Tokío	»	Tokio
quister	»	quiste	tresillero	»	tresillista
raicear	»	arraigar	tricomía	»	tricromía
rastacuero	»	vividor	trotear	»	trotar
reasumir[2]	»	resumir	ultrapasar	»	rebasar
remarcable	»	notable	usable	»	usual
remisor	»	remitente	usina	»	fábrica
reostato	»	reóstato	vacaje	»	vacada
requisicionar[3]	»	requisar	ventiuno	»	veintinuo
resfriadera	»	fresquera	al		al
revancha	»	desquite	ventinueve	»	veintinueve
revindicación	»	reivindicación	veranda	»	terraza
revindicar	»	reivindicar	veráscopo	»	verascopio
revisador	»	revisor	verboide	»	de forma ver-
revoletear	»	revolotear			bal

1) Se admite en el significado de *composición musical.* 2) Se admite en el de *tomar lo dejado.* 3) Se admite *requisito.*

vertir	*por*	verter	
vespasiana	»	urinario	
vestón	»	chaqueta	
vetilla	»	fruslería	
victimar[1]	»	matar, sacrificar	
videncia	»	clarividencia	
viñal	»	viñedo	
viñatero	»	viñador	

vivar[2]	*por*	vitorear
volcanada	»	bocanada de aire
vólido	»	volido
yacht	»	yate
záfiro	»	zafiro
zainoso	»	zaino
zámpalopresto	»	zampalopresto
zueca	»	zueco

11. TERMINOLOGÍA DE EXPRESIONES Y VOCABLOS EXTRANJEROS

No es correcto el uso de palabras extranjeras, pero conviene conocerlas para saber interpretarlas debidamente, ya que, con frecuencia, se emplean en la actualidad cuando no se encuentra el adecuado término castellano.

(Entre paréntesis se indica la pronunciación aproximada.)

AFFAIRE *(afer)* .... asunto, suceso o escándalo comercial.

AFFICHE *(afich)* .... cartel de propaganda.

A FORFAIT *(a forfé)* .... viaje a FORFAIT: viaje de turismo que se efectúa con abono de los gastos a prorrata.

AGITATO *(achitato)* .... término musical que significa con *animación*.

AGRAFE *(agraf)* .... grapa usada en cirugía para coser.

AIGRETTE *(egret)* .... adorno en forma de penacho.

ALPENSTOCK .... bastón de montaña.

ALLEGRETTO *(alegreto)* ...... aire musical menos vivo que el *allegro*.

ALLEGRO *(alegro)* .... aire musical con movimiento moderadamente vivo.

ALLEGRO VIVACE *(alegro vivache)* .... aire musical más vivo que el *allegro*.

AMATEUR *(amater)* .... aficionado a un arte o deporte; quien lo practica por afición.

AND COMPANY *(an compani)* . y compañía.

ANDANTE .... aire musical con movimiento moderadamente lento.

ANDANTE CON MOTO .... en música, un andante algo vivo.

---

1) Se admiten *víctima y victimario.* 2) Se admite en el significado de *vivero.*

ARGOT *(argó)* . . . . lenguaje especial entre personas del mismo oficio o actividad: jerga.

ARRIÈRE-PENSÉE *(arriere pansé)* . . . . reserva mental.

A TEMPO . . . . con medida.

ATTACHÉ . . . . agregado a una Embajada o Delegación.

ATTREZZO *(atretso)* . . . . conjunto de utensilios que sirven para montar las escenas de una obra teatral.

AU REVOIR *(o revuar)* . . . . hasta la vista.

A VOTRE SANTÉ *(a votre santé)* . . . . a vuestra salud.

BABY *(beibi)* . . . . niño pequeño.

BACCARAT *(bakará)* . . . . cristal fino para vajillas de lujo u objetos de arte.

BAEDEKER *(bedéker)* . . . . libro que sirve de guía en los viajes.

BALLET *(balé)* . . . . bailable: escenas a base de baile expresivo.

BANTAM . . . . peso BANTAM: peso «gallo», en boxeo.

BAQUET *(baké)* . . . . asiento donde va el conductor de un vehículo.

BARMAN . . . . el que compone bebidas en un bar.

BASSET *(basé)* . . . . perro zarcero, muy largo de cuerpo y corto de patas.

BATIK . . . . cierta clase de tela, así llamada por la forma en que está pintada o estampada. Pintura «al batik».

BEIGE *(bech)* . . . . color de café con leche.

BELVEDERE . . . . mirador en lo alto de una casa.

BERSAGLIERI *(besaieri)* . . . . . . soldados italianos de infantería ligera.

BEST-SELLER *(bed-seler)* . . . . . éxito de venta.

BIBELOT *(bibeló)* . . . . muñeco o figurita artística, que sirve de adorno.

BISCUIT *(biskuí)* . . . . bizcocho; porcelana.

BISCUIT GLACÉ *(biskuí glacé)* . bizcocho helado.

BISTRE *(bistr)* . . . . color negruzco, preparado con hollín.

BITTER *(bíter)* . . . . líquido amargo que se echa, en gotas, en ciertas bebidas.

BLOCK . . . . libro de hojas blancas que pueden arrancarse. Hoja en la que figuran sellos que forman parte integrante de la misma, lo cual da a éstos un mayor valor filatélico.

BLUE *(blu)* . . . . baile americano, lento, de salón.

BLUFF *(blaf)* . . . . noticia falsa, exageraciones lanzadas con idea de propaganda.

BOBSLEIGH (*bobslé*) .... especie de trineo articulado y con volante para guiarlo.

BOCK .... vaso de cerveza que contiene un cuarto de litro aproximadamente.

BOITE DE NUIT (*buat de nií*) .. local de cierto aire frívolo, donde se bebe y se baila.

BOOKMAKER (*búkmeika*) ..... empleado que, en las carreras de caballos, apunta en un libro las apuestas.

BOOM (*bum*) .... extraordinario esplendor comercial; gran prosperidad en los negocios de una ciudad.

BOOMERANG (*bumerang*) ..... arma arrojadiza semejante a una hoz, que usan los maoríes, que retorna al punto de partida.

BOUDOIR (*buduar*) .... cuarto tocador de señora.

BOUILLABAISSE (*bullabés*) ... sopa de pescado.

BOUQUET (*buké*) .... aroma de ciertos vinos; ramillete de flores.

BOY (*boe*) .... muchacho.

BOY-SCOUT (*boe-skaut*) ...... muchacho explorador.

BOX .... boxeo.

BOX-CALF .... piel con que se fabrica calzado.

BRASSERIE (*braserí*) .... cervecería.

BREACK (*brek*) .... coche de cuatro ruedas para excursiones; vagón de lujo, para elementos oficiales y para personajes.

BREVET (*brevé*) .... certificado de aptitud; patente.

BRIDGE (*brich*) .... juego de naipes practicado comúnmente por la buena sociedad.

BRIOCHE (*brioch*) .... bollo fino que se toma, generalmente, con café o con chocolate.

BROADCASTING (*broudkastin*) . radiodifusión; radiotelefonía.

BROWNING (*braunin*) .... arma automática.

BULL-DOG (*bul-dog*) .... perro de presa.

BUNGALOW (*béngalou*) ...... pequeña casa de campo, por lo común de madera.

BUNKER (*bunker*) .... reducto.

BUREAU (*biró*) .... mueble con cajones que sirve de escritorio.

CABARET (*cabaret*) .... local de baile.

CACHET (*caché*) .... personalidad; estilo propio; sello personal.

CADDY (*kedi*) .... muchacho que lleva los bastones en el juego de golf.

CAKE-WALK (*keik-ouk*) .... cierto baile americano.

CALEMBOUR (*calambur*) ..... juego de palabras; retruécano.

CAMERAMAN	tomavistas; operador de cine.
CAMERINO	cuarto de artista en un teatro.
CAMPING *(kemping)*	vida al aire libre en tiendas de campaña.
CANARD *(kanard)*	embuste; noticia falsa.
CAPITONNÉ	vagón o coche de mudanzas acolchado interiormente.
CAPOT *(capó)*	cubierta.
CARROUSSEL *(karrusel)*	tiovivo; caballitos.
CASSETTE *(casete)*	portacintas.
CHRISTMAS *(crismas)*	navidad.
CATCH-AS-CATCH-CAN *(kaches-kach-ken)*	lucha libre.
CATGUT *(kétgat)*	hilo de tripa, usado para coser en cirugía.
CAUSEUR *(koser)*	conversador; que domina el arte de hablar.
CIF	abreviatura de COST, INSURANCE AND FREIGHT *(kaust, inchurans end freit)*: costo, seguro y flete.
CLASSEUR *(klaser)*	libro clasificador para colocar sellos.
CLEARING *(kliarin)*	sistema comercial de compensación; sistema que regula las importaciones y exportaciones entre dos países.
CLIP	grapa para sujetar papeles; broche a presión que sirve de adorno.
CLOSE-UP *(klous-ap)*	primer plano, en lenguaje cinematográfico.
CLUBMAN *(klabman)*	socio de un club.
COCKTAIL *(cokteil)*	coctel.
COCOTTE *(kokot)*	mujer de vida galante.
COLD-CREAM *(kouldkrim)*	pomada para el cutis.
COMME IL FAUT *(kom il fo)* ...	distinguido, hablando de personas.
COMPTOIR *(komtuar)*	mostrador donde se paga.
CONDOTTIERI	soldados mercenarios.
CONFORT *(konfor)*	comodidad, comodidades.
COPYRIGHT *(kopirrait)*	derechos reservados; expresión equivalente a «es propiedad de».
COQUELUCHE *(kokelich)*	tos ferina.
CORBEILLE *(korbell)*	cesta de flores.
CORNED-BEEF *(kórntbif)*	cierta carne en conserva.
CORNER *(córner)*	en fútbol, cierta falta.
COURT *(kot)*	pista de tenis.
COW-BOY *(káu-boe)*	vaquero montado que guarda ganado.
CRACK	quiebra comercial; bancarrota.
CRAYON *(creión)*	carboncillo de dibujar.

CRÊPE *(krep)* .... pasta con que se fabrica cierto piso de calzado; tela de crespón.

CRÊPÉ .... añadido de pelo; postizo.

CRÊPÉ MAROCAIN *(krep marrokén)* .... cierta clase de tela de crespón.

CROCHET *(kroché)* .... labor con aguja de gancho; golpe de gancho, en boxeo.

CROISSANT *(kruasán)* .... bollo en forma de media luna.

CROQUET *(kroké)* .... juego con bolas de madera, mazos y aros.

CROSS .... golpe llamado «directo», en boxeo.

CROSS-COUNTRY *(kros-kantri)* . carrera pedestre a campo traviesa.

CROUPIER *(krupié)* .... jugador que actúa o talla como empleado de una casa de juego.

CULOTTE *(kilot)* .... prenda interior, de señora.

CUP *(kap)* .... bebida fría, generalmente a base de frutas.

CURLING *(kerlin)* .... juego consistente en hacer deslizar sobre el hielo unos discos, parecidos a planchas.

CUTTER *(káter)* .... embarcación ligera de un solo palo.

CHAGRIN *(chegrén)* .... piel labrada o graneada.

CHAISE-LONGUE *(ches-long)* .. sofá sin brazos, al estilo de cama turca.

CHALLENGER *(chálencha)* .... en boxeo y algún otro deporte, quien reta a un campeón para disputarle el título.

CHANDAIL *(chandall)* .... jersey de cuello alto, propio para ciclistas, corredores, etc.

CHANSONNIER *(chansonié)* ... actor que canta al estilo de París.

CHARCUTERIE *(charkiterí)* .... tienda donde sólo se venden embutidos.

CHÂTEAU *(cható)* .... finca de gran lujo; castillo habitable, donde reside gente de la aristocracia.

CHÂTEAUBRIAND *(chatobrián)* bistec con patatas.

CHAUVINISME *(chovinism)* ... patriotería.

CHEF .... jefe de cocina.

CHIC .... gracia; elegancia; distinción.

CHIFFON *(chifón)* .... terciopelo flexible.

CHI LO SA *(ki lo sa)* .... ¡vaya usted a saber!; expresión que indica duda.

CHI VA PIANO VA LONTANO *(ki va piano va lontano)* ...... quien va despacio, llega lejos.

CHOUCROUTE *(chukrut)* ...... col fermentada; repollo fermentado.

DANCING *(densin)* .... local donde se baila.

DANSANT .... té DANSANT *(dansán)*; baile en local donde se toma el té.

DARLING *(darlin)* .... querido.

DÉBÂCLE .... LA DÉBÂCLE *(debakl)*: el acabose; confusión caótica; desastre.

DÉBUT (*debí*) .... primera actuación o presentación de un artista; estreno.

DECATHLON .... ejercicios atléticos a base de diez pruebas distintas.

DEMI-MONDAINE (*demimondén*) .... mujer de vida galante.

DÉMODÉ .... pasado de moda; anticuado.

DÉRAPAGE (*derapach*) ...... acción de patinar y desviarse violentamente un automóvil; patinazo.

DERNIER CRI (*dernié cri*) ..... último grito o moda.

DESHABILLÉ .... traje ligero de casa, entre las señoras.

DESTROYER (*destróier*) ...... cazatorpedero.

DÉTAIL (*detall*) .... venta al pormenor; menudeo.

DIKTAT .... imposición; algo que se impone por la fuerza.

DILETTANTE .... aficionado a una bella arte, generalmente a la música.

DOCK .... dársena y almacén de mercancías.

DOLCE FAR NIENTE (*dolce far niente*) .... agradable ociosidad.

DOSSIER (*dosié*) .... expediente; legajo; sumario.

DOUBLÉ (*dublé*) .... plaqué; chapa muy delgada de oro o de plata, sobrepuesta a otro metal inferior.

DREADNAUGHT (*drednot*) .... gran acorazado.

DRIBBLING .... en fútbol, modo de juego que consiste en hacer correr el balón con los pies.

DRIVE (*draiv*) .... golpe de ataque en determinados juegos deportivos.

DUMPING (*dampin*) .... método económico que consiste en vender, con pérdida, parte del contingente de producción.

DUVET (*divé*) .... plumón.

ECCO IL PROBLEMA .... ahí está el quid; ésa es la cuestión.

ÉCHARPE (*echarp*) .... especie de chal.

ÉCRAN .... pantalla; cierto dispositivo en aparatos de fotograbado.

ÉCUYÈRE (*ekuier*) .... amazona de circo.

ÉLITE .... flor y nata; lo más selecto.

ENGLISH SPOKEN (*inglich spouken*) .... se habla inglés. (Letrero que figura en algunas tiendas.)

ENTENTE (*antant*) .... alianza secreta entre naciones.

ENTRECÔTE (*antrekot*) .... solomillo de vaca.

ENTREFILET (*antrefilé*) ...... suelto periodístico; líneas intercaladas para llamar la atención.

ÉPATANT (*epatán*) .... asombroso.

152

ÉQUIPIER (*equipié*)	jugador de un equipo.
ERSATZ (*ersatz*)	substitutivo; palabra que se emplea para designar un producto o género que substituye a otro con características semejantes.
ESPRIT (*esprí*)	ingenio; elegancia espiritual; adorno en sombrero de señora.
ESTABLISHMENT (*establismant*)	institución.
EUREKA (*eureka*)	lo encontré.
EXPRÉS	café EXPRÉS: café hecho al vapor.
EXPRESS	tren expreso.
FADER (*feida*)	potenciómetro, en radio y cine sonoro.
FAIR PLAY (*fea pley*)	juego limpio; conducta caballerosa.
FANÉ	ajado; estropeado.
FASHIONABLE (*fechoneibol*) ..	elegante; a la moda.
FAULT (*folt*)	falta cometida en el juego de fútbol.
FERRY-BOAT (*feri-bout*)	barco que transborda trenes o automóviles de una orilla a otra.
FILM (*film*)	película.
FILM-PACK	paquete de película fotográfica.
FIL-TIRÉ	cierta clase de bordado.
FIVE O'CLOCK TEA (*faiv oklok ti*)	el té de las cinco; té que se toma en reunión por la tarde.
FOB	abreviatura de FREE ON BOARD (*fri on bod*): «franco a bordo», en lenguaje comercial.
FOIE-GRAS (*fua-grá*)	pasta de hígado de ganso.
FONDANT (*fondánt*)	licor que se emplea en repostería para rellenar bombones y con otros fines.
FOOTING (*futin*)	ejercicio gimnástico, consistente en hacer marcha a pie.
FOREVER! (*fórever*)	para siempre.
FOUDRE (*fudr*)	vagón FOUDRE: vagón de ferrocarril que sirve de cuba para transportar vino, gasolina, etc.; vagón-cuba.
FOULARD (*fular*)	tejido de seda.
FOX-TERRIER (*foks-terrié*)	variedad de perro zarcero.
FOX-TROT (*foks-trot*)	baile de salón.
FOYER (*fuayé*)	sala de descanso en un teatro.
FRAULEIN (*froilain*)	señorita encargada de cuidar y educar niños en una casa particular.
FREE-KICK (*fri-kik*)	golpe franco, en fútbol.
FRICOT (*fricó*)	cierta clase de guisado.
FULL-TIME (*ful taim*)	plena dedicación.

GALANTINE *(galantín)* .... manjar de carne en fiambre, envuelto en una capa de gelatina.

GANGSTER *(gángster)* .... bandido que opera en cuadrilla.

GARCON *(garsón)* .... a lo GARÇON: peinado femenino con los cabellos muy cortos.

GARÇONNIÈRE *(garsonier)* .... cuarto o vivienda de soltero.

GARDEN-PARTY .... fiesta que se celebra en el jardín.

GARDEN-ROOF *(garden-ruf)* ... jardín en la terraza de una casa.

GAUFFRÉ *(gofré)* .... estampado a fuego en tela; cierta clase de encuadernación.

GEISHA .... bailarina y cantante en el Japón.

GENTLEMAN *(chéntelman)* ... caballero; persona caballerosa.

GENTLEMAN'S AGREEMENT *(chéntelmans-ágrimen)* .... pacto entre caballeros; cierta clase de tratado o acuerdo entre países.

GEORGETTE *(chorchet)* ...... crespón transparente.

GIGOLO *(chigoló)* .... hombre joven, que por su atractivo físico, goza de favor entre las mujeres. Bailarín profesional.

GIRL *(guel)* .... muchacha de conjunto en revistas teatrales; muchacha que forma parte de un conjunto de baile.

GLOBE-TROTTER *(glob-tróter)* . trotamundos.

GO-AHEAD! *(gou ajed)* ...... ¡adelante!

GOAL AVERAGE *(goul avéreich)* expresión, en fútbol, que indica el promedio entre el número de goles a favor y en contra. Sirve para decidir entre dos equipos en caso de igualdad a puntos.

GOUACHE *(guach)* .... aguada; pintura a la aguada.

GOURMAND *(gurmán)* .... glotón.

GOURMET *(gurmé)* .... gastrónomo de paladar exquisito.

GRATIN *(gratén)* .... costra tostada en viandas.

GROGGY *(grogui)* .... en boxeo, cuando un púgil queda como borracho a consecuencia del castigo recibido de su contrincante.

GROOM *(grum)* .... botones de un hotel o círculo.

GROSSO MODO .... hacer una cosa GROSSO MODO; sin detallar, por encima.

GYMKHANA .... toda una serie de competiciones deportivas.

HALF-TIME *(haif taim)* .... media jornada.

HALL *(jol)* .... vestíbulo; zaguán; gran salón.

HANDICAP (*jéndikap*) .... trabas o desventajas que se imponen en ciertos deportes y en las carreras de caballos para igualar a los competidores cuando éstos no reúnan condiciones idénticas.

HARLEM (*járlem*) .... barrio de negros.

HENNÉ (*ené*) .... alheña; polvos para teñir el cabello.

HIGHLANDER (*jaelander*) ..... montañés de Escocia.

HIGH LIFE (*jae laif*) .... la buena sociedad; la gente aristocrática.

HINTERLAND (*jïnterland*) ..... zona geográfica situada detrás de otra principal y que se halla, en cierto modo, bajo la influencia de ésta.

HOBBY (*jobi*) .... chifladura o entretenimiento favorito de una persona. «Violín de Ingres».

HOCKEY (*joki*) .... juego de pelota que utiliza unos bastones de forma especial, casi siempre sobre hielo.

HOLE (*joul*) .... agujero de golf.

HOME (*joum*) .... hogar; casa donde se hace la vida doméstica.

HOME FLEET (*joum flit*) ...... flota de guerra que el Imperio británico tiene para protección de la metrópoli.

HOME RULE (*joum rul*) .... autonomía concedida a un país o colonia.

HOMME DE PAILLE (*om de pall*) .... testaferro que figura como cabeza visible de alguna empresa, acción o hecho, sin ser, en realidad, el verdadero responsable.

H. P. (*jors paua*) .... abreviatura de HORSE POWER. Caballo de vapor.

HÔTEL MEUBLÉ (*otel meblé*) .. hotel, sin servicio de comidas, donde se alquilan habitaciones amuebladas.

HUMOUR (*jiuma*) .... humorismo; gracia, al estilo inglés.

ICE-CREAM (*ais-krim*) .... mantecado.

IN CRESCENDO (*in crechendo*) en aumento; cada vez más.

INTELLIGENT SERVICE (*intélichen servis*) .... organismo inglés que ejerce el espionaje y los servicios secretos de información.

INTERVIEW (*interviú*) .... entrevista celebrada con un periodista, en la cual se formulan cuestiones de interés público.

JAMBOREE (*chámbori*) .... reuniones de *boys-scouts* al aire libre, generalmente cuando pertenecen a regiones o países distintos.

JEEP (*chip*) .... cierto tipo de automóvil.

JETTATURA (*chetatura*) ...... mal de ojo.

JIU-JITSU . . . . lucha japonesa.

JONGLEUR *(iongler)* . . . . artista que hace juegos de manos y mala-
bares.

JUNIOR *(iúnior)* . . . . entre dos personas del mismo nombre y
apellido, la más joven; en deporte, el
neófito.

JUNKER *(iúnker)* . . . . guerrero de estirpe, en Alemania; caballero guerrero.

KERMESSE *(kermés)* . . . . verbena; fiesta popular.

KICK-OFF . . . . saque de salida en fútbol.

KIDNAPPING . . . . secuestro, en especial de niños.

KINDERGARTEN . . . . colegio de niños muy pequeños.

KNICKERBOCKERS . . . . pantalones largos de deporte, usados
también por los niños.

KNOCK-DOWN *(nok-daum)* . . . . en boxeo, cuando un púgil cae al suelo.

KNOCK-OUT *(nók-aut)* . . . . en boxeo, cuando un púgil queda fuera de
combate.

KNUT *(nut)* . . . . látigo empleado en Rusia para castigar.

KORUMA . . . . cochecito tirado por un hombre, en
Japón.

KULAK . . . . burgués o patrono en la Rusia zarista.

LAISSEZ FAIRE, LAISSEZ PAS-
SER *(lesé fer, lesé paser)* . . dejad hacer, dejad pasar.

LAVANDE *(lavand)* . . . . especie de agua de colonia hecha con espliego.

LEGGINS *(leguins)* . . . . polainas.

LEITMOTIV *(láimotif)* . . . . tema básico de una composición poética
o musical que se repite insistentemente;
motivo principal de algo.

LE MOT DE LA FIN *(le mo de
la fen)* . . . . la única palabra; frase o idea que cierra
un artículo o disertación.

LIED *(lid)* . . . . canción alemana.

LIFT. . . . . ascensor en los hoteles.

LIMITED *(limditit)* . . . . término mercantil para designar ciertas
sociedades comerciales o industriales.

LIMOUSINE *(limusín)* . . . . automóvil cerrado, de cierto tipo o clase
de carrocería.

LINER *(lainer)* . . . . transatlántico; paquebote.

LINIER . . . . en fútbol, el juez de línea, que cuida
de señalar las faltas en los lados del
campo.

LINK . . . . terreno o campo de golf.

LIVING-ROOM *(livin-rum)* . . . . . cuarto de estar.

LOCK-OUT *(lók-aut)* . . . . cierre de fábricas por los patronos.

LOOPING (*lupin*) .... ejercicio acrobático aéreo, consistente en «rizar el rizo».

LUNCH (*lanch*) .... refrigerio que se toma, generalmente, con motivo de alguna fiesta o celebración.

MADE IN (*meid in*) .... fabricado en.

MAESTOSO .... aire solemne, en música.

MAGAZINE (*magasín*) .... revista ilustrada.

MAHATMA .... título relevante con que, en la India, se distingue a ciertas personas.

MAH-JONGG .... juego chino de salón.

MAILLOT (*malló*) .... traje de baño.

MAÎTRE D'HÔTEL (*metr dotel*) . jefe de comedor en hoteles y restaurantes.

MALENTENDU (*malantandi*) .. error; mala interpretación.

MANAGER (*máneicha*) .... administrador; director; el que representa a un boxeador, luchador o equipo deportivo; el que dirige a éstos cuando se ensayan.

MANCHETTE (*manchet*) ...... título o frase, generalmente sensacional, que en los periódicos sirve para hacer destacar un hecho culminante.

MARKETING (*marketing*) ..... compra o venta.

MARRONS GLACÉS (*marrón glasé*) .... castañas en dulce.

MASTIC .... especie de resina.

MATCH .... combate; lucha; partido, en deporte.

MATINÉE (*matiné*) .... función de tarde.

MAZOUT (*masú*) .... petróleo bruto que algunos barcos queman como combustible.

MEDECINE-BALL (*médesin-bol*) balón empleado por los boxeadores para ensayarse.

MÊLÉE (*melé*) .... momento del juego del *rugby* en que los jugadores delanteros se apelotonan.

MENU (*mení*) .... minuta o lista de platos de una comida.

MEZZOSOPRANO (*metso - soprano*) .... cantante de ópera con voz intermedia entre soprano y contralto.

MINNESANGER (*minesénguer*) . trovador; cantor romántico.

MISE EN SCÈNE (*mis ansén*) .. presentación escénica de una obra teatral.

MISS .... señorita. En castellano, institutriz.

MOIRÉ (*muaré*) .... muaré; tejido fuerte que hace aguas.

MUEZZIN .... almuédano.

MUGUET (*migué*) .... lirio del valle; perfume preparado con esta flor.

MUSIC-HALL (*miúsikjol*) ...... teatro alegre.

MUSMÉ .... mujer japonesa; muchacha japonesa.

NAVEL (néival) .... naranja NAVEL: naranja sin pipas y con una especie de ombligo en su centro.

NÉGLIGÉE (négliché) .... a la NÉGLIGÉE: descuidadamente; de cualquier manera.

¡NITCHEVO! .... no importa, ¡nada!, ¡de ningún modo!, ¡quiá!; frase rusa muy corriente en literatura y canciones.

NOUILLES (null) .... pasta de sopa.

NURSE (ners) .... enfermera; aya; niñera.

OFFICE (ofis) .... pieza contigua a la cocina donde se preparan los manjares antes de sacarlos a la mesa.

OFFSET .... sistema moderno de imprimir en litografía.

OFF-SIDE (óf-said) .... cuando, en fútbol, un jugador está fuera de su sitio.

OLD STYLE (ould-stail) .... estilo antiguo; de manera anticuada.

ONE-STEP (uán-step) .... cierto baile de salón.

ORANGE CRUSH (órench krach) .... naranjada; bebida hecha con naranja exprimida.

ORIGAN (origán) .... perfume de orégano.

OUT-BOARD (áut-bod) .... pequeña embarcación que se mueve por un motor colocado en uno de sus extremos, sobre la parte exterior.

OUTILLAGE (utillach) .... conjunto de instrumentos o máquinas en una fábrica; conjunto de maquinaria y grúas en un puerto.

OVER .... abreviatura de OVER ARM STRONG. Estilo de natación.

PADDOCK .... parte de un hipódromo donde los caballos son paseados a mano.

PALACE (palas) .... gran hotel para viajeros.

PAMPHLET (panflé) .... libelo; folleto.

PANCAKE (pànkeick) .... especie de torta que se hace en sartén.

PANNE (pan) .... avería en automóvil.

PANNEAU (panó) .... panel; lienzo de pared.

PARKING (parkin) .... aparcamiento.

PARTENAIRE (partener) ...... cada uno de los artistas que forman una pareja de baile; pareja; compañero.

PARTICELLA (partichela) ..... trozo de la partitura correspondiente a cada cantante.

PARTY (parti) .... fiesta.

PARVENU (parvení) .... nuevo rico, persona de clase baja enriquecida o encumbrada rápidamente.

PASSE-PARTOUT *(paspartú)* ...	marco de cartón para colocar fotografías.
PASTICHE *(pastich)*	en arte, imitación servil.
PÂTISSERIE *(patiserí)*	pastelería.
PATOIS *(patúa)*	especie de dialecto; manera peculiar de hablar en algunas regiones.
PEAU D'ANCE *(po danch)*	tela parecida a la gamuza.
PÊLE-MÊLE *(pél-mel)*	confusamente.
PELOUSE *(pelús)*	césped bien cuidado.
PELUCHE *(pelich)*	felpa.
PEMMICAN *(pémikan)*	carne curada.
PENALTY *(pénalti)*	en el juego de fútbol, castigo por falta cometida en el área de la portería.
PENDANT *(pendán)*	hacer PENDANT: hacer juego o pareja.
PENDANTIF *(pandantif)*	pinjante; joya o adorno que se lleva pendiente del cuello.
PENTATHLON	ejercicios atléticos a base de cinco pruebas distintas.
PETIT GRIS *(petí gri)*	especie de ardilla; piel de este animal.
PIANISSIMO	en música, aire muy dulce, muy suave.
PICKLES	variantes hechos con pepinillos y otros componentes.
PICNIC	jira campestre; comida en el campo, generalmente a escote.
PIERROT *(pierró)*	disfraz de payaso.
PING-PONG	especie de tenis que se juega sobre una mesa.
PIOLET *(piolé)*	especie de pico que se emplea en alpinismo.
PIONEER *(paionía)*	explorador de un país; descubridor; precursor.
PIPE-LINE *(paip-lain)*	tubería de enorme longitud para la conducción de petróleo, generalmente a través de un país.
PLAFOND *(plafón)*	techo; cielo raso; lámpara de techo.
PLAID *(pleid)*	manta de viaje.
PLAYBOY *(pleiboi)*	aventurero sentimental.
PLONGEOIR *(plonchuar)*	trampolín o plataforma para tirarse al agua.
PLONGEON *(plonchón)*	en fútbol, estirada del portero a fin de parar el balón; en natación, la acción de tirarse al agua de cabeza.
PLUMCAKE *(plámkeik)*	pastel de pasas.
PLUMIER *(plimié)*	estuche donde se ponen las plumas y los lápices.
POGROM	matanza o persecución de judíos.

POLICEMAN (*polisman*) ...... guardia; policía de uniforme.

POLISSOIR (*polisuar*) .... instrumento forrado de gamuza para pulir las uñas.

PONEY (*poni*) .... caballo pequeño.

POOL (*pul*) .... «vaca» o puesta mancomuñada en el juego; intereses mancomunados; estanque, piscina.

POSE (*pos*) .... posición; postura; actitud.

POSEUR (*poser*) .... presumido; quien hace alarde de su elegancia o de sus condiciones personales.

POULAIN (*pulén*) .... en boxeo, cada uno de los púgiles que forman parte del conjunto que actúa bajo un mismo adiestrador.

POULARDE (*pular*) .... gallina cebada.

POULE DE CONSOLATION (*pul de sonsolasión*) .... última prueba o exhibición que, a título de compensación, se concede en lucha grecorromana, tiro de pichón, etc.

POUND STERLING (*pound sterlin*) .... libra esterlina.

PRET À PORTER (*pret a porté*) . presto para llevar.

PRIMA DONNA .... una cantante que figura a la cabeza de la compañía.

PRIMO CARTELLO (*primo cartelo*) .... DA PRIMO CARTELLO: de primera categoría, hablando de cantantes.

PRINTED IN (*printet in*) ...... impreso en: editado en.

PRUDERIE (*priderí*) .... escrúpulo ridículo; gazmoñería.

PUB (*pab*) .... taberna.

PUDDING .... budín.

PULLMAN .... coche PULLMAN: vagón salón.

PULL-OVER (*púl-ova*) .... jersey cerrado con mangas.

PUNCH .... fuerza, energía, vigor para dar golpes a un contrario.

PUNCHING-BALL (*pánchinbol*) en boxeo, balón para ejercitar los puños.

PUSH-PULL .... sistema de rejilla en los aparatos y esquemas de radio.

PUTSCH (*putch*) .... golpe de fuerza para apoderarse del poder o del mando.

PUZZLE (*pásel*) .... especie de rompecabezas.

RACCONTO .... parlamento de un cantante en que hace narración de algo.

RACKETEER (*raketía*) .... en los Estados Unidos, bandido que explota a los comerciantes so pretexto de protegerlos; negociante ilícito.

RALLY-PAPER *(rali-peipa)* .... prueba hípica, consistente en seguir una pista señalada con papelillos.

RAPPORT *(rapor)* .... memoria; informe.

RAY-GRAS *(rei-gras)* .... cierta clase de césped.

RÉCLAME *(reclam)* .... propaganda.

RECORD[1] *(rikord)* .... hecho deportivo que sobrepuja a todos los del mismo género.

RECORDMAN *(rikordmand)* ... hombre que detenta un *récord*.

REFEREE *(réferi)* .... árbitro, en deporte.

RÉGISSEUR *(rechiser)* .... director en circos o espectáculos.

RELAIS *(relé)* .... aparato telegráfico que permite hacer pasar en una corriente demasiado débil, la de una pila adicional.

RELENTISSEUR *(relantiser)* ... cámara lenta, en cinematografía.

RENARD *(renar)* .... zorro; piel de zorro.

RENARD ARGENTÉ *(renar archanté)* .... zorro plateado; piel de zorro plateado.

RENDEZ-VOUS *(randévu)* ..... punto de reunión de la gente distinguida; punto de cita.

REPRISE *(repris)* .... reposición de una obra teatral.

RÉVEILLON *(revellón)* .... cena de Nochebuena.

RISCHA .... cochecito tirado por un hombre, en China.

RIMMEL *(rímel)* .... producto de tocador para las pestañas.

RING .... cuadrilátero donde combaten los boxeadores o luchadores.

ROADSTER *(ródster)* .... coche de turismo que lleva detrás un hueco tapado, que, abierto, sirve para asiento.

RÔLE *(rol)* .... papel de actor o de actriz.

ROND-DE-CUIR *(ron-dekuir)* ... oficinista de poca categoría; chupatintas.

ROUGE *(ruch)* .... barra de color rojo para pintarse los labios.

ROUND *(raund)* .... asalto, en un combate de boxeo.

RUGBY *(ragbi)* .... juego de fútbol con balón oblongo, en el cual se emplean también las manos.

¡RULE BRITTANNIA! *(rul Britania)* .... ¡gobierna Inglaterra! Frase para expresar el dominio que dicho país tuvo siempre sobre el mar.

SABBAT .... sábado judío; día de fiesta entre los judíos.

---

1) Anglicismo no aceptado hasta ahora por la Academia, pero que lo menciona como agudo en sus *Diccionarios Manuales*.

SACHET *(saché)* . . . . perfumador; almohadilla que sirve para perfumar.

SAISON *(sesón)* . . . . temporada, en deporte o en la vida de la alta sociedad.

SAKÉ . . . . bebida japonesa.

SANDWICH *(sán-uich)* . . . . emparedado.

SANS FAÇON *(san fasón)* . . . . . despreocupación; descaro.

SAUDADE . . . . nostalgia, melancolía.

S. O. S. abreviatura de SAVE OUR SOULS *(seiv aua souls)*. Llamada radiotelegráfica de socorro.

SAVOIR FAIRE *(savuar fer)* . . . . desenvoltura en la vida.

SCHERZO *(skertso)* . . . . composición musical de estilo alegre y ligero.

SECRÉTAIRE *(secreter)* . . . . escritorio; mueble con tablero para escribir y cajoncillos para guardar papeles.

SELF . . . . una SELF: una autoindicación, en electricidad o telegrafía.

SELF-MADE MAN *(sélfmeid man)* . . . . hombre que se ha hecho a sí mismo; persona que todo cuanto vale se lo debe a su propio esfuerzo.

SELLING POINT *(selin point)* . . factor de venta.

SENIOR . . . . entre dos personas del mismo nombre y apellido, la de más edad; en deporte, veterano.

SE NON É VERO É BEN TROVATO . . . . si no es verdad, lo parece; si no es verdad debiera serlo.

SERATA D'ONORE . . . . èn italiano «soirée» de honor. Función-beneficio de un artista teatral.

SERRE *(ser)* . . . . invernadero; habitación contigua a un jardín, con grandes ventanales y mucha luz.

SET . . . . escenario o plató donde se rueda una escena de película; tanteo y tiempo en el juego de tenis.

SETTER *(séter)* . . . . perro perdiguero de pelo largo y ondulado.

SEX-APPEAL *(seks-apil)* . . . . . . atractivo sexual de una persona, generalmente hablando de mujeres.

SHERIFF . . . . jefe de policía en los pueblos de Norteamérica.

SHIMMY . . . . baile de salón.

162

SHOCK *(chok)* .... desarreglos inmediatos, producidos en el organismo, después de un traumatismo o de un trastorno nervioso.

SHOCKING *(chokin)* .... incorrecto; escabroso; palabra para expresar repulsa contra algo indecente o no correcto.

SHOGUN *(sogún)* .... jefe político en las historia de Japón.

SHOOT *(chut)* .... en fútbol, tiro fulminante de balón contra la portería.

SHORT *(chot)* .... pantalón corto para deporte.

SHOW *(sou)* .... exhibición.

SHUNT *(chant)* .... derivación hecha en un circuito eléctrico.

SKATING-ROOM *(skeitinrum)* .. local con pista para patinar.

SKETCH *(kech)* .... en teatro, especie de cuadro de revista.

SKUNK .... mofeta, animal que expele un hedor insoportable; piel de dicho animal.

SLALOM .... cierta prueba en carreras de esquís.

SLEEPING-CAR *(slipin kar)* .... coche-cama en el tren.

SLIP .... taparrabo.

SLOGAN .... grito de guerra; frase o sentencia que sirve de guía, de orientación o de propaganda.

SMART *(smot)* .... elegante.

SMOKING *(esmoking)* .... traje de etiqueta.

SMOKING-ROOM *(smoukinrum)* salón de fumar.

SNACK *(sneik)* .... piscolabis.

SNOB .... persona que siente admiración infundada por todo lo nuevo, por cuantas cosas están de moda.

SOI-DISANT *(sua-disán)* ...... pretendido; que tiene la pretensión de ser.

SOIRÉE *(suaré)* .... fiesta vespertina de sociedad.

SOMMIER *(somié)* .... colchón de muelles.

SOTTO VOCE *(soto voche)* .... a la chita callando; en voz baja.

SOUFFLÉES *(suflé)* .... patatas SOUFFLÉES: patatas fritas muy ahuecadas.

SOUPER FROID *(supé frua)* .... cena fría a altas horas de la noche, generalmente a la salida del teatro.

SOUPER TANGO *(supé tangó)* . baile de noche, generalmente en local de aire galante.

SPARRING-PARTNER *(sparring-patner)* .... boxeador que ejercita a otro de más categoría, combatiendo con él.

SPEAKER *(spíker)* .... el que, profesionalmente, habla por radio y dirige las audiciones.

SPECIMEN (spésimen) .... ejemplar de muestra.
SPEECH (spich) .... discurso.
SPRAY (sprei) .... pulverizador.
SPRINT .... esfuerzo final en una carrera.
SPRINTER .... atleta especializado en *sprint*.
SPORTWOMAN (sportuman) ... mujer deportista.
STACCATTO .... en técnica musical, palabra para indicar que, en una serie de notas rápidas, cada una debe destacarse claramente de las otras.
STAFF (staif) .... grupo planificación.
STAND .... instalación o puesto en una exposición.
STAR .... estrella de cinematógrafo; pistola automática.
STARTER .... en deporte, el que da la salida en una carrera, generalmente disparando una pistola.
STATUS .... situación.
STEEPLE-CHASE (stípolcheis) . carrera hípica de obstáculos.
STEWARD (stíuod) .... camarero de un barco.
STICK .... bastón de golf.
STOCK .... surtido de mercancías.
STOP .... en telegramas, palabra para separar las frases en lugar del punto; orden de detención: ¡alto!
STORE (stor) .... cortinón que cubre el hueco de una puerta o balcón.
STREES (stress) .... tensión.
STRUGGLE FOR LIFE (stráguel for laif) .... la lucha por la vida.
SUCCÈS (siksé) .... éxito en teatro.
SURMENAGE (sirmenach) .... agotamiento por exceso de trabajo.
SWEATER (sueter) .... jersey.
SWING (suing) .... en boxeo, golpe de gancho; baile de salón.
TAFFETAS (taftá) .... tela de seda delgada y muy tupida; tela de tafetán.
TAILOR (téilor) .... sastre.
TAPIS ROULANT (tapí rulán) .. piso o escalera en movimiento, en el cual se sube sin necesidad de andar.
TARBUCH .... gorro rojo, en forma de cono truncado, que usan los turcos y egipcios.
TAXI-GIRL (táksi-guel) ...... muchacha, que, en un local de baile, se alquila para bailar.
TEAM (tim) .... equipo de fútbol; conjunto de jugadores que forma un equipo deportivo.

164

TEA-ROOM *(ti-rum)* .... salón de té.

TERRA COTTA .... obra de arte ejecutada con barro cocido.

TÊTE-À-TÊTE *(tet-a-tet)* ...... conversación a solas con una persona.

THAT IS THE QUESTION *(dat is de kestion)* .... esta es la cuestión.

THE LAST BUT NOT THE LEAST *(di last bat not di list)* ..... el último, pero no el peor; frase que expresa la idea de que, aun siendo el último, tiene tantos méritos como los anteriores.

THE RIGHT MAN IN THE RICHT PLACE *(di rait man in di rait pleis)* .... el hombre preciso en el sitio preciso; frase que expresa el acierto en la designación de alguna persona para un puesto realmente merecido y en el cual es necesario.

TICKET *(tícket)* .... billete; papeleta; cupón; bono.

TIME IS MONEY *(taim is money)* .... el tiempo es oro.

TOAST *(toust)* .... brindis en un banquete o fiesta.

TO BE OR NO TO BE *(tu bi or no tu bi)* .... ser o no ser: frase para expresar que la existencia de una persona o país está en juego. Frase de Hámlet en el drama de Shakespeare.

TOILETTE *(tualet)* .... el arreglo de la persona; vestimenta de una mujer.

TOUR DE FORCE *(tur de fors)* . alarde de fuerza o de trabajo.

TOURNEDOS *(turnedó)* .... cierto plato de carne; filete de vaca dispuesto en lonchas.

TOURNÉE *(turné)* .... jira, generalmente artística, con itinerario fijado de antemano.

TRADE MARK *(treid mark)* .... marca registrada.

TRADUTTORE TRADITORE .... «traductor, traidor»; frase que expresa la dificultad de hacer una traducción con toda fidelidad.

TRAILER *(treil)* .... remolque.

TRAMP *(tremp)* .... barco de carga que va de un lado a otro sin línea fija.

TRAWLER *(tróler)* .... cierto tipo de embarcación, generalmente de pesca.

TRICOT *(tricó)* .... labor de punto.

TRI-PORTEUR *(tri-porter)* ..... repartidor montado en triciclo, cuya parte delantera sirve de caja para la mercancía que distribuye.

TROIKA	carruaje ruso tirado por tres caballos.
TROUPE *(trup)*	conjunto de artistas que forman un «número» de circo o de teatro.
TROUSSEAU *(trusó)*	equipo de boda; conjunto de elementos sanitarios y terapéuticos que se preparan para un parto.
TRUST *(trast)*	reunión de sociedades o casas mercantiles; monopolio.
TURF *(terf)*	pista en un hipódromo
TUTTI CONTENTI	todos contentos; frase que expresa que se ha dado gusto a todos.
TUTTIFRUTTI	helado de frutas variadas.
TUTTI QUANTI *(tuti kuanti)* . . .	todo el mundo; todo bicho viviente.
TWO-STEP *(tú step)*	baile de salón.
UPPER-CUT *(áper kut)*	en boxeo, golpe de abajo arriba.
VALET DE CHAMBRE *(valé de chambr)*	ayuda de cámara.
VARIÉTÉS *(variété)*	conjunto de «números» que componen el programa de un teatro.
VAUDEVILLE *(vodevil)*	revista de cierto sabor galante, al estilo francés.
VEDETTE *(vedet)*	estrella de revista de teatro; barco auxiliar muy rápido.
VENDETTA	venganza sangrienta.
VERANDA	mirador; balcón cubierto con cierre de cristales.
VERSTA	medida itineraria rusa, equivalente a 1.067 metros.
VICHY	tela fuerte de algodón.
VIS-À-VIS *(vis-a-vi)*	frente a frente.
VOILÀ *(vualá)*	«he ahí», palabra utilizada por los artistas de circo para anunciar que ha terminado un ejercicio.
WARRANT *(uorant)*	certificado o resguardo de depósito de mercancías en almacén, negociable como una letra de cambio.
WATER-CLOSET *(uóter-klóset)* .	retrete.
WATER-POLO *(uóter-polo)*	juego de balón en el agua.
WEEK-END *(uik-end)*	fin de semana; descanso durante la tarde del sábado y todo el domingo.
WELTER *(uélter)*	cierta categoría de peso, en boxeo.
WHISKY *(uiski)*	bebida alcohólica inglesa.
WHISKY AND SODA *(uiski end soda)*	*whisky* con sifón.
WINCHESTER *(uinchester)*	arma de fuego.
YACHTING *(ioting)*	deporte náutico.

YOSIWARA .... barrio galante en el Japón.

ZOLLVEREIN *(solferain)* ...... unión aduanera; unión de países para formar una frontera de aduanas.

12. ALGUNOS DE LOS NUEVOS VOCABLOS ADMITIDOS, HASTA HOY, POR LA ACADEMIA

Durante los últimos años, la Real Academia Española ha incluido en el léxico español un considerable número de vocablos extranjeros o sus equivalentes castellanizados.

Asimismo, ha acogido, ante el reiterado uso popular, bastantes palabras que, en el vocabulario español, no estaban aceptadas.

Vamos a destacar, entre otras muchas de ambas condiciones, principalmente aquellas más significativas por su dudosa ortografía:

abiogénesis o abiogenesia	balompié	coctel	eutrofia
abroncar	baquelita	consomé	explosionar
actualizar	barrasco	constatar	extrapolar
acuatizar	béisbol o beisbol	controlar	faenar
aditivo	bidón	cooptación	filmar
adjuntar	bies	chalé	filme
aeronaval	binocular	champiñón	filmoteca
alevín	bisar	decepcionar	floritura
alumnado	bíter	delimitar	francotirador
alunizaje	biunívoco	desfasar	fuel
ambutar o embutar	boicotear	detección	futbolín
ameritar	brasilero	detectar	futurible
anticonceptivo	bufé	detective	futurismo
antiimperialismo	buró	devaluar	futurista
apartamento	butano	eclosión	gramola
arribista	canapé	efeméride	gueto
audiovisual	capó	ejemplarizar	güisqui o whisky
autobús	carné	encuestador	hábitat
avalancha	cartoné	enología	hangar
avatar	clavicémbalo	escalope	haraquiri
bacarrá	claxon	esclerosar	hidronimia
baleador	cliché o clisé	espagueti	hindú
	climatizar	estándar	historicismo
		estrés	

intrahistoria	minimizar	presupuestar	subestimar
kinesiterapia	misil o mísil	productividad	suéter
o cinesiterapia	nihilidad	profesionalizar	tómbola
inmovilismo	obstaculizar	protagonizar	travelín
láser	opositar	radar	utillaje
líder	optimar u	recauchar o	vermú o
liofilizar	optimizar	recauchutar	vermut
lupa	palatabilidad	robot	vikingo
macadán o	parqué	salvaguardar	visualizar o
macadam	pebeta	samovar	visibilizar
mafia	perennifolio	sempervirente	yeísta
maquillaje	piretógeno	señalizar	yogur
maximizar	plató	sobrevolar	yóquey
megatón	polifacético	sorpresivo	o yoqui

13. ORTOGRAFÍA DE ALGUNOS NOMBRES PROPIOS

A	B		E
		Bertoldo	
		Bianor	
Abdón	Babilas	Bibiana	Edilberto
Abel	Baboleno	Bienvenido	Edmundo
Abelardo	Balbina	Bonifacio	Eduvigis
Abencio	Baldomero	Bono	Efigenia
Abilio	Baltasar	Buenaventura	Egberto
Abrahán	Bárbara		Elías
Absalón	Bartolomé		Eloy
Abundio	Basa	C	Elvira
Adalberto	Basilio		Emeranciana
Adán	Basilisa	Caín	Emeterio
Ageo	Baudilio	Calixto	Emigdio
Agerico	Bautista	Cayetano	Emma
Águeda	Beatriz	Cayo	Engelberto
Albano	Belisario	Claver	Enrique
Alberto	Beltrán	Clodoveo	Eovaldo
Álvaro	Benedicto	Concepción	Erasmo
Ángel	Benigno	Cristóbal	Erconvaldo
Aníbal	Benito		Ervigio
Ansovino	Benjamín	D	Estanislao
Apuleyo	Benón		Esteban
Aristóbulo	Bernabé	David	Eudoxio
Asdrúbal	Bernardino	Dictinio	Eufemia
Avelino	Bernardo	Diógenes	Eugenio
Avertano	Berta	Doctroveo	Eulogio

Eusebio	**H**	**J**	Natividad
Eva			Nieves
Evagrio	Habacuc	Jacob	Noé
Evaristo	Héctor	Jacobo	Norberto
Evelio	Heliodoro	Javier	Novato
Evencio	Henedina	Jenaro	
Evilasio	Heraclio	Jeremías	**O**
Evodio	Heráclito	Jerónimo	
Exaltación	Herculano	Jesús	O (Ntra. Señora
Expedito	Hércules	Joab	de la)
Exuperio	Heriberto	Joaquín	Obdulia
Ezequiel	Hermán	Job	Octavino
	Hermelo	Jorge	Octavio
F	Hermenegildo	Jovino	Oduvaldo
	Hermes	Jovita	Ofelia
Fabián	Hermilo	Judit	Olimpia
Fabio	Herminio	Juvencio	Oswaldo
Favila	Hermócrates		Ottón
Félix	Hermógenes	**L**	Oveno
Filiberto	Herunda		Ovidio
Flavia	Higinio	Ladislao	
Flaviano	Hilario	Lamberto	**P**
Flavio	Hildeberto	Leovigildo	
Fulgencio	Hildebrando	Liberata	Pelagio
	Hildegarda	Liberio	Pelayo
G	Hildegunda	Liborio	Perseveranda
	Hipólito	Lidia	Polixena
Gabino	Hiscio	Longinos	Pompeyo
Gabriel	Homobono	Lutgarda	Práxedes
Gelasio	Honesto		Primitivo
Geminiano	Honorato	**M**	Probo
Generoso	Honorina		
Genoveva	Honorio	Macabeo	**R**
Gerardo	Horacio	Macrobio	
Germán	Hortensia	Magdalena	Recesvinto
Geroncio	Huberto	Magín	Regina
Gertrudis	Hugo	Majencio	Remigio
Geruncio	Humberto	Mariemma	Rigoberto
Gervasio		Maximiano	Roberto
Gil	**I**	Maximiliano	Robustiano
Gilardo		Maximino	Rogelio
Gilberto	Ifigenia	Máximo	
Ginés	Ignacio		**S**
Gualberto	Ildefonso	**N**	
Gumberto	Isaac		Sabas
Gustavo	Isabel	Nabopolasar	Sabiniano
	Ivón	Nabucodonosor	

169

Sabino	T	Valiente	Virgilio
Salvador		Venancio	Virginia
Sebastián	Teobaldo	Venceslao	Viriato
Segismundo	Teógenes	Veneranda	Visitación
Sergio	Tiburcio	Ventura	Vito
Servando	Tobías	Veremundo	Vulpiano
Serviodeo	Toribio	Verísimo	
Sérvulo		Vero	W, X, Z
Severiano	U	Verona	
Severo		Verónica	Walerico
Sigerico	Ubaldo	Vicencio	Wenceslao
Sigiberto	Urbano	Vicente	Wifredo
Silvano		Víctor	Wigberto
Silverio	V	Victoria	Wilebaldo
Silvestre		Victoriano	Xantipa
Silvino	Valentín	Victorico	Zebedeo
Silvio	Valeriano	Victorino	Zenobio
Sisebuto	Valerio	Victorio	Zenón
Sixto	Valero	Vidal	Zita

14. ORTOGRAFÍA DE LAS PALABRAS HOMÓFONAS Y PARÓNIMAS

Palabras homófonas son las que con distinta significación suenan de igual modo y no siempre tienen idéntica ortografía: *tuvo* y *tubo*.

Palabras parónimas son las que tienen, entre sí, relación o semejanza por su forma o por su sonido; verbigracia: *vasar* y *bazar; carabina* y *caravana*[1].

A

a, preposición .... ¡*ah!*, interjección.
ha, del verbo haber, interjección.
¡*aba!*, interjección, medida ...... *haba*, planta.
abada, rinoceronte .... *habada*, caballería con tumor.
abalanzar, lanzar .... *avanzar*, ir hacia adelante.

---

1) El profesor puede aconsejar al alumno que aprenda cada día ocho o diez palabras de este capítulo y explique la distinta acepción de las mismas, según la diferente ortografía empleada. Al cabo de unos días dominará las palabras *homófonas* y *parónimas* y podrá escribir con corrección los temas pertenecientes a estas voces dudosas.

abducción, silogismo . . . . aducción, cierto movimiento.

abeja, insecto . . . . oveja, hembra del carnero.

abiar, manzanilla loca . . . . }
albihar, manzanilla loca . . . . } aviar, prevenir, arreglar.

abismo, profundidad . . . . atavismo, semejanza con los abuelos.

abjurar, desdecirse . . . . adjurar, conjurar, suplicar.

ablando, de ablandar . . . . hablando, de hablar.

ablución, lavatorio . . . . avulsión, extirpación.

abocar, asir con la boca, aproxi-
mar . . . . { avocar, reclamar expediente un superior.
avacado, de mucho vientre.
avezar, acostumbrar.

abollado, cuerpo hundido . . . . aboyado, cortijo.

abra, de abrir, bahía . . . . habrá, de haber.

abría, de abrir . . . . habría, de haber.

ábside, parte abovedada del tem-
plo . . . . ápside, cada extremo eje mayor de
la órbita de un astro.

absolver, perdonar . . . . absorber, embeber.

abstemio, que no bebe vino . . . . . . astenia, decaimiento.

acceso, entrada, paso, arrebato . . absceso, acumulación de pus.

acerbo, áspero . . . . }
acebo, árbol . . . . } acervo, montón, conjunto de bienes
morales o culturales.

acecho, de acechar . . . . { asecho, de asechar.
{ ahecho, de ahechar.

acedera, planta . . . . hacedera, de hacer.

acerca, adverbio . . . . a cerca, preposición y nombre.

ación, correa del estribo . . . . acción, efecto de accionar.

actitud, postura . . . . aptitud, idoneidad.

actor, quien representa en teatro . aztor, azor, ave.

adarve, camino en la fortificación { alarbe, hombre inculto o brutal.
{ azarbe, cauce.

afición, inclinación a algo . . . . afección, impresión, alteración.

afinar, perfeccionar . . . . hacinar, amontonar.

agarbillar, hacer garbas (gavillas
de mieses) . . . . agavillar, hacer gavillas.

agito, de agitar . . . . ajito, de ajo.

agobiado, fatigado . . . . { agraviado, ofendido.
{ agravado, de grave.

ahíto, lleno, cansado . . . . a hito, fijamente.

ahojar, pacer hojas . . . . aojar, ojear, malograr una cosa.

aijada, vara para guiar bueyes . . . ahijada, apadrinada.

ala, de volar . . . . { ¡hala!, interjección.
{ hala, de halar.
{ hada, ser fantástico.

alaba, de alabar . . . . Álava, provincia.

alaban, de alabar	*halaban*, de halar.
alabar, elogiar	*lavar*, limpiar.
alabara, de alabar	*alhavara*, cierto tributo.
alado, que tiene alas	*halado*, de halar, tirar hacia sí.
alamar, presilla y botón	*alhamar*, cobertor rojo.
alamín, contraste de pesas	*alhamí*, banco de piedra.
alar, alero	*halar*, tirar de un cabo.
alarma, de alarmar	{ *alharma*, planta olorosa.
	{ *alhorma*, campo de moros.
albino, de albo, blanco	*alvino*, relativo al bajo vientre.
albur, contingencia, azar	*¡abur!* o *¡agur!*, interjección.
alcázar, fortaleza	*alcahazar*, encerrar aves.
aldea, pueblo	*haldea*, de haldear.
aleñar, hacer leña	*alheñar*, teñir con alheña.
alero, parte inferior del tejado	*helero*, masa de nieve.
alhaja, joya	{ *álaga*, especie de trigo.
	{ *alajú*, pasta de almendras.
	{ *aloja*, de alojar.
	{ *halaga*, de halagar.
alhambra, palacio morisco	*alambra*, de alambrar.
aliento, aire expelido al respirar . .	{ *halieto*, ave rapaz.
	{ *hálito*, aliento.
aloja, bebida, de alojar	*alhoja*, alondra . . . .
alón, ala grande	*halón*, corona luminosa.
alubia, judía	*aluvión*, avenida impetuosa de agua.
allá, adverbio de lugar	*halla*, de hallar.
amo, señor, verbo	*hamo*, anzuelo.
anega, de anegar	*hanega*, fanega.
anhélito, respiración fatigosa	*anélido*, animal vermiforme.
aparte, adverbio o verbo	*a parte*, preposición y nombre.
apático, de apatía	*hepático*, perteneciente al hígado.
apogeo, lo sumo	*hipogeo*, subterráneo.
apotegma, dicho sentencioso	*apotema*, línea en geometría.
aprender, instruirse	*aprehender*, prender.
aprensión, recelo	*aprehensión*, de aprehender.
apta, idónea	{ *afta*, úlcera.
	{ *acta*, documento.
arca, caja	{ *harca*, tribu mora.
	{ *horca*, instrumento para ahorcar.
aré, de arar	*haré*, de hacer.
aro, juguete	*halo*, corona.
arpón, astil	*hampón*, bribón.
arzón, fuste silla de montar	*halcón*, ave rapaz.
arte, maña, astucia	*harte*, de hartar.
arrogar, adoptar, atribuirse	*abrogar*, abolir.

arrojar, echar con impulso	*aherrojar*, poner prisiones de hierro, oprimir.
arrollar, envolver, atropellar	*arroyar*, formar arroyos.
arrollo, de arrollar	*arroyo*, caudal corto de agua, de arroyar.
as, nombre de naipe	*has*, de haber.
¡ax!, interjección	*haz*, un atado, de hacer.
asar, verbo	*azar*, casualidad.
asaz, adverbio.................	*asad*, imperativo de asar.
ase, de asir y de asar	*hase*, de haber y la partícula *se*.
asimismo, adverbio	*a sí mismo*, preposición, pronombre y adjetivo.
aspa, en forma de X	*hasta*, preposición.
asta, cuerno, palo	
ataca, de atacar	*hataca*, cuchara o cilindro de palo.
atajo, camino corto	*hatajo*, hato pequeño, conjunto.
ateo, que niega a Dios	*hateo*, de hatear, recoger el hato.
ato, de atar	*hato*, pequeño ajuar, porción de ganado.
aullido, voz triste de animal	*ahuyentar*, hacer huir.
aunar, unir....................	*ahumar*, llenar de humo.
avahar, echar vaho	*habar*, sembrado de habas.
aval, firma que garantiza	*abalorio*, conjunto de cuentecillas.
avalar, garantizar	*abalar*, conducir.
avara, codiciosa	*havara*, tribu africana.
ave, animal, salutación	*haba*, planta.
¡Ave María!, exclamación	*avemaría*, oración.
avería, daño	*averío*, conjunto de aves.
	haberío, bestia de carga.
avía, de aviar	*había*, de haber.
ávido, ansioso, voraz	*habido*, del verbo haber.
¡ay!, interjección	*ahí*, adverbio de lugar.
	hay, del verbo haber.
aya, educadora de niños	*haya*, de haber, árbol, ciudad.
ayes, lamentos	*halles*, de hallar.
ayo, educador de niños	*hallo*, de hallar.
azar, casualidad	*azahar*, flor de naranjo.

B

babel, confusión	*baivel*, escuadra.
bacante, mujer de bacanales	*vacante*, libre.
bacía, vaso para afeitar	*vacía*, sin nada.
bacilo, microbio	*vacilo*, de vacilar.
Baco, el dios del vino	*vaco*, estar vacante.

173

báculo, palo, cayado	*vacuo*, vacío.
badea, sandía o melón desabrido .	*vadea*, del verbo vadear.
baga, soga para atar las cargas a las caballerías	*vaga*, ociosa.
bagar, echar semilla	*vagar*, no hacer nada.
bagazo, cáscara, residuo	*vagazo*, muy vago.
¡bah!, interjección	*va*, del verbo ir.
baja, pequeña	*bajá*, título en Turquía.
baje, de bajar	*vahaje*, viento suave.
bajel, buque	*vergel*, huerto.
bala, proyectil	*vela*, velación, toldo, cilindro o prisma de cera.
bola, cuerpo esférico	
balar, dar balidos	*valar*, perteneciente al vallado.
bale, de balar	*vale*, documento, de valer.
balido, voz de oveja	*valido*, de valer.
balín, de bala	*valí*, gobernador musulmán.
balón, pelota	*valón*, natural de un territorio entre Francia y Bélgica.
balsa, de agua, tipo madera	*valsa*, de valsar, bailar.
banal[1], insubstancial	*venal*, sobornable, de vena.
banda, faja, gente armada	*venda*, cinta que sujeta.
bandido, persona perversa	*vendido*, de vender.
bandolero, bandido	*vándalo*, destructor.
bao, madera de los buques	*vaho*, vapor.
baqueta, vara para atacar esco- peta	*vaqueta*, cuero.
barahúnda, ruido, confusión	*vorahúnda*, ruido, confusión.
baraúnda, ruido, confusión	
barbechar, arar la tierra	*barbihecho*, recién afeitado.
barbecho, tierra sin sembrar	
bario, metal	*vario*, diverso.
barita, óxido de bario	*varita*, palo pequeño.
barón, título	*varón*, hombre.
baronesa, esposa del barón	*varonesa*, mujer.
baronía, dignidad de barón	*varonía*, descendencia de varón.
barra, palanca de hierro	*vara*, rama.
basar, apoyar, fijar	*vasar*, anaquelería.
bazar, tienda	
basca, desazón	*vasca*, vascongada.
báscula, aparato de pesar	*vascular*, que tiene celdillas.
base, fundamento	*vase*, del verbo ir y pronombre *se*.
baso, de basar	*vaso*, recipiente.
bazo, moreno, víscera	

1) *Banal* es un galicismo.

basta, ordinaria, de bastar, hilván, puntada	*vasta*, extensa, dilatada.
bastos, de la baraja, ordinarios ...	*vastos*, dilatados.
batahola o *bataola*, bulla	*batayola*, barandilla.
bate, de batir	*vate*, poeta.
bávaro, natural de Baviera	*bárbaro*, fiero.
baya, fruto, color	⎰ *vaya*, de ir, burla, interjección. ⎱ *valla*, cercado. ⎰ *valle*, llanura.
be, nombre de esta letra	*ve*, de ir.
Belén, ciudad	*velen*, de velar.
bella, hermosa	*villa*, población.
bellido, bello	*vellido*, que tiene vello.
bello, hermoso	*vello*, pelo.
bendición, de bendecir	*vendición*, de vender.
benéfico, de hacer bien	*venéfico* (antic.), venenoso.
Benita, nombre propio	*venita*, de vena.
berrendo, de dos colores	*reverendo*, digno de reverencia.
besana, labor de surcos	*vesania*, demencia.
besar, tocar con los labios	*visar*, examinar.
bese, de besar	*vese*, de ver y pronombre *se*.
bestia, bruto	*vestía*, de vestir.
bestial, brutal	*Vestal*, de la diosa Vesta.
beta, cuerda de esparto	*veta*, vena de roca o madera.
bey, gobernador turco	*voy*, del verbo ir.
bidente, dos dientes	*vidente*, que ve.
bienes, los que se poseen	*vienes*, de venir.
bieses[1], de tela	*vieses*, de ver.
bilis, hiel	*viles*, de ver, despreciables.
billa, jugada de billar	*villa*, población.
binario, compuesto de dos	*vinario*, de vino.
bis, dos	*vis* (vis cómica), fuerza.
bita, poste del ancla	*vita*, de vitar (evitar).
bizco, que tuerce la vista	*visco*, liga.
bobina, carrete, de boba	*bovino*, referente al buey o vaca.
bocear, mover los labios las bestias	*vocear*, dar gritos.
bocoy, barril	*convoy*, escolta.
bolada, tiro de bola	*volada*, de volar.
bólido, meteoro	*válido*, que vale.
bolla, de bollar, bollo, derecho ...	*boya*, cuerpo flotante sobre aguas.
bollar, abollar, repujar	*boyar*, flotar la embarcación.
bollero, que hace bollos	*boyero*, que vende o lleva bueyes.
Bootes, constelación	*votes*, de votar.

1) Bies es un galicismo.

bota, calzado, recipiente .... *vota*, de votar.

botador, herramienta, de botar ... *votador*, de votar.

botar, echar barco al agua, saltar . *votar*, dar el voto.

bote, barco, vasija, salto .... { *vote*, de votar.

boto, rudo, torpe .... { *voto*, de votar.

{ *veto*, prohibición.

boxear, luchar a puñetazos ...... *vosear*, dar tratamiento de vos.

brebaje, bebida .... *breva*, fruta.

briba, holgazanería picaresca .... *bierva*, vaca que, sin la cría, sigue dando leche.

bulbo, parte tallo plantas .... { *vulgo*, gente popular.

{ *vulva*, exterior vagina.

bulla, gritería, bolla .... *buyador*, latonero.

bullo, de bullir .... *buyo*, mixtura.

bursátil, referente a la Bolsa ..... *versátil*, voluble.

C

cabal, completo .... *cavar*, mover tierra.

cabás, bolsa .... *cavas*, de cavar.

cabe, preposición, de caber ...... *cave*, de cavar.

cabía, de caber .... { *cavia*, excavación, conejillo de Indias.

{ *caviar*, manjar.

cabida, capacidad .... *cavidad*, hueco.

cabila, tribu .... *cavila*, de cavilar.

cabo, extremo, militar........... *cavo*, de cavar, cóncavo.

cadalso, tablado para un acto .... *cadahalso*, cobertizo o barraca.

caíd, gobernador musulmán ...... *cahíz*, medida para áridos.

calidad o *cualidad*, características de persona, animal o cosa ..... *calidez* o *calidad*, calor, ardor.

calla, de callar .... *cayá*, dignidad en Argel.

callo, de callar, dureza piel ...... *Cayo*, nombre propio.

calló, de callar .... *cayó*, de caer.

cangilón, vaso barro o metal ..... *canjilón*, natural de Canjáyar.

capto, de captar, atraer .... *çacto*, planta.

cáraba, embarcación .... } *caraba*, reunión festiva.

cárabo, embarcación .... } *cárcava*, hoya o zanja.

carabela, embarcación .... *calavera*, caja ósea del cráneo.

carabina, arma de fuego .... *caravana*, grupo de gente.

cartabón, instrumento de dibujo .. *carcavón*, barranco.

cava, de cavar .... *carba*, matorral.

cayado, palo .... { *callado*, de callar.

{ *collado*, paso en sierra.

cibica, barra de hierro .... *cívica*, patriótica.

cohen, hechicero, adivino . . . .

coherente, de coherencia . . . . { coima, manceba.
coeficiente, que con otro produce efecto.
coetáneo, del mismo tiempo.

cohesión, enlace . . . . conexión, coherencia.

cohobo, piel de ciervo . . . . coevo, contemporáneo.

cohorte, cuerpo de infantería . . . . . corte, filo, lugar de residencia de un monarca y de su séquito.

combino, de combinar . . . . convino, de convenir.

combo, combado . . . . corvo, arqueado.

conque, conjunción y nombre . . . . con que, preposición y relativo.

contexto, hilo del discurso . . . . contesto, de contestar.

corbacho, vergajo . . . .
corbata, prenda de vestir . . . . cervato, ciervo pequeño.
corbato, refrigeración de serpentín . . . . corvato, pollo de cuervo.

corbeta, buque . . . . corveta, salto de caballo.

coste, precio y gasto de algo sin ganancia . . . . costo, ración que se da en los cortijos, hierba tropical.

curva, línea no recta . . . . { Cuba, isla americana, recipiente de madera.
turba, gentío, combustible.

D

deba, de deber . . . . Deva, río, una población.

debelar, rendir al enemigo . . . . { devalar o davalar, separarse del rumbo.
desvelar, quitar el sueño.

defección, abandono, desertación . decepción, engaño.

deicida, que mata a Dios . . . .
deidad, ser divino . . . . dehiscencia, acción de abrirse un fruto o antera.

derribar, echar a tierra . . . . derivar, traer origen.

desabrido, insípido . . . . deshambrido, muy hambriento.

desalar, quitar alas, sentir anhelo, quitar la sal . . . . exhalar, despedir vapores.

desbarrar, errar . . . . desvarar, resbalar, deslizarse.

desbastar, quitar lo basto . . . . devastar, destruir, arrasar.

deshacer, contrario de hacer . . . . . desazón, molestia, inquietud.

deshecho, de deshacer . . . . desecho, de desechar.

deshojar, quitar hojas . . . . desojar, lastimar los ojos.

deshornar y desenhornar, sacar
del horno una cosa . . . .   desornar, quitar los adornos.
desmallado, de desmallar . . . .   desmayado, de desmayar.
desmallar, deshacer las mallas . . .   desmayar, desfallecer.
desusado, perdido el uso . . . .   rehusado, rechazado.
detesto, de detestar . . . .   de texto, referente al texto.
dibujar, delinear . . . .   divulgar, publicar.
dicterio, dicho denigrativo . . . .   difteria, enfermedad.
diluvio, lluvia copiosa . . . .   disturbio, alteración.
discreción, sensatez . . . .   disección, de disecar.
don, título que se antepone al
nombre propio, dádiva . . . .   dom, título que se antepone al apellido en las órdenes religiosas.
drama, acción teatral . . . .   dracma, medida, moneda.
dúo, música o canto entre dos . . .   dúho, escaño, banco.

E

e, conjunción . . . .   { ¡eh!, interjección.
{ he, del verbo haber, adverbio.
echa, de echar . . . .   hecha, de hacer, tributo.
echo, de echar . . . .   hecho, de hacer.
edén, paraíso terrestre . . . .   hebén, uva blanca y gorda.
égida o egida, protección, escudo   }
ejido, campo común . . . . }   hégira o héjira, era mahometana.
Elena, nombre propio . . . .   helena, griega.
embalse, de embalsar . . . .   envase, recipiente.
embate, acometida impetuosa . . . .   envite, apuesta, empujón.
enarbolar, levantar en alto . . . .   enherbolar, inficionar.
{ encovar, meter en la cueva.
encobar, empollar los huevos . . . . { encorvar, doblar una cosa.
enebro, arbusto . . . . }
enervo, de enervar . . . . }   enhebro, de enhebrar.
engibar, corcovar . . . .   enjebar, en tintorería.
enojo, molestia . . . .   hinojo, planta, rodilla.
envestir, investir . . . .   embestir, arremeter con ímpetu.
{ heril, relativo al amo.
eral, res vacuna . . . . }   herrial, uva gruesa y tinta.
erial, campo sin cultivar . . . . }   heria, hampa.
{ heria, de herir.
errada, de errar . . . .   herrada, cubo, de herrar.
erraj, cisco de huesos aceituna . . . }
errar, cometer un error . . . . }   herrar, poner herradura.

error, equivocación	*horror*, atrocidad.
escarcela, bolsa o mochila	*exarcela*, de exarcelar, libertar.
esclusa, dique para aguas	*exclusa*, participio de excluir.
escoria, cosa despreciable	*excoriar*, desgarrar el cutis.
esotérico, oculto	*exotérico*, común, público.
espectáculo, diversión pública . . . ⎫ *espectador*, el que mira . . . . ⎬	*expectación*, intensidad en la espera.
espectro, fantasma	*experto*, hábil.
espiar, acechar	*expiar*, purgar culpas.
espirar, expeler aire u olor	*expirar*, morir.
espolear, avivar	*expoliar*, despojar.
espuerta, cesta	*exporta*, de exportar.
estaño, metal	*extraño*, raro, singular.
estática, ley equilibrio, asombra- da.	*extática*, de éxtasis.
estebado, entintado	*estevado*, de piernas torcidas.
esteba, hierba y pértiga . . . . ⎫ *Esteban*, nombre . . . . ⎬ *estiba*, de estibar, apretar . . . . ⎭	*esteva*, pieza del arado.
estibar, apretar	*estival*, del estío.
estibio, antimonio, metal . . . . ⎫ *estibo*, de estibar . . . . ⎬ *estribo*, apoyo . . . . ⎭	*estivo*, de estival.
estío, verano	*hastío*, tedio.
estirpe, linaje	*extirpe*, de extirpar.
estorbar, poner obstáculo	*estovar*, rehogar.
estrado, tarima presidencial	*extradós*, exterior de una bóveda.
estrave, extremo de la quilla	⎧ *estrabismo*, vicio ocular. ⎪ *extraviar*, perder. ⎨ *estrobo*, cuerda sujetarremos. ⎩ *estribo*, apoyo.
esvarón, resbalón	*ex barón*, que fue barón.
ética, moral	*hética*, tísica.
evento, acontecimiento	*abanto*, ave rapaz.
exaltar, elevar, arrebatar	*exhalar*, despedir vapores.
excava, de excavar	*escaba*, desperdicio.
exorar, rogar	*exhortar*, aconsejar.
experto, experimentado	*esparto*, planta.
expira, de expirar	*espira*, línea curva.
explique, de explicar	*esplique*, armadijo de caza.
expoliación, despojo	*espolio*, bienes de la mitra.
exquisito, de sumo gusto	*esquistos*, pizarra, roca.
éxtasis o *éxtasi*, arrobo	*estasis*, estancamiento sangre.
extracto, resumen	⎧ *estrato*, masa mineral, nube. ⎨ *estricto*, ajustado.

F

factura, recibo . . . . fractura, rotura.

falange, cuerpo soldados, huesos
de los dedos . . . . alfanje, sable corto.

falla, fallar, cobertura, defecto . . . faya, tejido grueso de tela.

flavo, amarillento . . . . flabelo, abanico grande y largo.

fluvial, perteneciente al río . . . . . . flébil, lamentable, triste.

franjar, guarnecer con franjas . . . . frangir, partir en pedazos.

G

gábata, escudilla . . . . { gaviota, ave.
{ gavota, baile.

gabela, tributo . . . . gaveta, cajón.

Gabina, nombre de mujer . . . . gavina, gaviota.

galbana, pereza . . . . { galvano, reproducción por galvano-
gálvano, gomorresina . . . . }   plastia.

gallar, cubrir gallo a gallinas . . . . . gayar, adornar.

gallo, ave . . . . gayo, alegre.

garbo, gallardía . . . . gravo, de gravar.

gema, piedra preciosa . . . . { gehena, infierno.
{ jeme, palmo.

gerifalte, ave rapaz . . . . jerife, descendiente de Mahoma.

giba, joroba . . . . jibia, molusco.

gira, de girar, excursión con
vuelta al punto de partida . . . . . . jira, banquete o merienda, tira de tela.

graba, de grabar . . . . grava, guijo, de gravar.

grabar, esculpir . . . . gravar, causar gravamen.

grabe, de grabar . . . . grave, importante, de gravar.

gragea, confites . . . . grajea, chillar grajos o cuervos.

grulla, ave . . . . gruya, de gruir.

gubia, formón . . . . gavia, jaula, gaviota, vela navío.

H

habano, de La Habana . . . . abano, abanico.

habar, plantación de habas . . . . . . havar, de la tribu Havara.

haber, verbo . . . . }
háber, sabio judío . . . . } a ver, preposición y verbo.

180

habiente, de haber	{ *aviente*, de aventar.
	{ *ambiente*, aire suave, lo que rodea.
habitar, vivir, morar	*abitar*, amarrar el barco.
habito, de habitar	*abito*, de abitar.
hábito, vestido, costumbre	*evito*, de evitar.
habituar, acostumbrar	*avituallar*, proveer de vituallas.
habrán, de haber	*Abrahán*, nombre.
habráse, de haber y se	*abrase*, de abrasar.
haca, jaca	*acá*, adverbio de lugar.
hacer, producir una cosa	*azor*, ave de rapiña.
hacendado, de hacienda	*acendrado*, puro y sin mancha.
hachón, vela grande de cera	{ *achote*, árbol.
hachote, vela de barco	{
haga, de hacer	*agá*, oficial del ejército turco.
halagar, adular	{ *alagar*, llenar de lagos.
	{ *alaga*, especie de trigo.
haloque, embarcación	*aloque*, de color rojo claro.
hallar, encontrar	*aullar*, dar aullidos.
hampa, vida maleante	*ampo*, copo de nieve.
hampón, bribón	*ampón*, amplio.
hará, de hacer.................	*ara*, de arar, altar.
harén, o *harem*, vivienda de mu-	
jeres musulmanas	*aren*, de arar.
haría, de hacer	{ *aria*, canto.
	{ *área*, medida.
harnero, criba	*arnés*, armadura.
Haro, población, apellido	*aro*, juguete.
harón, perezoso	*arón*, de aro.
hartar, saciar el apetito	*altar*, el de la iglesia.
harto, bastante, sobrado	*arto*, cambronera.
hatada, ajuar del pastor	*atada*, de atar.
hatear, recoger el hato	*otear*, escudriñar.
hatillo, pequeño ajuar	*autillo*, ave.
hachís, bebida	{ *axis*, vértebra del cuello.
hafiz, guarda	{
hazaña, proeza	*azada*, instrumento para cavar.
hebilla, pieza de metal	*ervilla*, arveja, algarroba.
hembrear, de hembra	*embrear*, untar de brea.
heme, adverbio y pronombre	*eme*, nombre de una letra.
herboso, poblado de hierba	*hervoroso*, ardoroso.
herejía, error contra la fe	*elegía*, composición poética, verbo.
hermético, bien cerrado	*emético*, vomitivo.
herraje, piezas hierro o acero	*eraje*, miel virgen.
héspero, Venus en occidente	{ *espero*, de esperar.
	{ *áspero*, no suave.
hetera, mujer pública	*etérea*, relativa al éter.

hice, de hacer . . . . ice, de izar.

hiena, mamífero . . . . { llena, de llenar.
yema, renuevo, de huevo.

hiendo, de hender . . . . yendo, de ir.

hierba o yerba, planta . . . . hierva, de hervir.

hiero, de herir . . . . yero, planta herbácea.

hierro, metal . . . . yerro, equivocación.

hilado, de hilar . . . . ilación, acción de inferir.

hinca, de hincar . . . . inca, rey del Perú.

hípico, relativo al caballo . . . . épico, relativo a la epopeya.

hisopo, aspersión, mata . . . . { Esopo, célebre fabulista.
isópodo, que tiene las patas iguales.

hita, clavo, llena, negra, mojón . . ita, de las montañas de Filipinas.

hoces, de hoz . . . . oses, de osar.

hoja, de vegetal, folio . . . . { ojal, abertura.
ojo, órgano de la vista.

hojalatero, de hojalata . . . . ojalatero, de ¡ojalá!

hollar, pisar . . . . ollar, orificio nariz caballerías.

hollejo, piel de frutas . . . . hoyuelo, de hoyo.

hombría (de bien), honradez . . . . . umbría, terreno de sombra.

hopear, menear la cola . . . . apear, descender.

horadar, agujerear . . . . orador, predicador.

horario, de hora . . . . { orario, banda o estola.
ovario, de huevo.
erario, tesoro público.

horca, la de ajusticiar . . . . { orca, cetáceo.
urca, embarcación grande.

horda, reunión salvaje . . . . { órdago, envite en el mus.
orza, vasija.

horeja, diminutivo de hora . . . . oreja, oído.

hórreo, granero . . . . }
horro, libre . . . . orre (en), a granel.

hosco, áspero . . . . { osco, de un pueblo antiguo de Italia.
orco, cetáceo.
asco, repugnancia.

hostia, hoja de pan . . . . Ostia, ciudad de Italia, ostra.

hostiario, caja de hostias . . . . ostiario, clérigo.

hostil, enemigo . . . . astil, mango de hacha o azada.

hoto, confianza . . . . oto, ave.

hoy, el día presente . . . . oí, de oír.

hoya, hondonada . . . . olla, vasija, remolino de agua.

hoyo, hondonada . . . . { hollo, de hollar, pisar.
oyó, de oír.

hozar, mover la tierra con el ho-
cido . . . . { orzar, poner proa al viento.
izar, levantar.

182

huebra, yugada, tierra de labor ...   *hueva,* masa de huevecillos.

hueste, ejército ....   *Ueste,* Oeste.

hundir, meter en lo hondo .... { *urdir,* maquinar.
                             ungir, aplicar aceite.

huno, de un pueblo asiático ......   *uno,* de unir, adjet. y pron.

huraño, poco sociable .... { *Urano,* padre de Saturno.
                             uranio, metal.

hurtar, robar ....   *untar,* ungir.

husillo, desagüe ....   *usillo,* achicoria silvestre.

huya, de huir ....   *hulla,* carbón de piedra.

I, J, K, L, Ll, M

i, una vocal ....   *hi,* hijo.

ijada, cavidades entre costillas ... { *aijada,* vara para guiar bueyes.
                             ahijada, apadrinada.

ijar, ijada ....   *Híjar,* población.

inhiesta o *enhiesta,* levantada ....   *hiniesta,* retama.

inmobiliario, cosa inmueble ......   *inmovilidad,* calidad de inmóvil.

inmoble, que no puede ser movido ....   *inmóvil,* que no se mueve.

intercesión, de interceder ....   *intersección,* encuentro de dos líneas o superficies.

invernal, de invierno ....   *imbornal,* desaguadero.

invierno, estación del año .... }
ivierno, estación del año .... }   *hibierno,* invierno.

Ivón, nombre propio ....   *Ibón,* lago de los Pirineos de Aragón.

izo, de izar ....   *hizo,* de hacer.

jaharro, de jaharrar ....   *jarro,* vasija.

jorobada, gibosa ....   *jovada* o *jubada,* terreno que se ara en un día.

kilo, mil ....   *quilo,* mil, líquido, arbusto.

laso, cansado .... { *laxo,* sin tensión.
                             lapso, espacio de tiempo.

ley, regla o norma ....   *leí,* de leer.

libar, probar ....   *livor,* color cárdeno.

libido, referente al sexo ....   *lívido,* amoratado.

llaga, daño o pesadumbre ....   *yaga,* del verbo yacer.

llama, de fuego, animal, terreno pantanoso ....   *yema,* botón en tallo vegetales, dulce, parte central del huevo.

magín, imaginación ....   *majzén,* autoridad de Marruecos.

majestad, título, cosa grave ......   *magistral,* de magisterio, de maestría.

malhojo, deshecho del follaje ....   malojo, planta.

malla, tejido, de mallar (majar) ...   maya, de mayar, planta.

mallar, majar o hacer malla ......   mayar, maullar.

mallo, mazo ....   mayo, mes.

mella, hendidura ....   meya, crustáceo marino.

molla, parte magra de carne .....   Moya, apellido.

N

nabab, hombre muy rico ....

nabal, tierra de nabos .... } naval, referente a la navegación.

nadir, punto de la esfera celeste ..   nádir, funcionario marroquí.

O

o, conjunción ....   ¡oh!, interjección.

oboe, instrumento músico ....   ¡evohé!, interjección.

óbolo, pequeña cantidad .... { óvolo, cuarto bocel.
   óvalo, figura semejante al huevo.
   óvulo, vesícula con el germen de un nuevo ser orgánico.

ojear, mirar con atención ....   hojear, mover las hojas.

ojoso, lleno de ojos ....   hojoso, lleno de hojas.

ola, la de las aguas ....

¡olé! u ¡ole!, interjección .... } ¡hola!, interjección.

oncejo, vencejo, pájaro ....   honcejo, instrumento agrícola.

onda, ola, ondulación ....   honda, profunda, la del pastor.

ondear, ondular ....   hondear, reconocer fondo con sonda.

oneroso, pesado, gravoso ....   honoroso (desusado), honroso.

oquedad, espacio vacío ....   hosquedad, de hosco.

ora, del verbo orar, conjunción ..   hora, tiempo.

orado, del verbo orar .... { horado, agujero que atraviesa.
   horada, hora horada, hora puntual.

ornada, adornada ....   hornada, lo que se cuece de una vez en el horno.

orno, de ornar, adornar ....   horno, donde está el fuego.

ortiga, planta ....   hormiga, insecto.

orzuelo, trampa, divieso ....   horuelo, sitio reunión festiva.

ovetense, de Oviedo ....   ubetense, de Úbeda.

¡ox!, interjección .... { os, pronombre.
   hoz, instrumento para segar.

oyera, de oír ....   ollera, que hace ollas.

P

pábilo, cordón de hilo . . . .   *pávido*, tímido, medroso.
pábulo, pasto . . . .   *párvulo*, pequeño.
paje, criado . . . .   *pagel* (o pajel), pez.
paraíso, cielo . . . .   *parahúso*, instrumento taladrar.

payo, aldeano . . . .   { *pallo*, de pallar, entresacar.
                                             { *pella*, masa que se une.

perjuicio, daño . . . .   *prejuicio*, que prejuzga.
pingüe, craso, abundante . . . .   *pingue*, embarcación.
pollo, cría de ave . . . .   *poyo*, banco de piedra.
porque, conjunción causal . . . .   *por que*, preposición y relativo.
privar, quitar . . . .   *probar*, examinar.
probidad, honradez . . . .   *pravedad*, iniquidad.
prohijar, recibir como hijo . . . .   *projear*, remar contra la corriente.
protesto, de protestar . . . .   *pretexto*, de pretextar.
pulla, frase molesta . . . .   *puya*, la de los vaqueros.

R

rahez, vil . . . .   { *raer* raspar pelos
                                             { *raíz*, origen.
                                             { *rail*, carril.

rallar, desmenuzar una cosa . . . . .   *rayar*, hacer rayas.
rallo, utensilio de cocina . . . .   *rayo*, línea luminosa.
ratificar, sostener, afirmar . . . .   *rectificar*, modificar, variar.
reacción, acción contraria . . . .   { *rehacer*, volver a hacer.
reacio, inobediente, remolón . . . . .   {

rebelarse, sublevarse . . . .   { *revelar*, comunicar.
                                             { *relevar*, reemplazar.

recabar, conseguir . . . .   *recavar*, volver a cavar.
rehala, rebaño lanar . . . .   *reata*, hilera de caballerías.
rehollo, de rehollar, pisotear . . . . .   *rehoyo*, barranco, hoyo.
resbalón, de resbalar . . . .   *esvarón*, resbalón.
respeto, consideración . . . .   *respecto*, relativo a.
revólver, arma de fuego . . . .   *revolver*, menear.
rey, monarca . . . .   *reí*, de reír.
ría, ensenada que vierte al mar . . .   ¡*ria!*, interjección.

rival, competidor . . . .   { *ribaldo*, pícaro.
                                             { *ribazo*, porción de tierra con eleva-
                                             {   ción y declive.

ribera, orilla de mar o río . . . .   *rivera*, arroyo, riachuelo.
rolla, niñera, trenza espadaña . . . .   *royo*, rubio, rojo.
rollo, cosa cilíndrica . . . .
rotura, de romper . . . .   *ruptura*, desavenencia, riña.

S

sabia, que sabe . . . .   savia, jugo de las plantas.

Sahara, desierto africano . . . .   Sara, nombre propio.

sahinar (zainar), sembrado de
   zahína . . . .   sainar, engordar animales.

salbanda, capa mineral . . . .   salva, saludo, de salvar.

saliva, humor alcalino . . . .   sílaba, letra o conjunto de letras.

salla, de sallar (escardar) . . . .   saya, falda.

sandia, necia, boba . . . .   sandía, planta, fruto.

sebero, de sebo . . . .   { severo, serio.
                                  Severo, nombre propio.

servil, bajo, humilde . . . .   serbal, árbol.

sexo, diferencia entre el macho y
   la hembra . . . .   seso, cerebro, juicio.

silba, de silbar . . . .   silva, composición poética.

silboso, de silbar . . . .   silvoso, selvoso, de selva.

sino, conjunción, hado . . . .   si no, conjunción y adverbio.

sobar, manosear . . . .   soviet, consejo obrero bolchevique.

subsidio, ayuda . . . .   susidio, inquietud.

T

tesitura, actitud . . . .   textura, operación de tejer.

testo, de testar . . . .   texto, palabras de un autor.

teta, mama . . . .   theta, letra griega.

tibio, templado . . . .   trivio, tres caminos.

tiorba, instrumento músico . . . . . .   torva, remolino de lluvia o nieve, ai-
                                    rada, fiera.

toba, cardo, piedra, sarro . . . .   { tova, ave.
                                    tolva, depósito con salida estrechada.

trabes, de trabar . . . .   través, inclinación.

tralla, látigo . . . .   Troya, antigua ciudad.

trashojado, hojeado . . . .   trasojado, caído, macilento.

trato, de tratar . . . .   tracto, espacio entre dos lugares.

trivial, corriente . . . .   tribual o tribal, de la tribu.

tubo, pieza hueca cilíndrica . . . . . .   tuvo, del verbo tener.

tulla, de tullir . . . .   tuya, pronombre, arbusto.

Tuy, población . . . .   tui, loro pequeño.

U

u, letra, conjunción . . . .   ¡hu! ¡hu! ¡hu!, interjección.

ubada, medida de tierra . . . .   uvada, abundancia de uva.

urdes, de urdir .... Hurdes, región de España.
usada, de usar .... husada, porción de lino.
usar, utilizar .... húsar, militar.
uso, de usar.................. huso, instrumento de hilar.
usted, tratamiento .... ¡uste!, interjección, ¡oxte!
uva, fruto de la vid .... hubo, de haber.

V

vaca, animal .... { baca parte.superior. de.los. carruajes, fruto. beca, prebenda, insignia. boca, abertura.
vacada, manada vacuna .... becada, chocha (ave).
vahído, desvanecimiento .... { baída, en arquitectura se dice de cierta bóveda esférica. desvaído, alto, de color bajo.
vagido, llanto de recién nacido ... vaguido, vahído.
vaina, funda .... boina, gorra sin visera.
vaivén, movimiento alternativo ... baivel, escuadra falsa.
vajilla, vasos y platos .... } bajilla, de poca estatura.
valija, maleta..................
vasija, recipiente cóncavo .... baliza, señal.
valuar, valorar .... baluarte, obra de fortificación.
vaquero, pastor................ baquero, sayo.
vaquilla, de vaca .... baquilla, de baca.
vaso, recipiente .... beso, de besar.
vegeta, de vegetar .... vejeta, de vieja, ave.
vegete, de vegetar .... vejete, de viejo.
vejar, maltratar .... Béjar, población.
veloz, ligero .... belez, vasija, ajuar.
ven, de venir .... ben, árbol.
venial, leve .... bienal, que dura dos años.
veril, orilla de un bajo o sonda ... berilo, variedad de esmeralda.
verja, cerca .... Berja, población.
ves, de ver .... bes, ocho onzas.
vezar, acostumbrar .... bezaar o bezoar, antídoto.
víbora, culebra .... víveres, provisiones.
Víctor, nombre propio........... } bitor, rey de codornices.
¡vítor!, interjección ....
viga, madero .... biga, carro.
vilano, penacho de ciertos frutos . } biplano, aeroplano.
villano, rústico, ruin ....
vinar, vinario.................. binar, recavar, celebrar segunda misa en un mismo día.

187

viril, varonil, custodia	*buril,* instrumento de acero.
viscosidad, pegajosidad	*bascosidad,* inmundicia.
visón, mamífero	*bisonte,* bóvido salvaje.
Vitoria, ciudad	*Victoria,* nombre propio, triunfo.

vocal, perteneciente a la voz, letra	{ *bocal,* jarro, presa. *bozal,* sujeta-boca. *bucal,* relativo a la boca.
volar, moverse por el aire	*bolar,* tierra de que se hace el bol.
voleo, golpe dado al aire	*boleo,* acción de tirar bolas.
volquete, carro	*boquete,* entrada angosta.
voraz, que devora	*bórax,* sal.

Y y Z

yanta, de yantar, comer	*llanta,* cerco de hierro de las ruedas.
yunta, par de animales de labor ..	
yanten, de yantar	*llantén,* planta.
yanto, de yantar	*llanto,* lloro.
yervo, yero (planta)	*hiervo,* de hervir.
zaina, falsa	*zahína,* planta gramínea.
¡zis, zas!, imitación de un golpe ..	*zigzag,* serie de líneas.

15. LECCIÓN PRÁCTICA DE PALABRAS HOMÓFONAS Y PARÓNIMAS

1. La textura o acción de tejer puso en difícil tesitura al vejete, que por su edad sufría vahídos.—Era vaga y vasca la pastora que avanzaba por el vergel conduciendo a la báscula la caballería con su onerosa carga, bien sujeta por la baga.—En el bajel sentimos bascas o mareos, y con el embate de las olas nos abalanzamos al primer envite, ante gran expectación, contra un hombre brutal o alarbe que estaba como espectador.—Con las hojas del esparto se fabrican sogas y esteras.

2. Desde el adarve del bastión, agobiado por un acceso de vesania, fui a caer al cauce o azarbe.—Por la afición de este hampón o bribón a lanzar, cuándo el arpón, cuándo el hamo o anzuelo, desde la cáraba de nuestro amo, contrajimos una extraña afección.—Me halaga que no te prives de

probar la emoción de embarcarte con nosotros en el haloque birreme para la caza de la alondra o alhoja y de la becada. —El estaño brilla más que el plomo, cruje al doblarse, y, frotado, despide extraño olor.

3. Su conversación no ha agraviado a los que acuden a la reunión o caraba del pueblo. —No creas que se aloja aquí por beber exquisita aloja o vino aloque, que es una alhaja, sino para estar próximo a la besana y a su vacada. —Veloz, de un voleo, hubo de aprovecharse de los racimos de uvas que el experto ladronzuelo iba extirpando. —Ya muy agraviado, parecía un espectro, y, a pesar de su escogida estirpe, fue enterrado en la cárcava exotérica o común.

4. En el cadahalso o cobertizo, levantaron el cadalso donde se castigaría la pravedad o falta de probidad. —Varona o varonesa se dice a la mujer por ser hembra; baronesa, por ser título, esposa del barón, y a éste también se dice varón, por su sexo. —Cazamos en la jira invernal varios pollos de cuervo o corvatos, así como algún cervato de los que devastan las fértiles heredades, y vendimos después el cohobo o piel a buen precio. —Dispara contra la zancuda grulla cuando gruya junto al imbornal.

5. Acompañados de la heria o hampa, fuimos a un monte erial, y allí comimos uva herrial. —No seas bobina, que las alzas y bajas bursátiles son muy versátiles. —Mientras enhebro la aguja con el hilo de la bobina, voy junto a aquel enebro o arbusto a desbastar unas ramas y a recoger el ganado bovino. —Protesto, porque es un pretexto, que me enerva, que anheléis vadear el río para ocultaros mientras coméis ese melón o badea que lleváis metido en la olla.

6. Ollar es cada uno de los dos orificios de la nariz de las caballerías. —El bando del hacendoso y hacendado alcalde prohibía hollar el campo sembrado de acederas, cosa bien hacedera. —Apenas libó el hachís de embriagadoras exhalaciones, un flébil livor cambió su faz. —Exalta mis nervios ese paseo fluvial camino del horuelo, porque cerca del embalse o esclusa fue donde se me produjo un orzuelo. —Corría el milano o vilano tras el biplano en que viajaba el villano.

7. El Majzén de Marruecos puso de relieve su hosco carácter y su espabilado magín en severa disputa con un Caíd

sobre las fanegas que tenía un cahíz. —Las mismas espoleadas huestes ahumaron, hundieron y expoliaron la finca, aunaron sus esfuerzos y urdieron por Ueste un plan estratégico. —A la hora del yantar, dejó sobre la silla la vaina y la boina. —La llanta del vehículo la llevó una yunta a la herrería, ante el llanto del rapazuelo. —¡Ria!, gritó el carretero al pasar junto a la ría.

8. De hombría de bien era el que amarraba los barcos, es decir, el que los abitaba en el muelle. —El artista sufrió un vahído porque habitaba en casa muy umbría. —Habíamos halado hacia nosotros al buzo de la aldea, que con desusado altruismo no había rehusado bajar al fondo del mar, a pesar de estar abocado a grave evento. —El abanto y el esparaván son bichos rapaces alados. —La reata está habituada a avituallar con pingües provisiones al pastor de la rehala.

9. Hisopo es sinónimo de aspersorio y nombre de una planta; Esopo fue un célebre fabulista e isópodo significa que tiene las patas iguales. —En la caravana había muchos pávidos párvulos, que al oír el disparo de la carabina, dieron pábulo a un miedo cerval. —En el haberío o bestia de carga trasladé mi escaso belez o ajuar, sin ninguna avería. —El reverendo presbítero vendió una vaca berrenda de voluminosas ubres, que fue transportada en la baca del carruaje.

10. Contra su hostil compañero empuñó el astil o mango de la azada, ahuyentando a las mujerucas con su rápido haldear, como quien logra una hazaña. —Ese hampón maneja asaz diestramente el arpón y azadón. —En medio del hoyo expiró el gigante que tejía con un huso oxidado y en mal uso. —El fugitivo y bárbaro húngaro que erraba por el vasto collado, halló el collar y el cayado de aquel callado boyero bávaro cuyos bueyes eran zainos.

11. Las becas del orfanato se hallan vacantes. —Echado sobre una hamaca de vaqueta, echó Ezequiel la baqueta de su carabina a la hoguera. —Ni reveles la consigna de los rebeldes ni te rebeles contra los húsares. —Un público selecto del sexo bello escuchaba extasiado y con arrobo al sesudo varón. —El vate que concibió la inspirada silva, que ayer fue silbada en Eslava, por tener varios heptasílabos muy ligeros, es un tal Silva. —¡Bah, bah!, ¡qué me va usted a decir!

12. Esa boya está abollada. —No me enojaré porque cuando hiervan las estebas y los hinojos, eches en la olla otras hierbas que hay junto a la esteva del arado. —Las tropas permanecieron desveladas, sin defección alguna, hasta lograr debelar al ejército enemigo, que sufrió ruda decepción. —Este vinar o vinatero va hoy a binar las viñas, es decir, a darles la segunda cava. —Los valones de Holanda no han votado en las últimas elecciones de La Haya y Amsterdam.

13. Se comentaba el expolio cometido en el obispado con el espolio o bienes de la mitra, al óbito del obispo. —Como oyera yo decir con hosquedad que la olla de esta ollera estaba oculta en una oquedad, marché en su busca. —He dado al boyero, para que obsequie a su ganado, los panecillos que, aún calientes, me trajo el bollero. —El hafiz o guarda sufrió grave luxación en la segunda vértebra cervical, llamada axis, eje sobre el que gira la cabeza. —En el pueblo de Berja fabricaron las verjas de mi finca.

14. Elena rompió la esteva del arado, cuando en la pasada estación estival estibaba o apretaba la esteba o hierba para sus caballerías. —Sudamos el quilo para segar tan herboso campo, del que recogimos muchos kilos de hierba, gracias a nuestro hervoroso ahínco. —Habrán de saber los alumnos que el hebreo Abrahán vino de Israel a la tierra de Canaán. —Dentro de la gaveta de mi mesa, guardo el recibo de la gabela o tributo que ahora me exigen. —¡Ave María!; pero todavía no aprendiste a rezar el Avemaría.

15. En el hórreo o granero de la casona conservo en orre los frutos de mis dehesas. —La modificación del horario costó un pico al erario de la nación. —Ahuyentamos con hosquedad a los animales vagabundos, porque aullaban y se encovaban en la próxima oquedad, que servía a mis aladas aves de nido para encobar. —Un grueso madero o viga cayó en el desván pesadamente sobre aquella antigualla romana que se llama biga, y es equivalente a un carro de dos caballos.

16. ¡Ay!, desgraciadamente, hay que decirte que ahí fue herida tu ahijada con la aijada que se utiliza para los bueyes. —Le arrolló el caudal de agua del arroyo. —No ha ha-

bido hombre más ávido de gloria. —Había que verla cuando se aviaba. —Hay que vaciar esa navaja que está sin filo. —Con honda pena, vimos que una súbita onda del mar arrebató a una oveja herida por la honda del pastor. —Hozaba el puerco mientras izaban el pendón.

17. Alguien habría llamado cuando el aya abría la puerta. —A pesar de su arte, creo se harte serrando el tablón de haya. —El rapaz fue aprehendido por aprender malas artes. —Estaba vacía la bacía del peluquero que me afeitaba. —A la vez que oí el ¡zis, zas! del látigo, vi dibujarse en el horizonte el zigzag de un rayo. —Cuando botaron la corbeta, mi caballo bayo hizo una corveta que me echó a tierra. —Con acerbo dolor me deshice de mi acervo de trigo.

18. ¡Qué bello sería el niño si no tuviera tanto vello en la cara! —Si vienes, te enseñaré los bienes que poseo en mi pueblo. —Desde la ribera del arroyo disparó la bala tu rival. —Voy a botar por tu voto o torpe candidato en cuanto empine la bota. —Aunque echo con fuerza la pelota que tú has hecho, no bota. —Expías con justicia el castigo que te han impuesto por el feo vicio de espiar a los demás. —Era su obligación trabajar en la era, e iba allá con exactitud.

19. Si ojeases y vieses los «bieses» del vestido y después hojearas los figurines, verías que así es la moda de este año. —No me fue permitido rehusar el óbolo, que revelaba el afecto de los que me le ofrecían. —Tuvo que esconder el tubo en la caverna. —Vestía con elegancia a la bestia en que iba montado. —No me convenía esa combinación. —Tu irascible actitud revela que no reúnes aptitud para ese cargo. —¿En qué te basas para decir que los juguetes del bazar están en el vasar?

20. La aprehensión de los criminales, allá en el monte, creo que haya de causar cierta aprensión o recelo. —Calló, por coquetería D. Cayo, decir que le molestaba un callo. —Ve cómo se escribe la letra be, que no es vocal, y cuya emisión bucal es bilabial. —La mujer ralla en la cocina con el rallo, llamado, generalmente, rallador; en la atmósfera, la electricidad raya el ambiente con refulgentes rayas por medio del rayo. —El azar ocurrido me obligó a tomar una taza de azahar.

21.   Es conveniente tu intervención para que se determine la intersección de los planos. —Conque tú dirás con qué dinero vamos a comprar la finca. —¡Si no es por lo que digan, sino por lo que hagan! —Telegrafié porque supieras por qué no iba. —Para recavar la tierra de mi heredad, necesito recabar algún dinero. —Con su asta, deshicieron la vaca y el buey el asta de la bandera que ondeaba en la baca del astillado carruaje. —Las falanges iban armadas de alfanjes.

22.   En la huerta del vecino se hallan bastantes habas. —En el aboyado que posee mi abuelo en el pueblo, he visto un casco de húsares abollado. —¡Hala, muchachos!, coged los sombreros del ala, que no vamos a correr, sino a volar, cual si tuviéramos alas. —Oí que en Álava se alaba la victoria de los aviadores del hidroplano. —Mi hermana Victoria es oriunda de Vitoria. —Ora vengas a la iglesia, ora no vengas, es hora de que ores. —Mi radiorreceptor capta bien las ondas hertzianas. —Yo apelé al crédito inmobiliario.

23.   Advierte con afabilidad a la rubicunda aya que, a fin de evitar que a deshora de la noche haya una desgracia irreparable, no vaya tan a menudo con el imberbe Jerónimo por los alrededores de la improvisada valla que se halla situada más allá de la muralla de nuestra invicta villa. —Aré lo que me fue posible, exclamó el labrador, y, en lo porvenir, haré aquello que me sea dable cuantas veces are. —Para no errar los golpes del martillo, al herrar mi caballo, es preciso que venga un buen herrador. —Cacto es el nombre de diversas plantas vasculares y perennes de tallo redondeado y paletas ovaladas como higuera chumba. —Ésta es una fiesta inmoble.

24.   Has de recordar el valor del as de bastos; no obstante, haz la jugada que te convenga. —Con esos ayes vocingleros es extraño que no halles individuo que te auxilie. —Ato la alambrada ex profeso, a fin de que el hato no se extralimite y se vaya de excursión a través del bosque. —Hay una vaca, que es animal, y dos bacas, que son objetos inanimados, representativos, bien de la cuerda de prensa para imprimir, bien de la parte superior de los carruajes.

25.   Después de una vida turbulenta de mujer bacante y desharrapada, volvió a ocupar la plaza que dejó vacante en la oficina. —Si vacilo en exterminar el bacilo que llevo en los

huesos, me hundiré en el abismo. —Nada te vale que bales, oveja mía, pues ya sabes que tu balido no te ha valido nunca en absoluto. —Cuando hiela, se valsa bien en esta balsa. —Hase previsto que se ase aprisa el cordero que hemos adquirido casi de balde. —Servil es cosa baja y serbal, un árbol.

26. Vase saboreando con los años lo bueno que es tener base en el trabajo intelectual. —Alabando la magnificencia del Supremo Hacedor, bate sus poéticas alas el inspirado vate. —Vaya usted por la baya de la planta que está en la maceta, al lado de la valla de madera de haya. —Al acto de la vendición en pública subasta, precedió la bendición del obispo. —Tu pulla me zahiere injustamente. —El vaquero hirió gravemente al novillo de un puyazo.

27. A Benita se le ve una venita en el brazo izquierdo, algo hinchada. —Jugando al billar en la villa, hice una magnífica billa. —El violinista no lleva bien el compás binario, porque es un empedernido vinario. —La gitana le echó la buenaventura y le dijo lo que había hecho. —En esta vasta extensión vive gente muy basta. —Ello no será óbice para que el obeso Cristóbal, húsar de Pavía, use o rehúse tus utensilios. —Cuando hubo buen tiempo, iban Eva e Ivón, Abel y Avelina a coger uvas al lago Ibón.

28. En esta cavidad no hay cabida para todos. —Cavila el prisionero que está en la cabila que no volverá a ver a su inolvidable novia. —Al cabo de poco tiempo, el cabo se cansó de cavar; está visto que yo cavo más de prisa que él. —Estaba en el apogeo de su majestad. —El pastor, apoyado en su cayado, permaneció callado. —Yo contesto en armonía con el contexto del discurso. —A pesar de que estoy deshecho, desecho los auxilios de la cirugía.

29. Echa fuera lo que queda, que ya está hecha la labor. —El gayo escritor fue sacado de su éxtasis por el canto de un gallo. —Cuando Enrique va de jira y bebe buen vino, baila bien y gira sobre sus talones con mucha agilidad. —La grava del camino se graba en las plantas de los pies. —Aunque grave los intereses de la colectividad, cuya situación es grave, es indispensable que grabe la inscripción. —Por guardar el hostiario del templo, recibió un subsidio el ostiario.

30. En Haro (Logroño), también juegan los chicos al aro, y tan bien como en otra provincia. —Que ice el conserje la bandera, que yo ya hice bastante con enviarle aviso. —Yendo muy ligero, hiendo bruscamente el aire que hallo al paso. —Si, al vadear un río, se holla un hovo de los innumerables que en aquél se forman, no hay medio humano de evadirse de hundirse en el abismo. —Me desojo mirando cómo se deshojan los árboles del jardín.

31. Di a la sirvienta que hierva la hierba (o yerba) de que nos han provisto en la era. —Yerro a menudo al escribir hierro (metal) y yerro (equivocación). —Haced en seguida un hoyo, que la olla para la paella ya se halla preparada. —Con el asfixiante calor del estío, siento tanto hastío, que me aburro soberanamente. —No olvidéis que barita es óxido de bario, y varita, diminutivo de vara. —Excava y encontrarás la escaba del lino.

32. La hermosa hebrea Sara caminaba por el desierto de Sahara, vencida por la sed, en busca de albergue. —El sexo débil puede tener tanto seso como el sexo fuerte. —Testo, dijo el moribundo al hacer el testamento, que, en efecto, se lleve a la práctica lo que exige el texto de mis aseveraciones testamentarias. —En tanto que yo orno los visillos del balcón y hojeo estas páginas selectas, haz el favor de echar una ojeada al horno donde cocemos los bollos.

33. Más fácil es rayar cuadernillos de papel de barba que rallar pan para confeccionar sabrosas croquetas. —Parece que eventualmente silba el viento en la selva con airada furia. —Respecto a estas gestiones, te prevengo que debes expresarte con el consabido respeto. —Harás muy mal en burlarte de los que sucumben en aras de la libertad. —Estoy harto de decirte que no debes hurtar el arto o cambronera, sino untar bien con pintura la valla de la finca. —Hacia el mediodía, hacía un viento huracanado.

34. La obsesión del enajenado era revolver en los baúles, a fin de hallar su revólver. —El sebero del barrio es un hombre en extremo severo. —Apoyado en el borde del bao del buque contemplaba el vaho que emergía de las fábricas establecidas cerca de la ribera del mar. —En cuanto vote, nos trasladeremos en un bote a la otra orilla. —Brincando el po-

llo, obsesionado por su anhelo de volar, logró subirse al poyo que hay en el umbral de la puerta.

35. Me gusta disparar en la playa a las gavinas o gaviotas, y no me falla ni un tiro. —Cuando deba, volverá mi hermano a incorporarse a la harca de Marruecos a que pertenece, donde invierte tantos ratos en trashojar novelas. —Sin cesar, alaban los pobres a los legos del convento que halaban en otro tiempo, desde el fondo de la cueva, un gran caldero con el rancho que repartían junto al altar, capaz de hartar al más hambriento.

36. Gabina andaba trasojada y malhumorada porque había sacado del arca su vestido nuevo de faya y, al dejarlo a la orilla del río Deva, cuando se bañaba, se lo llevó la corriente. —Hurdes es una región de España, cuya ortografía no hay que confundir con la de urdes del verbo urdir. —¡Ah!, ya veo que no ha podido salir a la calle. —Hateaba mis bártulos mientras oteaba el horizonte. —Cuando Honorina salla, se engancha la saya en las zarzas. —Llevaré en la espuerta las piedras del volquete para tapar ese boquete. —¡Huy!, ¡hurra! y ¡oh! son interjecciones.

37. Gran holgorio iba armando la caravana, a la que transportaba la carabela para visitar al cohen o hechicero, cuando divisaron una baliza indicadora de peligroso bajío, y arrimando a su veril, orzaron la embarcación. —Ando reacio porque me causa desazón el deshacer con la gubia la jaula o gavia en que encerraron a Elena cuando estuvo en el manicomio del médico heleno, a causa del diabólico golpe que se dio jugando al diábolo. —Esos viles tienen la bilis revuelta.

38. Se dice que avoca un superior, cuando atrae a sí un asunto encomendado a su inferior. —El que juega con armas está abocado a un accidente desgraciado. —Llama se llama un animal, cuya leche, carne y cuero es aprovechable, y llama se dice también de la que arroja el fuego. —Yema es la porción central del huevo del ave. —Llena de hormigas estaba la ortiga que guardaba Esteban, el estevado, en la vasija junto a la valija. —¡Eh!, que he dicho que vengan padre e hijo.

39. La jorobada se rehízo al entrar en reacción, después de arar la jovada. —Conviene que desales el pescado aunque

exhale desagradablemente. —No hay ilación en ese cuento de hadas del edén, cuyo argumento es vacuo. —La uva hebén la comí después de haber hilado. —La bestia hozaba en el bosque. —Me apoyaba en un báculo para no resbalar en las ondulaciones del terreno. —Ahíto el caballo hito, miraba, de hito en hito, la hita o mojón donde su amo ita o aeta le había atado, mientras se dirigía a almorzar en su casa hita.

40. Se aguó o aojó nuestro propósito al saber que tu convecino fue arrojado al calabozo, vilmente aherrojado, por el solo hecho de permitir al ganado que ahojase o paciese las hojas caídas en las heredades del feudal, y tan pronto como fue excarcelado, cogió su escarcela o mochila y su perro, y salió de caza. —Tú eres canjilón, o sea, de Canjáyar, e Indalecio, de La Poveda (Madrid), y, tanto allá como acá, los payos tienen su haca o jaca y cuentan con frondosas pobedas y tierras de labranza, donde con cabal ahínco cavan su terruño. —Ni ovetenses ni ubetenses cazaron el gerifalte.

41. Agito dentro de este cangilón o vaso de barro las pequeñas cabezas de ajitos que machacamos. —¡Ven!, heme aquí dispuesto a arrancarte una oreja si no consigo que aprendas a escribir en menos de una horeja la eme mayúscula. —El árbol que produce ese aceite que no se enrancia, usado por los relojeros, se llama ben. —Husada es una porción de lino; parahúso, un instrumento para taladrar; y paraíso, un lugar del que todos anhelamos disfrutar. —Desde el alero de mi tejado, vi caer en el helero o masa de nieve, junto a un pozo de escoria, a tu pequeñuelo, que se excorió la piel de ambas manos. —¡Ea! vamos a ver al gran bisonte y al pequeño visón. —¡Qué insípida o sandia está la sandía!

42. No oses jugar con las hoces recién afiladas, por si las mellas. —Tuve un ribaldo rival que con su diluvio de frases, causó no pocos disturbios por la posesión del ribazo. —Como el dios Urano, se llamaba el de los cólicos hepáticos, que le tornaron más apático y huraño. —Mi amigo Moya gusta de la carne de molla. —Desde un hueco del ábside de la iglesia estudiaba el ápside de un astro. —La plebeya demagogia del orador provocó actos de violencia en los estrujados espectadores. —Detesto las novelas, y me agradan los libros de texto. —En la barandilla del balcón está la vara.

16. EJERCICIOS VARIOS

1. Hizo Nabucodonosor que se construyesen, para honesta holganza de su cónyuge, los fastuosos jardines de Babilonia. Eran unas hiperbólicas terrazas, eslabonadas por atrevidos arcos de alabastro. Hortensias, azahares y claveles de exuberante vegetación rivalizaban, exhalando aromas exquisitos, a la vez que ornaban aquella herbácea umbría donde la Reina evocaba y añoraba los espléndidos vergeles helénicos. De una a otra terraza se subía por sáxeas escaleras con soberbias balaustradas de níveas incrustaciones nacarinas. La última formaba un estrado a guisa de gigantesco y abarquillado búcaro o maravilloso pebetero. Los vates más escogidos esculpieron en sus versos la ostentosa estructura de este edén de alucinador espectáculo.

2. Desde los baluartes de la Alhambra, anuncian tres convenidos cañonazos el acto solemne en que es arriada la izada bandera islamita. Boabdil se acerca, con desusado boato, acompañado de sus huestes, al Cardenal Mendoza, y entrega Granada. La egregia Isabel devuelve al Rey moro el hijo que aprehendió en rehenes. Boabdil se dirige a don Fernando, apéase de su cabalgadura, y en prueba de fehaciente vasallaje, no rehúsa besar su mano. En seguida, ondea la heráldica insignia cristiana, y refulge con atuendo el celebérrimo báculo arzobispal. El ejército ibero admira, ávido y embelesado, la inolvidable escena, que grababa en su alma, al liberar a los cautivos de los mohosos hierros que los asían.

3. Se vislumbró un majestuoso relámpago, cuya proyección hendió el plúmbeo cielo como una arista enrojecida y zigzagueante. El rayo agujereó la agreste montaña, que se estremeció en un zumbido espectral, enervante y estentóreo, de explosión volcánica, y los rimbombantes ecos rebotaron en una extensa área, por valles, barrancos y abismos, cual si el orbe fuera a derrumbarse por inestabilidad. Los gélidos aquilones silbaron, removiendo espeluznantes tolvaneras, que astillaron las helicoidales aspas de los molinos. Las nubes, vertiginosamente, se recogieron. Los pájaros, esquivando el turbión, se ovillaron acobardados, cobijados en las oquedades abruptas, y la tempestad, en su apogeo turbulen-

to, adquirió ambiente apocalíptico, hasta que el aluvión, en tromba, cayó sobre caminos y atajos, inundándolos. Anegó y devastó ubérrimos vergeles y sepultó en la aldea las débiles covachas de adobes. El mar, embravecido, balanceaba una endeble corbeta de velas henchidas por el batiente torbellino, la cual fue a encallar en brusco envite o embestida en un escollo, que horadó el estrave o parte curvilínea de la quilla.

4. Paréceme que ibas entusiasmado cuando nos adentramos en la cueva del Drach. Nuestros ojos avizorantes advirtieron desde el umbral de la oquedad como una abandonada cripta. Surgen, como fenómenos de espejismo, columnas de encaje, exquisiteces de arquitectura, que ni la inefable sugerencia de magistrales artistas mahometanos ni la perseverancia de monjes benedictinos supieron plagiar. Las protuberantes estalactitas y estalagmitas hacinaban bustos contrahechos, visiones de brujería, figuras en esguinces convulsivos, de desviados omóplatos y prominentes clavículas, brazos atléticos de nervudos bíceps, híspidos dedos engarabitados, amenazadoras fauces, simulados bastidores, fingidas bambalinas, arcadas ojivales, ábsides, catacumbas, herbosos boscajes, ornamentación egipcia y un fantástico lago en el que rielaban y reverberaban los hacecillos áureos de nuestras luces de carburo, de bengalas y de magnesio, semejando la vivienda de acicalado nabab u onírico palacio de hadas.

5. Excepcional ejemplo el que nos dio a sabiendas, el cejijunto y nérveo Balboa. Sin importarle un ardite las contingencias y probables vicisitudes que sobrevinieran en su aventura, impávido, con acendrada convicción, ante el unánime asenso y beneplácito, no vaciló ni se abstuvo de realizar su audaz itinerario a través del hórrido istmo panameño. Soportó virilmente, sin quejidos ni gimoteos jeremíacos y mujeriles, vigilias, privaciones, calor rayano en afixia, huracanes y angustiosas bascas por el vaivén de las endebles embarcaciones, escasamente avitualladas, hasta que, alborozado, consiguió el hallazgo del Pacífico. Allí enarboló la bandera hispana y se construyeron en las playas, bajo su experta dirección, los primeros buques que se botaron en América.

6. Fue en la Plaza Mayor de Madrid erigido el vil patíbulo, y, en él, ejecutado D. Rodrigo Calderón. Inculpaciones

harto graves pesaban sobre la honorabilidad de este personaje, que fue exonerado, aprehendido y aherrojado en un calabozo antes del óbito de Felipe III. El ambicioso y veleidoso Conde Duque de Olivares, avezado a la volubilidad, aprobó sin eufemismos, la providencia de incoar y acelerar el fehaciente proceso, sin orillar las agravantes, hasta obtener la desaparición de su coetáneo, el aborrecido marqués de Siete Iglesias, el cual sucumbió víctima del verdugo que le arrebató la vida, ante el contribulado vulgo o plebe.

7.   Habíase Isabel de Inglaterra adherido al Protestantismo, y auxilió a los rebeldes de los Países Bajos. Felipe II, que era ferviente católico, de honda convicción y raigambre, adoptó severas providencias. Avió una escuadra, llamada *Invencible,* que desde las bocas del Tajo viró con ligereza hacia Holanda. Tras graves reveses, se alejó; mas una horrible borrasca desbarató la armada, cuyos vacilantes bajeles, abatidos a proa, a babor y a estribor, se deshicieron en trágico balanceo, echados contra las nebulosas costas escocesas. Volvieron a España, con enojosa desazón, la mitad de los barcos. Esta desventurada expedición cooperó, con su hecatombe, al hundimiento del preeminente poderío naval hispano.

8.   Con la batalla de Covadonga, en la que se pelearon árabes y cristianos, comienza la Reconquista. Duenos, los ensoberbecidos mahometanos, de casi toda España, en balde cavilaban, con perversidad, imponer su dogma a sus agraviados rivales, los cristianos, y, para beneficiarse, todavía los avasallaban a su albedrío con onerosos tributos, gabelas y gravámenes, hasta que se sublevaron al mando del valeroso Pelayo, a quien votaron como soberano, la nobleza y los obispos refugiados en las montañas de Asturias, y con gran movilidad y arrollador envite, aína les infligieron grave castigo, aniquilándolos horriblemente.

9.   En la plaza del mercado viejo de Ruán murió Juana de Arco, la heroína francesa. El ominoso escabel fue cubierto de arcilla, para más hostigar a la víctima. Primero, las volutas de humo la semiasfixiaron; luego, las llamas, en trágicas ondulaciones, prendieron en sus vestidos de batista. La carne sonrosada adquirió aspecto ocre. Crujieron las vigas y

amagaron derribarse. La santa, sin un mohín de abatimiento, con sangre coagulada, casi exánime, contuvo los ayes o lamentos. Sus jueces, abismados y torvos, cavilosos y reservones, se alejaron lívidos. Cuando el ventarrón aventó las ignívomas cenizas, Juana expiró con el nombre del Omnipotente en sus labios, que exoraban perdón y salvación.

10. Bajo sus auspicios, hubieron los Reyes de coadyuvar a la unidad del culto, una vez conseguida la rendición de Granada. No se incubaron malévolas reyertas entre bizarros vencedores y rebeldes sucumbidos, a pesar de hallarse distanciados en hábitos y creencias. Se verificaban asiduas conversiones de estos hervorosos habitantes, merced a las loables exhortaciones del benemérito arzobispo Talavera; pero los vivaces anhelos de Cisneros, por acelerarlas, provocaron, en breve intervalo, vehementes alborotos y revueltas, que originaron exorbitantes convulsiones y levantamientos. Los Soberanos no estuvieron reacios en absolver a los beligerantes sublevados, quienes, en la disyuntiva de convertirse o ausentarse, convinieron lo primero, desechando andar como trashumantes, y así se mantuvo una sola religión.

11. Fue mi hermano nombrado, por la primavera, embajador del Egipto, y allá se marchó en seguida. Probablemente absorberán su atención las vetustas pirámides. Estos monumentos, admirados con avidez por caravanas de exóticos viajeros, se elevan extraviados en un ondulante e inhospitalario océano de hirviente arena, próximos al Nilo. La erosión perseverante de los tiempos hiende y roe estas montañas hasta irlas pulverizando. Dichos parajes se hallan inhabitados y exhaustos de vegetación. Como únicos ejemplares de su fauna, observa el viandante cómo rebullen vertebrados ovíparos, que encorvados y lasos, resbalan buscando en la umbría orificios u oquedades, bajo cuyas bóvedas desaparecen galbanosos.

12. Admiro esos ingentes acervos de trigo que desde las eras han de transportarse al hórreo del hortelano abulense. Voy a la antigua usanza, con mi basto tabardo, en ágil berlina, tirada por un caballo roano y una yegua cuatralba. Ambulo entre olivos e higueras que exhiben jugosas brevas. Veo ordeñar una vaca bierva bajo rústica tejavana, donde una ga-

llina, desasosegada por la fiebre, se halla encobando. Más allá surgen aldeanos que, sin haronía, laboran la opima tierra con herramientas varias. Unos hincan el arado y otros manejan la azada. Hay quien afanosamente echa granos en la tolva. Volvemos al poblado, porque nos ahuyentan lejanos aullidos de hambrientos lobeznos.

13. Un horrísono estampido anuncia la borrasca, y los mozos que holgaban en el ejido huyen despavoridos a cobijarse o asubiarse en una cueva. Los añosos olmos, acebos, enebros y todo el erguido arbolado dan la bienvenida a la lluvia bienhechora que inunda la besana y los terrenos aledaños, que son áridos eriales. Al torrente arrollador, sírvele de valladar, para sujetar su vehemencia, el follaje y la oxiacanta, a veces derribados por el vendaval. Agua provechosa, que hace huir a la caterva de parvulillos que irrumpen en la calle, y que quizá obture las acequias y cause averías, pero que atiborra los sitibundos aljibes hasta que rebosan.

14. Dase por cierto este hecho que acaeció antaño. Un astroso y harapiento vagabundo halló una bolsa con noventa onzas. Entrególa al juez, que le alabó y estúvole agradecido. Anhelaba un óbolo o dádiva, retribución a su proba acción. Los heraldos divulgaron el extravío. Exhibióse un belitre judío exigiéndola, y el juez inquirió: «¿Cuántas onzas había dentro?» El avaro y desalmado truhán, sin sonrojo en sus mejillas, exclamó, desahogada y habilidosamente, con desabrido vozarrón: «Cien onzas, señor». El juez aprovechó la estratagema, y falló: «¡Ah!, no es tuya; observo que reclamas una de cien onzas y la hallada tiene noventa». Ante la hilaridad general entregósela al raído andrajoso, y dejó estático y boquiabierto al taimado hebreo.

15. Un bohemio que fue perseguido por sus ideas xenófobas, se refugió convulso y soliviantado en una zahúrda o cubil maloliente. Era un verdadero nido de larvas, antro o tabuco antihigiénico, que servía de vivienda o albergue a un ateo, hampón evadido de presidio, tahúr cuando liberto, malabarista prodigioso de la baraja y de otros juegos de azar, que aprovechó aquel recoveco para burlar a los que le espiaban, chabacanamente vestido de velarte, harapos de trajinante y gafas para la oftalmía. Ambos libaron ajenjo y fuma-

ron vegueros, celebrando su encuentro, hasta que a través de las vastas praderas extremeñas pudieron, en un amanecer cobalto y añil, ganar indemnes la frontera extranjera.

16.   Vespasiano fue felicitado por su acierto cuando se decidió a la construcción del coliseo de Roma. Todavía cubre éste una extensión de dos hectáreas. Cabían en sus espaciosas gradas ochenta mil espectadores. En tan trágico recinto, la plebe y la aristocracia romanas contemplaban impávidas, irreflexivas e inconscientes las gímnicas luchas de los gladiadores y el irritante martirio de los estoicos cristianos que la horda forajida y salvaje entregaba en su vesánica vorágine a la exacerbada y tremebunda voracidad de las fieras, las cuales, avanzando con coraje, se abalanzaban sobre sus desvaídas y desvalidas víctimas, que grabaron, para loor del Cristianismo, páginas excelsas.

17.   Asevérase que producía éxtasis la vetusta efigie del Coloso de Rodas. Fue ejecutada en bronce, y se erigía, a horcajadas, dando acceso al puerto de la espléndida bahía de Rodas. Apoyaba, ufano, uno de sus mayestáticos pies en la isla. Los barcos cruzaban bajo ella con su botavante o asta herrada para el abordaje, y los alucinados navegantes de todos los ámbitos elevaban, hipnotizados, sus ojos hacia la estatua, que, hierática, se erguía sobre las carabelas, esquifes o bajeles, en marcha avante, con las velas extendidas al ábrego, hinchadas e infladas como soberbio airón al suave empuje de las auras mediterráneas. Un alarmante movimiento sísmico la derrumbó con desusado estrépito.

18.   Acabado el ajetreo del Congreso, el 27 de diciembre de 1870, subió Prim a su carruaje con dos ayudantes. El vehículo enfiló la angosta calle del Turco, alumbrada habitualmente con luces vacilantes. Caía la nieve en albos vellones. Ojos vigilantes escrutaban avizores, a hurtadillas, desde umbrales tenebrosos. En la desembocadura a la calle de Alcalá, estratégicamente, se atravesó, estorbando el paso, un coche, que acechaba con ahínco, y al inquirir el General, encorvado hacia la ventanilla, los motivos de la detención, retumbaron airados trabucazos con los que varios malhechores fugitivos le acribillaron. Los ariscos caballos rebasaron las aceras, resbalando su herraje, y huyeron despavoridos y

desbocados ante el espantoso barullo o algarabía. El General expiró cuatro días después.

19. Dos jóvenes desenvueltos: Entendimiento y Voluntad, contrajeron nupcias, y de este connubio surgió un esbelto y laborioso varón, que se llamó Trabajo. No en balde eligió el mancebo a una espléndida y bien ataviada mujer, llamaba Economía, que vivía en una aldehuela próxima con sus austeros padres: Orden y Previsión. Sin más preámbulos, resolvieron casarse, y tuvieron un vástago nombrado Ahorro. Creció el neófito, y no titubeó en enlazarse con Constancia, bella hembra de ojos glaucos y bermejos labios, hija legítima del Honor y de la Firmeza, y esclarecida nieta del Carácter y de la Rectitud, y de este maridaje vino un espabilado y gigantesco infante, denominado Capital.

20. Jovialmente, se comenta la original estratagema de que valióse Aníbal para una conquista naval. La víspera del combate, se advierte un extraño tejemaneje. Los hacendosos soldados llevan a bordo vasos de barro, herméticamente cerrados. Ríese el zahareño enemigo al observar que, como innocuos proyectiles, les abalanzan los cartagineses escogidos envases, que se deshacen al estrellarse contra crujía. Súbitamente, un marino lanza terrible alarido, aterrador baladro, y cae herido, y desahuciado, por virulenta picadura de reptil. Echan una ojeada alrededor los combatientes, y su espanto es horrible al ver la nave invadida de venenosas víboras, surgidas del inesperado embalaje. Cunde el desorden o behetría, y la irónica astucia de Aníbal ha vencido, merced a tan hábil ardid o maniobra.

21. Viriato, rey de los bizarros lusitanos, fue, por traición, asesinado cuando dormía tranquilo. Asiduamente, con empuje vertiginoso de veloz saeta, batió y venció sin bravatas a los agobiados romanos, como deliberada coerción a las abusivas y abominables sevicias, siempre en auge, que con aviesa acerbidad cometieron en España. Hastiados y enrojecidos de rabiosa ira los cohibidos romanos, no se coartaron en halagar y cohechar embaidoramente, sin ambages, a unos desaprensivos, soeces e inhumanos oficiales, que, sobornados, llegaron al trágico regicidio.

22. Fue villano, abominable e inaudito que se procesara a Juana de Arco. Sin pruebas, se la acusó de utilizar artes de magia y brujería, de visionaria, hechicera, herética y zahorí, cual si fuese la cancerbera de un aquelarre. Con la alevosa promesa de su liberación, recabaron que abjurase, y una noche se conchabaron para hurtarle sus vestidos de mujer, substituyéndolos por un traje de varón, y en tal tesitura, este hecho tergiversado, bastó para condenarla ignominiosamente a la hoguera con el coaccionado voto de indoctos, veleidosos, desabridos y osados jueces. Fue legítimamente santificada, previa aprobación del expediente incoado, y por eso consta en el breviario santoral.

23. Hase hecho proverbial el nombre del bárbaro Atila, rey de los hunos, al que llamaron el desaforado «azote de Dios». Se vanagloriaba de que no volviese a surgir la hierba por donde hollara su caballo. Era varón robusto, de exagerada cabeza, ojos vivarachos, barba hirsuta, rahez mezcla de grandes vicios y virtudes, de aviesa y vandálica intención para los hostiles, y de acendrada benevolencia para los adeptos. Asoló urbes y desechó eximios amigos. De sus combates salió siempre incólume y sin menoscabo. Expiró a orillas del Danubio.

24. Se admira al celebérrimo Fidias, genial escultor de la gigantesca estatua de Júpiter, que se tiene por una señalada maravilla. Se ejecutó antes de la Era cristiana, como homenaje a esta deidad, que aparecía sentada en un soberbio y exornado trono alhajado con orlas de brillantes y rubíes. En la diestra, ostentaba orgullosamente una figura representativa de la Victoria, y en la siniestra, un valioso báculo con encajes de esmeraldas, habilidosa concepción de relevante orfebre. El manto caía, desde los hombros, a guisa de ingrávida lluvia áurea, por sus atléticas espaldas. Los ignaros creyentes, hincados de hinojos, rendíanle hebdomadariamente, sin hipocresía, idolátrica veneración.

25. Parece que llegó una mala racha de tribulaciones cuando se apoderaron de España los ilusos gabachos. Hasta en los suburbios más alejados de las inmensas urbes, vibró el heroísmo contra la extranjía. Cavilantes y cabizbajos, todos los indígenas aguardaban, sin tibiezas, la hora del bárbaro

combate, desde el imberbe rabadán, en su cabaña o covacha del valle, hasta el barón de esclarecido abolengo; desde el humilde hortelano hasta el hosco sabihondo hundido en su laboratorio, ansiosos de ser para la patrulla de rivales como lava hirviente y arrolladora. El aunado esfuerzo fue empuje unánime y avasallante que logró vencer al invasor.

26. Hay una substancia explosiva que es del hombre perfectamente conocida. Se compone de azufre, carbón vegetal y salitre: es la pólvora, que inventó un monje, en 1330. Son horrorosos los estragos y aflicciones que ha causado a la Humanidad este descubrimiento: el silbido de las extraviadas balas o proyectiles, que se incrustan con estrépito en las hendiduras de los baluartes; la alarma y el estruendo que turban la paz del campo en la batalla y erizan los cabellos de las huestes combatientes, sembrando con salvaje insania la orfandad, la caótica desolación, el exterminio, la occisión y el hambre. A menudo, se utiliza en pirotecnia, como cuando se fabrican cohetes.

27. Se asegura, por ecuánimes historiadores, que Almanzor se esforzó en extinguir a los cristianos. Se aprovechó de sus hondas desavenencias, iniciando combinadas y estratégicas expediciones, henchidas de actividad, con éxito tan obvio y lisonjero para los ardidos mahometanos, que, además de expandir sus ágiles hazañas, redujeron nuestra patria al horrible estado de reconquista. El experto héroe agareno exhaló sus últimos estertores, sucumbiendo, si no por el buido hierro de los imbeles fugitivos, sí por el designio del Hacedor, en un acceso de hipocondría, originada por la enojosa decepción que sobre él gravitaba, por el malhadado y deshonrible descalabro de Calatañazor, donde la extraordinaria acometividad de engreídas huestes le exterminó.

28. Desalojóse la sala del hospital, e hicieron la autopsia a aquel impúber chaval, que padecía de hiperclorhidria. Había muerto asfixiado. Desalado, acudió su desolado bisabuelo, enjuto y revejido vejete, que sufrió un vahído. Un abigarrado gentío se hacinaba, sosteniendo inverosímil diatriba sobre lo acaecido al mozalbete. En aquella retahíla de opiniones sin ilación, unos lo atribuían al azar, en tanto que otros rebatían esto, opinando que era un suicidio por haber

malversado parte de los ahorros que le encomendara el enriquecido jefe de una joyería. No se pudo averiguar, a pesar de avispadas y hondas investigaciones, el móvil de hecho tan triste.

29. El faraute, portador de un salvoconducto, era el proel de la embarcación. El sibilante viento la embestía y balanceaba furiosamente, y su quilla hendía ovas, algas, aneas y espadañas, y hasta rompía los aljerifes. Inane resultaba el esfuerzo rítmico de los remeros que proejaban con ardimiento. El mensaje lo llevaba sujeto de las agujetas de su jubón de dorados herretes, y había de llegar a manos del gravedoso abate bonzo, el cual tan pronto ceñía el heráldico yelmo como la hierática cogulla, y expectante aguardaba junto al barroco hornabeque. La orden apelaba a su civismo, aludiendo a la inmediata marcha para contravalar en el campo combatiente. ¡Hosanna!, gritó el abate, con la sonrisa en los labios.

30. Con afilado dalle en el arzón, bazoneaba vigilante el desaforado bandido, desde el alba hasta el véspero, por las veredas y arcillosos atajos, a la búsqueda de algún trajinante a quien desvalijar. Habituado a épicos encuentros hípicos, sentía la añoranza de sus belitres compañeros ecuestres.

Nadie adivinaría al astuto cleptómano, con mandíbula de exagerado prognatismo y de carácter voltario, cuando en los ratos de ocio se reunía con su vilorda taifa en los mullidos divanes de vaqueta del hotel, para hacer ostentación de su euforia y jactarse de sus baladronadas, mientras, indolente, espiraba el humo de su veguero, cuyas volutas impregnaban la atmósfera de voluptuosidad.

31. Al orto del astro Febo, ocultos en los cañaverales divisamos el undívago paisaje, por el que avanzaba toda una hilera de falanges cabileñas provistas de alabardas, a cuyo frente marchaba airoso el arráez de la harca. Dificultosamente, apoyábamos los pies sobre bituminoso esquisto, que los hacía resbalar con peligro de caer en honda alberca, junto al quejigal. Nuestros holgados calzones, a guisa de zaragüelles, se engancharon en el arrayán. Al desasirnos, nos escabullimos entre la paja de un almiar, cabe el cual un tuitivo cancerbero dormitaba. Esperábamos el momento propicio de

continuar la marcha entre las salvajes selvas de abetos y abedules.

32. El barómetro sirve para determinar la presión atmosférica; el termómetro, para medir la temperatura; el pluviómetro, para saber la cantidad de agua que cae de las nubes. —La glosopeda es un padecimiento del ganado ovino, vacuno o bovino y cabrío que consiste en el desarrollo de vesículas en la boca y entre los pesuños. —La fiebre aftosa ataca a los rebaños o hatos, produciéndoles erupciones o flictenas hasta en las ubres. —Tiene significación extraordinaria el tratamiento de las vides para la extinción del huevo o larva de insecto que se está a tiempo de realizar cuando el declive de la hoja, antes de que las yemas comiencen a hincharse. —La desinfección es labor que incumbe al granjero u horticultor si aparecen vestigios de gérmenes patógenos.

33. La función de excava la practica el minero y el agricultor. —La tarea pedagógica es preferible realizarla al aire libre. —La educación física lleva consigo la gimnasia educativa y la ejecución de los deportes para que el organismo se halle en condiciones de las faenas propias de cada profesión. —En metalúrgica hay que habituarse al manejo, entre otros materiales y herramientas, del acero, bronce, cinc, aluminio, buril, yunque y calibrador; en carpintería y ebanistería, al del martillo, tenazas, garlopa, escofina, sierra, hacha, azuela, gubia, berbiquí y barrena. —El agua es una combinación de un volumen de oxígeno y dos de hidrógeno; en grandes masas tiene color verdoso, pero en pequeña cantidad es incolora, y, en todo momento inodora e insípida; se solidifica por el frío y se evapora por el calor. —Son elementos de trabajo para estudio de la geometría, la escuadra, el compás y la regla, indispensables al dibujante.

34. La etnografía estudia las razas o pueblos; el folklore, las manifestaciones colectivas en creencias, ritos y hábitos. —El régimen trashumante, practicado hoy en todos los países, consiste en trasladar el ganado de un sitio a otro para aprovechamiento de los pastos invernales o estivales que benefician a las bestias y ahorran los desvelos de su cuido. —La hulla emite olor bituminoso; es de estructuración hojosa y de origen vegetal. —La respiración es la reacción

oxidante de los principios químicos de los tejidos. Estriba en absorber el aire con las substancias que lo integran y expeler o exhalar el anhídrido carbónico. —En virtud de su substancia verde, llamada clorofila, las plantas herbáceas, arbustivas y arbóreas pueden fijar y asimilar el carbono de la atmósfera, pero para ello, les es abolutamente imprescindible la luz solar. —Es maravilloso observar el sentido de orientación inherente a las aves emigrantes como la codorniz, la cigüeña y el ánsar.

35. En la primavera, el salmón busca desde el océano los álveos arenosos de los ríos, para, más tarde, llevar a cabo en ellos el desove. —El liquen es una asociación simbiótica de una alga y de un hongo. —La víbora es un reptil; la oropéndola, un ave cuyo nido cuelga con hebras de esparto en ramas horizontales del arbolado; la libélula, un insecto, y la ballena, un cetáceo. —El auxilio contra la asfixia de los ahogados y de los electrocutados debe hacerse mediante la respiración artificial. —La tuberculosis está producida por un bacilo o bacteria, y la gripe, por un virus. —La rabia se transmite por la saliva de los animales contaminados. —El único mamífero volador existente es el murciélago. —El búho es noctívago, y el halcón, diurno. —Ciertos árboles exóticos llegan a una altura de noventa metros. —Actualmente los aviones-cohete están sustituyendo a los de hélice. —Las varas de avellano son usadas por los boyeros. —En los viveros se cultivan los vegetales con exquisitos cuidados. —La cubierta arbórea protege de la erosión las laderas abruptas e impide que en las avenidas los acarreos de tierras y piedras originen gravísimos daños.

36. Al germinar las semillas vegetales, la raíz se dirige invariablemente hacia el interior de la tierra; en cambio, el tallo busca anhelante los rayos solares. —El cloruro sódico o sal común se obtiene por evaporación, en las salinas, del agua del mar en donde se halla disuelto. También se extrae, cristalizado, de yacimientos en el seno de la tierra. —Según la leyenda, el héroe heleno Aquiles, que inmortalizó Homero, era invulnerable debido a una inmersión en la laguna Estigia. Sin embargo, su progenitor, al sumergirle en tan extraordinario baño, dejóle sin humedecer el talón por donde le tenía asido, y por tal causa era ésta la exclusiva parte débil

de su hercúlea anatomía. —El ciervo, por decalcificación ósea de la base de sus astas, pierde anualmente la cuerna, renovándola luego por otra que, en principio, queda recubierta por suave piel que al fin se desprende en jirones.

37. El cultivo del espárrago blanco exige que los tallos herbáceos comestibles se desarrollen cubiertos por la tierra, pues en el momento en que asoman a la luz toman color verde. —El día 29 de mayo de 1953 la enhiesta y hasta entonces inaccesible cumbre nívea del Everest fue alcanzada por la expedición del coronel Hunt, siendo hollado por pie humano el vértice de más altitud del mundo, de casi ocho mil novecientos metros sobre el nivel del mar. —La exquisita angula es la cría de la babosa y escurridiza anguila, que, procedente de los lugares oceánicos donde nace, arriba a nuestras costas buscando aguas dulces.

38. Siendo la velocidad de la luz de trescientos mil kilómetros en cada segundo, la pavorosa inmensidad de los espacios intersiderales es motivo de que el fulgor de innumerables astros tarde en llegar a herir nuestros ojos años enteros. —Dícese planta vecera aquella que unos años da abundante fruto y escaso o nulo otros, como sucede con el haya. —La higiene o limpieza de los establos es la mejor profilaxis contra las enfermedades del ganado. —Los residuos de materia orgánica, animal y vegetal, descomponiéndose en el suelo, constituyen el humus o mantillo, abono natural de gran eficacia.

39. Equinoccio es la época en que la noche tiene la misma duración que el día y excepto en el Ecuador, donde esto sucede siempre, en nuestras latitudes existen dos fechas en el año, del 20 al 21 de marzo y del 22 al 23 de septiembre, en las que se da tal circunstancia. —Llámase bellota al fruto de ciertos árboles de la familia de las cupulíferas: roble, encina, alcornoque, quejigo y coscoja, y es usado a menudo para cebar al ganado de cerda. —La estrella Polar, de la constelación de la Osa Menor, señala sensiblemente el Norte a los habitantes del hemisferio boreal. —La cicuta es una hierba de las umbelíferas, de tallo rojizo, estriado, hueco, muy semejante al perejil; de hojas fétidas y verdinegras; de flores blancas y semilla negruzca. Su zumo es venenoso.

También se utiliza como medicina muy activa. —El verigüeto es un molusco bivalvo comestible. —Mildiu o mildeu se llama la enfermedad parasitaria de la vid.

40. Entre los éxitos indubitables del Estado español y del Gobierno que lo dirige, descuella la venturosa iniciativa de la erección de los Institutos Laborales en los núcleos de extenso vecindario, para aproximar hasta las aldehuelas más desviadas estos centros destinados a seleccionar los valores positivos de inteligencia privilegiada, que, ayunos de medios para cultivar sus visibles y ya reveladas aptitudes, se ven privados de asistir donde se ejerce el Magisterio.

Estas juventudes, que han hambre de saber, ambicionan obtener un honroso título de técnico o exhibir una ejecutoria de obrero especializado, y he aquí que surge el Estado y echa o tiende su mano con viva y esforzada voluntad para resolver tan humano problema: antiguo y vehemente anhelo que se juzgaba antaño casi prohibitivo o irrealizable y que ahora ha plasmado en efectiva y espléndida realidad, merced a la cual se brinda un halagüeño porvenir a un amplio sector de la adolescencia, porque estos Institutos podrán albergar en sus aulas a gran número de estudiantes.

Se acaba, pues, con el régimen de los aborrecibles privilegios de ayer. Se abren las puertas de los Institutos y de las Universidades lo mismo a humildes que a acaudalados. Es la obra o quehacer de un honorable Gobierno que ansía la cristiana igualdad, convivencia y benévola colaboración con el prójimo y condena el egoísmo, la avaricia, la soberbia y la lucha de clases.

De estos bienhechores Institutos, debidos a un revolucionario avance social, saldrán los hábiles y espabilados hombres que el día de mañana dirigirán, con los atributos de su dignidad jerárquica, las exuberantes producciones en perpetuo auge; los escogidos y avispados técnicos que, con perseverante ahínco, servirán, en decisivo empuje, las vigorosas industrias; y también los dignos obreros, distinguidos por sus trabajos en las diversas especialidades agrícola, minera, industrial, ganadera o marítima, y todo ello como atributo al desvelo que España se impuso de llevar la instrucción a los últimos parajes de la nación.

La inquietud social del ambiente nacional de hoy quedará

grabada en las venideras generaciones como ejemplaridad excepcional de un pueblo que siente legítimo orgullo de su linaje y de su historia.

41. Procedente de los abismos submarinos, al vislumbrarse la primavera, aborda los ríos del Norte y Noroeste de la península ibérica el más codiciado habitante temporal de las aguas continentales, rey de nuestra fauna indígena acuícola, el salmón del Atlántico.

Su excepcional instinto atávico le guía inexorablemente a la desembocadura del curso fluvial que le vio nacer y desde el que emigró en su juventud a los fondos abisales del océano.

Viene buscando las aguas cristalinas y dulces, impelido por el impulso biológico de la reproducción.

Los aumentos de caudal en el cauce y las mínimas variaciones climáticas o lunares, a veces imperceptibles para los humanos, espolean su querencia hacia aguas arriba. Nada contra corriente salvando obstáculos y rápidos con la inverosímil fortaleza y agilidad de su plateado cuerpo fusiforme.

Su anhelo genésico es tan fuerte que ni la fatiga ni el prolongado ayuno en las aguas dulces, en las que prácticamente no se alimenta, impiden su subida afanosa hasta muchos kilómetros río arriba, donde ha de hallar el remanso ideal para su función generadora que cerrará el ciclo biológico de su especie selecta.

Depositados los pequeños y sonrosados huevecillos por la hembra en un hueco abierto en la grava con su misma aleta caudal, fertilizados inmediatamente por el macho y cubiertos luego por los progenitores en el pedregal, nada induce a adivinar que ahí, a unos centímetros del lecho del cauce, laten miles de embriones que, en pequeño porcentaje, sobrevivirán de enemigos y condiciones adversas.

El débil latido del germen va haciéndose más ostensible para culminar en la eclosión o ruptura de la tenue membrana que le protegió durante mes y medio o dos meses. Un ser extraño permanece oculto aún entre la grava, casi inmóvil. Una abombada bolsa abdominal, la vesícula vitelina, le suministrará exclusivo alimento, durante quince o veinte días, absorbiéndose al cabo y haciendo preciso que el alevín tenga que salir de su oquedad para buscar el sustento en un hostil medio exterior, donde las vidas deben luchar por su existencia.

Cada día la movilidad y voracidad del pequeño es mayor. Ya salta hasta alcanzar en el aire los insectos que proveen en abundancia a sus necesidades. De pronto, nota algo extraño en su interior que le obliga a dejarse llevar por la corriente, río abajo, suavemente, hasta llegar al océano e internarse en sus profundidades, donde innumerables crustáceos y moluscos habrán de proporcionarle exquisito alimento, que hará alcanzar 5, 6, hasta 15 kilogramos de apretada y excelente carne a aquel cuerpecillo enclenque que nació con una décima de gramo.

Ya adulto, como a sus padres, un tactismo inverso al que le impulsó a bajar al mar le hará sentir su misteriosa llamada hacia el río; se abre el último paréntesis de su vida. Cuando efectúe el desove en las frescas aguas dulces será muy difícil que su cuerpo enflaquecido y exhausto, arrastrado y golpeado por la corriente, pueda volver a alcanzar el mar y, en él, recuperar fuerzas para iniciar otro año una segunda labor progenitora.

17. ORTOGRAFÍA Y PRONUNCIACIÓN DE NOMBRES HISTÓRICOS, GEOGRÁFICOS Y DE CULTURA GENERAL

Hay una serie de músicos, pintores, literatos, artistas, etcétera, cuyos nombres, de dificultosa ortografía, la fama inmortalizó; existen otros de geografía e historia que figuran en lugar preeminente en toda clase de estudios. El no saber escribir unos y otros acusa incultura imperdonable, y deja desairado a quien se precie de mediana ilustración.

¿Qué se podría decir de aquellos que no sepan escribir los nombres inmortales de *Beethoven*, *Wágner*, *Shakespeare*, *Schopenhauer*, *Van Dyck*, *Goethe*, etc., y tantos otros de geografía e historia?

Ha procurado el autor de este libro recopilar los más salientes, que detalla por orden alfabético, y, después, inserta unos ejercicios para que la repetida escritura al dictado permita fijar bien la ortografía de dichos nombres en la memoria del estudiante.

Sí ha de advertirse al profesor que este capítulo lo considere como una ampliación de conocimientos, y que el alumno no pase a estudiarlo mientras no tenga bien dominada la ortografía corriente española.

Según hemos dicho en la página 93, número 6, los *nombres propios extranjeros* no llevarán más acentos que los de su idioma de procedencia; pero podrán acentuarse a la española cuando lo permitan su pronunciación y su grafía originales. Si se trata de nombres geográficos incorporados a nuestra lengua o adaptados a su fonética, deben acentuarse de conformidad con las reglas generales.

Se indica, entre paréntesis, la pronunciación de aquellas voces que la tienen dificultosa, aunque en determinados casos la equivalencia no resulte exacta por ser preciso aprenderlas en enseñanza de viva voz.

A

Abd-el-Aziz, sultán de Marruecos.
Abderrahmán, emir de España.
Abel, hijo de Adán y Eva.
Aben-Humeya, rey morisco.
Abisinia, país de África.
Abrahán, padre de Isaac.
Absalón, hijo de David.
Abukir, lugar histórico de Egipto.
Adis Abeba, capital de Abisinia.
Afganistán, país de Asia.
Aida, ópera famosa.
Ajaccio, capital de Córcega.
Alá, dios de los musulmanes.
Alaska, país de América.
Álava, provincia española.
Albania, país de Europa.
Albany, ciudad norteamericana.
Albión, nombre de Inglaterra.
Albuera, batalla famosa de.
Alcibíades, general ateniense.
Alcoy, ciudad alicantina.

Alençon (alansón), ciudad francesa.
Aleutianas, islas del Pacífico.
Alhambra, palacio árabe de Granada.
Alhucemas, islote africano.
Amberes, ciudad belga.
Amsterdam, ciudad holandesa.
Anahuac, meseta de Méjico.
Ánderson, William, capitán que atravesó las aguas del Ártico bajo los hielos del Polo Norte.
Andraitx (andraish), ciudad balear.
Aníbal, general cartaginés.
Ankara, capital de Turquía.
Annobón, isla africana.
Antivari, ciudad yugoslava.
Anubis, dios egipcio.
Appenzell (apénsel), cantón suizo.
Arabia, país de Asia.
Artajerjes, rey de Persia.
Atlas, cordillera africana.
Austerlitz, ciudad checoslovaca, famosa por su batalla.
Ayacucho, batalla famosa de.

B

Babel, torre famosa.

Bab-el-Mandeb, estrecho entre Asia y África.

Babilonia, antigua ciudad de Asia.

Baco, dios del vino.

Baden-Baden, ciudad alemana.

Bagdad, ciudad del Iraq.

Bahamas, islas de América.

Baikal, lago de Asia.

Balcanes, montañas de Europa.

Balmes, filósofo español.

Báltico, mar de Europa.

Balzac (balsac), escritor francés.

Bangkok, capital de Siam.

Barbarroja, pirata famoso.

Barbieri, compositor español.

Bassano, pintor italiano.

Batavia, ciudad de Java.

Bathurst (bácerts), capital de la Gambia inglesa.

Batuecas, región de España.

Baviera, estado de Alemania.

Bayardo, capitán francés.

Bayreuth (bairoiz), ciudad de Baviera.

Baztán, valle de Navarra.

Beaumarchais (bomarché), escritor francés.

Bécquer, poeta español.

Beethoven (betoven), compositor alemán.

Beirut, capital de Líbano.

Belén, ciudad de Palestina.

Benavente, escritor español.

Beocia, región de la antigua Grecia.

Bering, estrecho y mar de Asia.

Bermudas, islas inglesas en el océano Atlántico.

Bernhardt (bernar), Sara, actriz francesa.

Bethencourt (betencur), descubridor de Canarias.

Betulia, ciudad de la antigua Palestina.

Biarritz (biarritz), ciudad francesa.

Bidasoa, río de Vasconia.

Bienne, ciudad suiza.

Birmania, región de Asia.

Birmingham, ciudad inglesa.

Bisagra, puerta de Toledo.

Bismarck, célebre canciller alemán.

Bizancio, ahora Estambul.

Boabdil, rey moro de Granada.

Bocaccio (bocacho), escritor italiano.

Boffet (bofé), pintor francés.

Bohemia, región de Checoslovaquia.

Bolívar, libertador de América.

Bombay, ciudad de la India.

Bonn, ciudad alemana, donde nació Beethoven.

Borbón, dinastía francesa.

Bossuet (bosié), obispo francés.

Boston, ciudad inglesa y americana.

Boucher (buché), pintor francés.

Brabante, región de Bélgica y Holanda.

Brahma, dios de los indios.

Brisbane (brisbein), ciudad de Australia.

Brunswick, ciudad alemana.

Buda, fundador del budismo.

Bukovina, región de Rumania.

Burdeos, ciudad francesa.

C

Cambodja o Camboya, región de Indochina.

Camoens, poeta portugués.

Canaán, país asiático.

Capetown (keip-tuan), ciudad africana.

Cayo Hueso o Key West (ki-uest), ciudad norteamericana.

Ceilán, isla de Asia.

Cervantes, escritor español.

Cetinje, ciudad yugoslava.

Civita Vecchia (chivita-vequia), ciudad italiana.
Cognac (coñac), ciudad francesa.
Colombia, país de América.
Cook (cuk), islas de Oceanía.
Copenhague, capital de Dinamarca.
Córdoba, ciudad española.
Cromwell (cróm-uel), revolucionario inglés.
Cronstadt, puerto de Rusia.
Cuba, isla americana.
Cupido, dios del amor.
Curaçao (curasao), posesión holandesa.

CH

Chantilly (chantillí), ciudad francesa, célebre por sus encajes.
Charlottemburgo, ciudad alemana.
Chateaubriand (chatobrian), escritor francés.
Chatham, islas de Oceanía.
Checoslovaquia, estado europeo.
Chemnitz, ciudad alemana.
Chopin (chopén), pianista y compositor polaco.
Churchill, ex jefe Gobierno inglés.

D

Dahomey, región de África.
Dakar, ciudad africana.
D'Annunzio (d'anunsio), poeta italiano.
Dante Alighieri (aliguieri), poeta italiano.

Dantón, Jacobo, notable estadista de la revolución francesa.
Danubio, río de Europa.
Darwin (dar-uin), naturalista inglés.
Daudet (dodé), escritor francés.
David, rey de Israel.
De Gaulle, expresidente de la República francesa.
Dellys (delis), ciudad de Argelia.
Demóstenes, el más ilustre de los oradores griegos.
Diana, diosa de la caza.
Dickens, literato inglés.
Dordrecht, región de Holanda.
Dostoyevski[1] (dostoievski), escritor ruso.
Dusseldorf, ciudad de Alemania.

E

Eça de Queiroz (esa de queiros), escritor portugués.
Edimburgo, capital de Escocia.
Édison[2], físico norteamericano.
Egipto, país de África.
Eiffel (efel), torre de París.
Eisenhower (aisenjauer), ex presidente de los EE. UU.
Elba, río de Europa e isla.
Elberfeld, ciudad alemana.
Elizabeth (elísabet), nombre y ciudad de Norteamérica.
Elobey, isla del Golfo de Guinea.
El Salvador, país de América.
Eolo, dios de los vientos.
Eros, dios mitológico del amor.
Estambul, ciudad de Turquía.
Estocolmo, capital de Suecia.
Etna, volcán de Sicilia.

---

1) Como en cada libro que ve la luz pública comprobamos distinta la grafía de este nombre, nos atenemos a emplear las mismas letras que utiliza la Real Academia en una de sus publicaciones.

2) Ver separata del *B. O. de la Academia*, tomo XXXVIII, cuaderno CLV, 1958, página 341, donde justifica la acentuación de *Édison, Mózart, Wágner*, etc.

Everest, en la cordillera del Himalaya, punto más alto de la Tierra.

F

Falstaff, ópera de Verdi.
Felanitx, ciudad balear.
Fernando Poo, isla africana.
Fontainebleau (fontenebló), ciudad francesa.
Francfort, ciudad alemana.
Franklin, inventor del pararrayos.
Frederiksborg, ciudad dinamarquesa.
Freud (froid), médico austríaco.

G

Ganges, río de la India.
Génova, ciudad italiana.
Gijón, ciudad de Asturias.
Ginebra, ciudad de Suiza.
Glasgow (glasgou), ciudad de Escocia.
Goethe (guete), poeta alemán.
Goldsmith (gouldsmiz), literato inglés.
Goliat, personaje bíblico.
Gotemburgo, ciudad de Suecia.
Gotha, ciudad alemana.
Gounod (gunó), compositor francés.
Goya, pintor español.
Granollers, ciudad de Cataluña.
Greenwich (grinisch), ciudad inglesa.
Groenlandia, país de América.
Guadalquivir, río de Andalucía.
Gutenberg, inventor de la imprenta.
Guyana o *Guayana,* región de América.

H

Hadramaut, región de Arabia.
Hamburgo, ciudad alemana.
Hámlet (jámlet), drama de Shakespeare.
Hammerfest (ámerfest), ciudad de Noruega.
Hannóver (jannóver), ciudad alemana.
Harlem, ciudad de Holanda.
Haro, ciudad de Logroño.
Hartzenbusch, autor español.
Hawai (jauai), islas de Oceanía.
Haydn (jaidn), compositor austriaco.
Hébridas, islas de Inglaterra.
Hecla, volcán de Islandia.
Hedjaz, región de Arabia.
Hegel (jéguel), filósofo alemán.
Heligoland (jéligoland), isla alemana.
Helsingborg (jélsingborg), ciudad sueca.
Hellas o *Hélade,* nombre antiguo de Grecia.
Herculano, antigua ciudad italiana.
Hércules, personaje mitológico.
Hertz (jerts), descubridor de las ondas hertzianas.
Herzegovina, región yugoslava.
Hespérides, hijas de Atlas.
Himalaya, montañas de Asia.
Hindemburg, mariscal alemán.
Hipócrates, médico griego famoso de la antigüedad.
Hogarth, pintor inglés.
Hohenzollern (jójensolern), dinastía alemana.
Holanda, país de Europa.
Holbein (jolbáin), pintor alemán.
Holofernes, general caldeo.
Holstein (jolstáin), región alemana.
Holyhead (jolijed), ciudad inglesa.
Hollywood (jóli-ud), ciudad de Norteamérica.

Homero, poeta griego.
Hong-Kong (jon-kon), isla del oriente asiático, posesión inglesa.
Honolulú (jonolulú), capital de las islas Hawai.
Huelva, provincia española.
Hughes (ugues), inventor inglés.
Hugo, Víctor, escritor francés.
Humboldt (júmbolt), naturalista alemán.
Hurdes, región de España.
Hyderabad (jaiderabad), región y ciudad de la India.

I

Ibiza, isla balear.
Ibsen, escritor noruego.
Ícaro, personaje mitológico.
Ilíada, poema de Homero.
Irkutsk, ciudad siberiana.
Israel, un reino; nación de Asia Menor.
Ivanhoe, obra de Wálter Scott.

J

Játiva, ciudad de Valencia.
Java, isla de Oceanía.
Jehová, nombre de Dios en hebreo.
Jekaterinburgo, ciudad de Rusia.
Jenofonte, historiador y general ateniense.
Jerusalén, ciudad santa de Palestina.
Jijona, ciudad de Alicante.
Johannesburgo, ciudad del Transvaal.
John Bull (yon-bul), nombre simbólico del pueblo inglés.
Jordaens (jordáns), pintor flamenco.
Judit, heroína judía.

K

Kabul, capital de Afganistán.
Kamchatka, península de Asia.
Kamerún o *Camarones*, región de Africa.
Kant, filósofo alemán.
Kattegat, estrecho de Europa.
Kiew (kief), ciudad de Rusia.
Kitchener, general inglés.
Kiva, región de Asia.
Koenigsberg (kénigsberg), ciudad alemana.
Krause, filósofo alemán.
Krupp, industrial alemán.
Krúschef o *Jrúschof*, ex jefe del Gobierno ruso.

L

La Bruyère (bruier), moralista francés.
La Fayette (feiet), general francés.
La Fontaine (fontén), fabulista francés.
La Gineta, pueblo de Albacete.
La Guaira, ciudad venezolana.
La Habana, capital de Cuba.
La Haya, capital de Holanda.
La Poveda, pueblo de la provincia de Madrid.
La Rochefoucauld (roch-fucol), escritor francés.
La Vallière (valier), favorita de Luis XIV.
Lavoisier (lavuasié), químico francés.
La Walkyria (valkiria), obra de Wágner.
Leibniz (laibnits), matemático alemán.
Leipzig (láipsig), ciudad alemana.
Lenin, revolucionario ruso.
Lesseps (leseps), ingeniero y diplomático francés.

Liechtenstein (líjttenstain), país de Europa.
Liegnitz (lignits), ciudad alemana.
Lille (lill), ciudad francesa.
Liverpool (líverpul), ciudad inglesa.
Lohengrin, ópera de Wágner.
Lourdes (lud), ciudad francesa.
Louvre (luvr), palacio y museo de París.
Lyón[1], ciudad francesa.

LL

Lluchmayor (lluc-mayor), ciudad balear.

M

Mácbeth, tragedia de Shakespeare.
Maestricht, ciudad de Holanda.
Maeterlinck (méterlink), escritor belga.
Magallanes, descubridor portugués.
Mallorca, isla balear.
Maquiavelo, escritor italiano.
Maracaibo, ciudad de Venezuela.
Marlborough (málbara), general inglés, llamado «Mambrú» por el pueblo español.
Marrakech, ciudad de Marruecos.
Marsella, ciudad francesa.
Marshall, islas de Oceanía.
Marte, dios de la guerra.
Marx (mars), socialista alemán.
Massachusetts, uno de los Estados Unidos.
Maupassant (mopasán), novelista francés.
Mecklemburgo-Schwerin (eshverin), región de Alemania.

Mecklemburgo-Strelitz (strélits), región de Alemania.
Meissonier (mesonié), pintor francés.
Méjico o *México*, país de América.
Melbourne (melburn), ciudad de Australia.
Mekong, río de Asia.
Méndelssohn (méndelson), compositor alemán.
Meyerbeer (méyerber), compositor alemán.
Middelburgo, ciudad de Holanda.
Milwaukee (mil-ouki), ciudad de Norteamérica.
Minerva, diosa de la sabiduría.
Misisipí (o *Mississippi* como escriben los norteamericanos), río que atraviesa los Estados Unidos.
Montaigne (montañ), filósofo francés.
Montevideo, capital del Uruguay.
Montpellier (monpelié), ciudad de Francia.
Montpensier (monpansié), duquesa de, personaje famoso.
Moravia, país alemán.
Moscú, capital de Rusia.
Mózart[2], compositor alemán.
Mukden, ciudad del Manchukúo.
Murillo, pintor español.

N

Nabucodonosor, rey caldeo.
Nazareth (nazaret), ciudad de Palestina.
Neptuno, dios del mar.
Neuchatel (nichátel), ciudad suiza.
Neufchateau (nefcható), ciudad francesa.

---

1) *Gramática* Academia, página 482.
2) Ver nota 2.ª de la página 216.

Newcastle (niucásel), ciudad inglesa.
Newton (níutn), matemático inglés.
Nietzsche (nitche), filósofo alemán.
Nobel (nobel), químico sueco[1].
Noé, personaje bíblico.
Nottingham (nótinjam), ciudad inglesa.
Nueva Delhi, capital de la India.
Nueva Zelanda, islas de Oceanía.
Nuremberg, ciudad alemana.
Nyassaland, región de África.

O

Oakland (ouklan), ciudad norteamericana.
Óder, río de Alemania.
Offenbach (ófenbaj), compositor alemán.
Ohio, estado y río de Norteamérica.
Ohm, físico alemán; de él toma el nombre la palabra *ohmio*.
Okhotsk, mar de Asia.
Orange, río de África.
Orihuela, ciudad alicantina.
Orotava, valle de Canarias.
Ostia, ciudad de Italia.
Ottawa (otaua), capital del Canadá.
Otumba, batalla famosa de.
Ovidio, poeta latino.

P

Pasteur (paster), sabio francés.
Pittsburgo, ciudad norteamericana.

Plymouth (plaimauz), ciudad inglesa.
Po, río de Italia.
Pompadour (pompadur), favorita de Luis XV de Francia.
Pompeya, antigua ciudad italiana.
Portsmouth (portsmauz), ciudad inglesa.
Poussin (pusén), pintor francés.
Prim, general español.
Puccini (puchini), compositor italiano.

Q

Quebec, ciudad del Canadá.
Queensland (kuinslan), región de Australia.
Qeenstown (kuinstaun), ciudad de Irlanda.
Quevedo, escritor español.

R

Rabat, ciudad de Marruecos.
Rabelais (rabelé), escritor francés.
Rangoon (rangún), ciudad de Birmania.
Reikjavik, capital de Islandia.
Rembrandt, pintor holandés.
Ribera, pintor español.
Rigoletto, ópera de Verdi.
Rimsky-Korsakov (korsakof), compositor ruso.
Rin, río de Europa.
Río de Janeiro, ciudad del Brasil.

---

1) El apellido sueco del fundador de los mundialmente distinguidos premios es palabra aguda, como recientemente hemos comprobado en el libro de Erik Bergengren —encargado del archivo y biblioteca de la Fundación Nobel, de Estocolmo—, titulado *Alfred Nobel,* que está prologado por Dag Hammarskjöld y que en su página 13 dice: «El apellido Nobel —con la entonación cargada sobre la última sílaba— ha dado lugar hasta ahora a múltiples especulaciones. Sin embargo, podemos asegurar que es totalmente sueco y corresponde a una abreviación de la forma latinizada Nobelius, derivada de la parroquia de donde procede la familia.»

Robespierre (robespierr), revolucionario francéés

Roentgen (rentguen), alemán descubridor de los rayos X.

Rotterdam, ciudad de Holanda.

Rousseau (rusó), escritor francés.

Rubens, pintor flamenco.

Rubinstein (rubinstain), compositor ruso.

Rumania, país de Europa.

S

Saboya, región de Francia.

Sahara, desierto de África.

Saint-Saens (sen-sáns), compositor francés.

Salzburgo, provincia federal de Austria.

Samaria, ciudad de Asia.

Sancti Spíritus, ciudad de Cuba.

Sanlúcar de Barrameda, ciudad de Cádiz.

Santa Fe de Bogotá, capital de Colombia.

San Salvador, capital de El Salvador.

Saone (son), río de Francia.

Scott, Wálter (uálter), escritor inglés.

Schaffhausen (shafjausen), ciudad de Suiza.

Schemnitz (shémnits), ciudad de Hungría.

Schíller (shíler)[1], gran escritor alemán, poeta trágico e historiador.

Schopenhauer (shopenjáuer), filósofo alemán.

Schúbert (súbert)[2], compositor austriaco.

Schumann (shuman), compositor alemán.

Schwartz (eshvarts), inventor alemán.

Schwarzburgo (eshvartsburgo), región alemana.

Schwerin (eshverin), región alemana.

Schwyz (esvitz), cantón suizo.

Seeland, isla de Dinamarca.

Seltz, localidad francesa famosa por sus aguas.

Shakespeare, (chékspir), escritor inglés.

Shanghai (chanjai), ciudad china.

Siberia, región de Asia.

Sidney (sidni), ciudad de Australia.

Sienkiewicz, novelista polaco.

Singapore (singapur), ciudad de Asia.

Siva, divinidad asiática.

Southampton (sáuzemton), ciudad inglesa.

Spencer (spénser), filósofo inglés.

Spitzberg (spítsberg), islas de Europa.

Stael (stal), *Madame de*, escritora francesa.

Stendhal, escritor francés.

Stephenson (stéfenson), mecánico inglés.

Stieler (stíler), geógrafo alemán.

Strauss, compositor austriaco.

Strogoff, Miguel, novela de Verne.

Stuttgart, ciudad alemana.

Suabia, región alemana.

Suevos, pueblo bárbaro.

Swift (suift), escritor inglés.

T

Tanganika, territorio y lago africano.

Tánger, ciudad de África.

---

1) Ver nota 2.ª de la página 216.
2) *Gramática* Academia, página 482.

Tannhauser (tanjóiser), obra de Wágner.

Tebas, antigua ciudad de Grecia.

Teherán, capital del Irán.

Tehuantepec, lago de Méjico.

Thebússem, doctor, filósofo español.

Theotocópuli, Doménico, pintor conocido por «El Greco».

Tíber, río de Italia.

Tíbet, región de China.

Tiziano, pintor italiano.

Tolstói[1] novelista y moralista ruso.

Tokio, capital del Japón.

Tours (tur), ciudad francesa.

Transvaal, región de África.

Traviata, ópera famosa.

Troya, antigua ciudad de Asia.

Tsu-Shima, isla japonesa.

Túnez, región de África.

Turquestán, región de Asia.

Tuy, ciudad de Pontevedra.

Tver (tuer), ciudad rusa.

U

Ucrania, república rusa.

Ulan Bator (antes Urga), capital de la Mongolia rusa.

V

Valenciennes (valansién), ciudad francesa, famosa por sus encajes.

Valparaíso, ciudad de Chile.

Vals, baile de origen alemán.

Vancouver (vancúver), ciudad del Canadá.

Van der Weyden, pintor flamenco.

Van Dyck, pintor flamenco.

Vanloo (vanló), pintor francés.

Varsovia, capital de Polonia.

Vasconia, región de España.

Vaticano, residencia del Papa.

Velázquez, pintor español.

Venecia, ciudad de Italia.

Venezuela, país de América.

Venus, diosa del amor.

Verdi, compositor italiano.

Verne, novelista francés.

Veronés, pintor italiano.

Versalles, residencia real francesa.

Vesubio, volcán italiano.

Viena, capital de Austria.

Vinci (vinchi), *Leonardo de*, pintor italiano.

Virgilio, poeta italiano.

Viriato, general lusitano.

Vitiza o *Witiza*, rey godo.

Vitoria, capital de Álava.

Vizcaya, provincia española.

Vladivostok, ciudad de Siberia.

Voghera (voguera), ciudad italiana.

Volga, río de Rusia.

Voltaire (volter), escritor francés.

Vulcano, dios del fuego.

W

Wad Ras (uad ras), batalla famosa de

Wágner (vágner)[1], compositor alemán.

Wallace (gualas), escritor inglés.

Wamba o *Vamba*, rey godo.

Wáshington (uásinton)[1], capital de los Estados Unidos.

Waterloo (uáterloo), batalla de.

Watteau (uató), pintor francés.

---

1) Ver nota 2.ª de la página 216.
1) Ver nota 2.ª de la página 216.

Wéber (véber), compositor alemán.
Weimar (váimar), ciudad alemana.
Wéllington (uéllington), general inglés.
Wiesbaden (visbaden), ciudad alemana.
Wilde (guaild), literato inglés.
Wínchester, ciudad inglesa.
Wouwerman (wáuwerman), pintor holandés.
Wurtemberg, ciudad alemana.

X

Xauen, ciudad de Marruecos.

Y

Yakutsk, ciudad de Siberia.
Yokohama, ciudad japonesa.
York, ciudad inglesa.
Yucatán, región de Méjico.
Yugoslavia, país de Europa.

Z

Zambeze, río de África.
Zepelín[1], globo dirigible.
Zeus, nombre griego de Júpiter.
Zeuxis, pintor griego.
Zuyderzee, golfo de Holanda.
Zwolle (tsvole), ciudad holandesa.

18. LECCIÓN PRÁCTICA DE NOMBRES HISTÓRICOS, GEOGRÁFICOS Y DE CULTURA GENERAL.

1. El genial Beethoven nació en Bonn (Alemania). Entre sus doscientas obras, sobresalen las *Nueve Sinfonías* y *las Sonatas*. —Schumann, el autor de *El Carnaval de Venecia*, también era alemán. En un ataque de locura pretendió ahogarse en el Rin. —En Leipzig vino al mundo Wágner, autor de *Tannhauser*, *Lohengrin* y *La Walkyria*. En sus últimos años se dedicó a la construcción de un teatro en Bayreuth (Baviera). —Otro músico alemán es Wéber, natural de Holstein. —El químico sueco Nobel, a quien se debe la dinamita, instituyó el premio universal de su nombre. —La ciudad siberiana de Irkutsk está enclavada sobre rocas volcánicas. —Johannesburgo, ciudad del Transvaal, es rica en yacimientos auríferos. —Los indígenas de Kamchatka se dedican a la caza del armiño.

2. El matemático inglés Newton descubrió, al tiempo que el sabio alemán Leibnitz, las bases del cálculo diferencial. Han pasado a la celebridad los alemanes Schopenhauer y Nietzsche, como filósofos; Stieler, como geógrafo, y Gu-

---

1) Palabra que figura en el último *Diccionario Manual* de la Real Academia.

tenberg, como inventor de la imprenta. Entre los ingleses descuellan Hughes, al que se debe el telégrafo; Stephenson, como el creador de las locomotoras y caminos de hierro; Spencer, como filósofo, y Darwin, como naturalista, autor de *El origen de las especies*. —Franklin, natural de Boston, descubrió el pararrayos. —Importante puerto militar del mundo es el de Portsmouth, protegido por toda una hilera de fuertes, provistos de vigorosa artillería.

3. La fama de las composiciones orquestales del ruso Rimsky-Korsakov es universal. —Ruso también, y educado en Moscú, es el inspirado Rubinstein. —El brioso italiano Verdi es ídolo inolvidable por sus obras *Aida, La Traviata, Rigoletto* y *Falstaff*. —A Schúbert le hicieron célebre sus melodías; al francés Gounod, *Fausto* y *Romeo y Julieta,* y a su compatriota Saint-Saens, *Sansón y Dalila*. —El cultísimo académico Barbieri fue un aplaudido compositor español, creador de *Jugar con fuego, Pan y Toros* y de tantísimas obras más. —Es conocido por el padre de la Sinfonía el músico austriaco Haydn. —*Orfeo en los infiernos* y *Barba azul* son debidos a la inspiración de otro alemán, Offenbach.

4. Goethe es el más grande de los poetas y escritores alemanes, iniciador del romanticismo. Nació en Francfort y murió en Weimar. Su obra magistral es *Fausto*. —Como vates de primera magnitud tienen: Grecia, a Homero; Italia, a D'Annunzio; Inglaterra, a Shakespeare, y Francia, a La Fontaine. El romántico Bécquer es español; Dante Alighieri, italiano; Camoens, portugués. —Cromwell, el jefe revolucionario de la gran Albión, se deshizo de cuantos pudieron poner obstáculos a su devoradora ambición e hizo subir a la horca al soberano Carlos I.

5. Eisenhower, siendo presidente de Estados Unidos, atrajo la atención universal con su ejemplo digno de admiración porque, a pesar de su avanzada edad y precaria salud, se lanzó a un peligroso viaje en aviones, helicópteros y buques de guerra para recorrer el mundo de Occidente a Oriente como esforzado paladín, predicando la concordia con su mensaje de «Vivir en paz y amistad dentro de la libertad». —La hecatombe belicosa marítima más desastrosa registrada por la historia es, sin duda, la que aconteció en

aguas de la isla nipona de Tsu-Shima; allí, el Japón destruyó el poderío naval de Rusia en Oriente.

6. Según refiere la Biblia, Judit, la heroína judía, para salvar la ciudad de Betulia, cortó la cabeza a Holofernes, general de Nabucodonosor.—Noé, el patriarca hebreo, se preservó del diluvio universal en un arca y fue padre de las nuevas razas humanas.—El gigante filisteo Goliat cayó inerte de una certera pedrada lanzada por David, que después fue rey de Israel.—Abd-el-Krim, aventurero moro, se fugó de Melilla, donde actuó de espía, y levantó armas contra España, que tuvo que evacuar parte del Rif; pero después del desembarco de Alhucemas, hubo de entregarse el rebelde sin condiciones.—El agua de seltz es originaria de un manantial alsaciano.

7. El tremebundo Hércules realizó las más prodigiosas hazañas. En la cuna mató a dos serpientes que le iban a devorar. Ya crecido ahogó al león de Nemea, mató a la hidra de Lerna, cogió vivo al jabalí de Erimanto, asfixió entre sus manos al gigante Anteo, separó montañas y robó las manzanas de oro del jardín de las Hespérides, que estaban bajo la vigilancia de un dragón de cien cabezas, al que mató.

8. Napoleón Bonaparte nació en Ajaccio, en 1769. Victorioso de Egipto, derribó al Directorio en París. A su hermano Luis, le elevó al trono de Holanda. Triunfó en cien batallas, y en la célebre de Austerlitz derrotó a los emperadores de Austria y de Rusia, pero los aliados le vencieron en Leipzig. Abdicó en Fontaineblau, fue desterrado a la isla de Elba y finalmente Wéllington le llevó al desastre de Waterloo, y de allí, para siempre, a Santa Elena.—El mariscal alemán Hindemburg, afecto a la dinastía de los Hohenzollern, era el jefe supremo de alemanes y austriacos durante la primera guerra mundial.—El río Óder desagua en el mar Báltico.

9. El vizconde de Kitchener fue un general inglés que se cubrió de gloria en el Transvaal.—El general hispano Prim, que triunfó en Méjico, fue asesinado en Madrid.—En el siglo segundo de nuestra era, murió también a mano airada el general lusitano Viriato, y doscientos años antes de Cristo llegaron a su esplendor las victorias del cartaginés Aníbal, que

terminó dándose muerte con el veneno que siempre llevaba consigo. —El nombre del general ateniense Alcibíades es símbolo de ambición, talento, vicio y presunción. —Mózart nació en Salzburgo. Es autor de prodigiosas partituras, entre las que destacan *Las bodas de Fígaro, Don Juan* y la *Misa de réquiem,* que no dejó totalmente finalizada. Murió víctima de tuberculosis en 1791.

10. Jehová es el nombre de Dios en hebreo; Alá, el nombre que dan a Dios los mahometanos; Brahma, el dios de los indios; Anubis, dios egipcio. —De América conozco a Wáshington, Milwaukee, Massachusetts, Elizabeth y Hollywood. —Cuando fui al principado de Liechtenstein, visité casi toda Alemania: Chemnitz, Hannóver y Wiesbaden; Koenigsberg, sobre el Báltico; Stuttgart, capital de Wurtemberg; Hamburgo, uno de los mejores puertos del mundo, y la incomparable Berlín. —No hay que confundir la ciudad suiza de Neuchatel, célebre por su lago, con la francesa de Neufchateau.

11. Marlborough fue un general inglés, cuyo nombre se ha hecho legendario por la infantil canción de Mambrú. —El valor y la caballerosidad van vinculadas al nombre de Bayardo, capitán francés del siglo XV. —*Los Hugonotes* y *La Africana* inmortalizaron al alemán Meyerbeer, compatriota de Méndelssohn, el de *El sueño de una noche de verano.* —Orotava pertenece a Canarias; Ottawa es la capital del Canadá, y Otumba se llama la ciudad mejicana en la que Hernán Cortés logró una célebre victoria. —Hartzenbusch fue un escritor madrileño, hijo de un ebanista alemán. —El Líbano es célebre por sus magníficos cedros.

12. Julio Verne escribió las novelas *Veinte mil leguas de viaje submarino, Los hijos del Capitán Grant* y *Miguel Strogoff.* —Honorato de Balzac nació en Tours y sus obras son magistrales retratos de los afectos y pasiones de la Humanidad. —*Las bodas de Fígaro* y *El barbero de Sevilla* son producciones de Beaumarchais. —Francia ha sido fecunda en literatos, pues, además de los anteriores, destacaron Chateaubriand, Víctor Hugo, Daudet, Stendhal, Voltaire, La Rochefoucauld, Rousseau, Rabelais, madame Stael y el pobre Maupassant que terminó sus días en un manicomio.

13. Al inglés Walter Scott se debe *Ivanhoe*. Compatriotas del citado, son los también insignes literatos Goldsmith, Dickens y Swift, autor este último de los *Viajes de Gulliver*, traducidos a todos los idiomas. —Pardo de Figueroa, español, inmortalizó su seudónimo Thebússem, ingenioso anagrama de la palabra *Embustes* con la adición de la *h*. —Refulgen en primera línea los españoles Cervantes, Lope de Vega y Benavente, los italianos Bocaccio y Maquiavelo, el noruego Ibsen, el portugués Eça de Queiroz, el ruso Dostoyevski, el belga Maeterlinck y el alemán, nacido en Wurtemberg, Schíller.

14. Roosevelt vivía en Wáshington. —Sibarita de nacimiento, salí de España en un vagón pullman, internándome en la patria de Pasteur y de Sara Bernhardt. Después de visitar el activo puerto de Burdeos y beber sus afamados vinos, y luego de conocer la playa de Biarritz, me dirigí a la residencia real de Versalles, cuna de Luis XV, Luis XVI, Luis XVIII y Carlos X, delicioso palacio e inigualables jardines; lugar favorito de los soberanos franceses. De allí a París, donde la altura de la torre Eiffel, émula de la de Babel, pone de relieve un panorama indescriptible. —Freud fue premiado en Nueva York con cien mil dólares para que se dedicase a sus investigaciones. —Los valses de Strauss son inigualables.

15. Casi todos los reyes franceses y el mismo Napoleón habitaron en el palacio de las Tullerías, que hoy se halla unido al Louvre, el que está integrado por un conjunto de construcciones que forman el palacio mayor del mundo. El Louvre tiene en sus jardines monumentos a Velázquez, Boucher, Boffet y Meissonier; en el interior, museos de pintura, dibujo, escultura, grabado y antigüedades. Allí podemos admirar obras de los franceses Poussin, Watteau y Vanloo; de los españoles Goya, Ribera y Murillo; de los flamencos Van der Weyden y Rubens; de los italianos Bassano y Veronés; de los holandeses Rembrandt y Wouwerman; del heleno Zeuxis; del alemán Holbein Hans; del inglés Hogarth; y del belga, oriundo de Amberes, Van Dyck.

16. Bidasoa es un río de Vasconia; Guadalquivir, de Andalucía; Ganges, de la India; Mekong, de Asia; Orange, de África; Tíber, de Italia; Danubio, de Alemania y Volga, de Rusia. —Entre Asia y África se halla el estrecho de Bab-el-

Mandeb. —Son ciudades baleares Lluchmayor, Andraitx y Felanitx. —En Birmingham hay grandes talleres de construcción de maquinaria de vapor. —Copenhague es la capital de Dinamarca. —Bohemia es región checoslovaca.

17. La elegancia está personificada en el árbitro inglés Brummell. —El filósofo francés Montaigne es conocidísimo por sus *Ensayos*. —El historiador ateniense Jenofonte era también general. —La Vallière fue la favorita de Luis XIV, y la Pompadour, de Luis XV. —Al archipiélago de las Bahamas corresponde la isla de San Salvador, donde desembarcó Colón al descubrir América. —En Islandia existe un volcán de cinco cráteres que se llama Hecla. —Krupp es el nombre del conocido alemán fundidor de cañones.

18. Reikjavik, capital de Islandia, posee un famoso observatorio. —La ciudad de Shanghai exporta, en gran cantidad, té, aceite de ballena y alcanfor; es el nervio comercial entre China, Europa y Estados Unidos. —En la suiza Schaffhausen abundan las minas de hierro. —Vancouver es una ciudad del Canadá, rica en madera por sus extensos bosques. —En el mar del Japón se halla el puerto de Vladivostok, que en invierno está helado. Este punto es término de la línea del transiberiano. —Frederiksborg es una ciudad dinamarquesa, sobre la isla de Seeland, en la que está enclavado un célebre castillo real. —*Hámlet* y *Mácbeth* son dramas de Shakespeare.

19. El patio de Abencerrajes de la Alhambra era el más estimado de Boabdil. —El sultán Abd-el Aziz fue destronado en 1908. —Aben-Humeya murió en la horca. —Artajerjes reinó en Persia, y Wamba, en Toledo. —Antes de recorrer los lugares santos de Belén, Jerusalén y Nazareth, visitamos Amberes, Venecia, el volcán del Etna, Civita Vecchia y El Vaticano. —En el país de John Bull, admiré el puerto de Liverpool, que en el siglo XVIII fue centro de la trata de negros; las minas de hulla de Nottingham, Southampton, el grandioso puerto y arsenal de Plymouth y el observatorio astronómico de Greenwich. —Es honra del presente siglo, y pasará a los venideros, el nombre del sabio alemán conde de Zepelín, gran impulsor de la navegación aérea y constructor de uno de los primeros globos dirigibles. —En Baviera abundan las hilaturas.

20. La fama de Édison perdurará de una a otra generación, pues con sus desvelos llegó a la invención de muy útiles aparatos eléctricos y del fonógrafo, así como tampoco será olvidado su coetáneo Conrado Roentgen, cuya sabiduría nos dio los rayos X.—Del laberinto de Creta huyó Dédalo con su hijo Ícaro, llevando éste unas alas pegadas con cera, y como en el vuelo pretendiera aproximarse exageradamente al sol, se le derritió la cera, cayeron las alas, y él se hundió en el mar; por eso en Ícaro se halla personificado el que es víctima de proyectos ambiciosos.—Ovidio y Virgilio son clásicos vates latinos.—Estambul hállase en el Bósforo.—A la edad de veinte años estudiaba Stalin para sacerdote. Después fue el más genuino representante de Lenin.—El capitán norteamericano William Anderson realizó la hazaña histórica de la travesía del Pacífico al Atlántico bajo los hielos polares, abriendo paso de uno a otro hemisferio al mando del submarino atómico «Nautilus».—La mitología es la historia de los dioses fabulosos de la gentilidad, entre los que destacan: *Marte,* dios de la guerra; *Baco,* dios del vino; *Eolo,* dios de los vientos; *Diana,* diosa de la caza; *Minerva,* diosa de la sabiduría; *Vulcano,* dios del fuego; *Neptuno,* dios del mar; *Cupido, Venus* y *Eros,* dioses del amor, etc.

19. VOCABULARIO ALFABÉTICO DE PALABRAS DE ESCRITURA DUDOSA

Se incluyen en él hasta las más recientemente admitidas por la Real Academia. Hacemos observar que las palabras de este vocabulario y todas las de los ejercicios del presente libro o se hallan incluidas en el último *Diccionario* grande de la Real Academia de 1970 o están comprendidas entre las que, posteriormente, tiene ya admitidas.

Y puesto que la finalidad del vocabulario que se inserta a continuación no es otra que la de resolver, de momento, cualquier duda ortográfica que se presente al estudiante y la de servirle de orientación para interpretar el ejercicio, señalamos que, teniendo en cuenta el reducido espacio de cada columna, no se consignan más que una o dos acepciones, sin que se deba olvidar que la mayor parte de las voces tienen varias.

Asimismo, manifestamos que se omiten, casi en su totalidad, las palabras compuestas y las derivadas cuyas simples y primitivas van en el vocabulario. Tampoco se incluyen algunas compuestas o derivadas de otras que por su estructura no ofrecen duda ortográfica.

No se trata, pues, en realidad, de un pequeño diccionario, sino más bien de una relación alfabética de palabras de dudosa escritura y de no pocos de los nuevos vocablos admitidos por la Academia.

A

¡aba!, interjección.

abacería, tienda o puesto donde se vende aceite, legumbres, etc.

abacial, de abad.

ábaco, cuadro para calcular.

abad, superior monacal.

abada, rinoceronte.

abadejo, pez.

abadía, monasterio.

abajo, a o en lugar inferior.

abalanzar, lanzarse hacia delante.

abalear, separar el grano, disparar con bala.

abalizar, señalar con balizas.

abalorio, cuenta vidrio.

abancalar, formar bancales en terreno.

abanderado, que lleva la bandera.

abandonar, dejar.

abanico, instrumento para darse aire.

abano, especie de abanico colgado del techo.

abanto, ave rapaz.

abarca, calzado.

abarcar, rodear.

abarloar, atracar buque.

abarquillar, encorvar.

abarraganarse, amancebarse.

abarrancar, hacer barrancos.

abarrotar, llenar completamente algo.

abastecer, proveer.

abasto, provisión.

abate, eclesiástico.

abatir, derribar, humillar.

abdicar, renunciar.

abdomen, vientre.

abecedario, alfabeto.

abedul, árbol.

abeja, insecto.

abejaruco, pájaro de vistoso plumaje.

abejorro, insecto.

abellacar, envilecer.

abemolar, suavizar la voz.

abencerraje, de tribu morisca.

aberración, extravío.

abertal, campo abierto.

abertura, agujero.

abéstola, instrumento de labrador.

abeto, árbol.

abey, árbol.

abiar, manzanilla.

abierto, de àbrir.

abigarrado, de varios colores.

abigeo, ladrón de ganado.

ab initio, desde el principio.

ab intestato, sin testar.

abiogénesis o *abiogenesia*, generación espontánea.

230

abisal, del abismo, de las profundidades marinas.

abismal, del abismo.

abismo, profundidad.

abitar, amarrar ancla a las bitas.

abjurar, renunciar.

ablación, extirpación.

ablandar, poner blando.

ablativo, caso gramatical.

ablución, lavatorio.

abnegación, sacrificio.

abobado, bobo.

abocar, aproximar.

abocetar, ejecutar bocetos.

abocinar, dar forma de bocina.

abochornar, causar bochorno.

abogado, perito en derecho.

abogar, defender.

abohetado, abuhado.

abolengo, ascendencia.

abolir, derogar.

abollar, hundir.

abombar, dar figura convexa.

abominar, aborrecer.

abonar, pagar, fertilizar.

abordaje, de abordar.

abordar, acercar una embarcación hasta otra, atracar muelle.

aborigen, originario de un país.

aborrecer, tener aversión.

aborregarse, cubrirse el cielo de nubes como vellones de lana.

abortar, parir antes de tiempo.

abotagarse o *abotargarse*, hincharse.

abotonar, meter el botón por el ojal.

abovedado, combado.

aboyado, finca de vacuno.

aboyar, poner boyas.

abra, bahía.

Abraham o *Abrahán*, padre de Isaac.

abrasivo, producto para desgastar.

ábrego, viento sureste.

abrevadero, donde bebe el ganado.

abrevar, dar de beber al ganado.

abreviar, acortar.

abrigar, resguardar.

abrir, descubrir.

abrogar, abolir.

abrojo, planta, fruto pinchudo de esta planta.

abrupto, escarpado, áspero, rudo.

abscisa, una de las distancias que fija posición punto.

absceso, acumulación pus.

abscisión, separación por corte.

absentismo, residencia lejos de las propiedades.

ábside, parte abovedada.

ábsit..., ¡Dios nos libre!

absoluto, sin restricción.

absolver, perdonar.

absorber, sorber.

absorto, admirado.

abstemio, que no bebe vino ni otros licores alcohólicos.

abstenerse, privarse.

abstracción, ensimismamiento.

abstruso, recóndito.

absurdo, contra razón.

abubilla, ave.

abuchear, reprobar con sonidos.

abuelo, *abuela*, padre o madre del padre o de la madre.

abuhado, hinchado.

abulense, de Ávila.

abulia, sin voluntad.

abultar, agrandar.

abundancia, gran camtidad.

aburguesarse, adquirir cualidad de burgués.

aburrir, fastidiar.

abusar, excederse.

abyecto, vil.

acá, en este lugar.

acabar, terminar.

acabose[1], desastre.

---

1) Ver Boletín de la Real Academia, último cuatrimestre de 1964, nota 24 de la página 439 para comprobar que no se debe acentuar *acabose* como nombre substantivo.

acacia, árbol.
acaecer, suceder.
acanalar, hacer canales o estrías.
ácaro, arácnido casi siempre parásito.
acatamiento, obediencia.
acaudalado, rico.
acaule, sin tallo o casi sin tallo.
acceder, consentir, tener acceso.
accesión, de acceder.
accésit, segundo premio.
acceso, entrada, arrebato.
accesorio, secundario.
accidente, suceso.
acción, de hacer.
accitano, de Guadix.
acebo, arbusto.
acebuche, olivo silvestre.
acechar, observar.
acedera, planta.
acéfalo, sin cabeza.
aceite, líquido graso.
acelga, planta.
acémila, mula.
acendrado, puro y sin mancha.
aceña, molino.
acepillar, alisar madera o metal con cepillo.
aceptar, recibir.
acequia, zanja.
acera o *hacera*, orilla de la calle.
acerbo, áspero, cruel.
acerca, en relación con.
acería, fábrica de acero.

acerico, almohadilla.
acero, hierro con carbono.
acerolo, árbol.
acérrimo, muy acre.
acertar, adivinar.
acervo, montón, conjunto de bienes morales o culturales.
acetona, líquido.
acetre, caldero.
aciago, infausto.
acial, instrumento para sujetar bestias.
aciano, planta.
acíbar, planta amarga.
acicalar, limpiar.
acicate, espuela.
acicular, de forma de aguja.
acidia, pereza.
ácido, agrio.
ácimo o *ázimo*, se dice del pan hecho sin levadura.
acimut o *azimut*, ángulo que con el meridiano forma el círculo vertical que pasa por un punto de la esfera celeste o del globo terráqueo.
ación, correa del estribo en la silla de montar.
acólito, ayudante de iglesia.
acometividad, de acometer.
acoquinar, amilanar.
acorde, conforme.
acosar, perseguir.
ácrata, sin autoridad.
acre, áspero.
acreedor, al que se debe.

acribillar, agujerear.
acrobacia, de acróbata.
acróbata, equilibrista.
actitud, postura.
activar, avivar.
activista, agitador político.
acto, acción, hecho.
actual, presente.
actualizar, poner al día.
acuatizar, amarar.
acuciar, estimular.
ácueo, de agua.
acullá, al otro lado.
acusativo, caso gramatical.
achacar, atribuir.
achantarse, aguantarse.
adagio, sentencia breve, con movimiento lento.
adalid, caudillo.
adarvar, pasmar.
adarve, camino tras parapeto en lo alto de una fortificación.
adehala, lo que se da de gracia.
adempribio, terreno de pastos común a varios pueblos.
adepto, afiliado.
aderezar, componer.
adherencia, de adherir.
adherir, juntar, unir.
adiabático, sin modificación térmica.
adición, suma.
adicto, apegado.
¡adiós!, interj. de despedida.

aditivo, que puede añadirse.

adive, mamífero.

adivinar, predecir.

adjetivo, parte oración.

adjunción, unión.

adjuntar, remitir con otra cosa.

adjurar, conjurar.

adminículo, avío.

administración, de administrar.

admirar, contemplar.

admitir, aceptar.

admonición, amonestación.

adobar, aderezar.

adobe, ladrillo de barro sin cocer.

adonay o *adonaí*, nombre hebreo de la Divinidad.

adonis, mancebo hermoso.

adoptar, prohijar.

adquirir, alcanzar.

adscribir, atribuir.

adscripción, de adscribir.

aduar, población de beduinos.

advenedizo, extranjero.

advenimiento, venida.

adventicio, extraño.

adverar, certificar.

adverbio, parte oración.

adversar, ir contra otro.

adversidad, infortunio.

advertir, observar, prevenir.

adviento, tiempo santo.

advocación, título de un templo o imagen.

adyacente, inmediato.

aéreo, de aire.

aerífero, que lleva aire.

aerobio, que vive en el aire.

aeródromo, campo de aviación.

aerofagia, deglución de aire.

aerofaro, luz potente en aeropuertos.

aerolito, bólido.

aerómetro, instrumento medir densidad aire.

aeronato, nacido en vehículo aéreo.

aeronauta, el que navega por el aire.

aeronaval, servicio de aviación y marina.

aeroplano, vehículo aéreo.

aeropuerto, estación para vehículos aéreos.

aerosol, dispersión de sólido o líquido finamente dividido en un gas.

aerostática, equilibrio de los gases.

aeta, de las montañas de Filipinas.

afán, anhelo vehemente.

afasia, pérdida del habla.

afección, impresión, afecto.

afición, inclinación a algo.

afilo o *áfilo*, sin hojas.

aflicción, de afligir.

afligir, acongojar.

afta, úlcera.

agá, oficial turco.

agalla, excrecencia vegetal, branquias.

agar-agar, laxante.

agareno, mahometano.

agarbillar, hacer garbas.

agavillar, hacer gavillas.

agenciar, obtener.

agenda, libro apuntes.

agenesia, imposibilidad de engendrar.

agente, que obra.

agerasia, vejez sana.

agérato, planta.

agestarse, poner gesto.

ágil, ligero.

agilitar o *agilizar*, hacer ágil.

agiotaje, especulación.

agitar, mover.

agnado, pariente por tronco de varón.

agnusdéi, cordero de Dios.

agobiar, fatigar.

agorero, adivinador.

agravar, empeorar.

agraviar, injuriar.

agredir, acometer.

agüero, presagio.

aguerrido, que guerrea.

aguijón, extremo puntiagudo.

aguja, barrita puntiaguda.

agujerear, horadar.

agujeta, dolor muscular.

¡agur! o *abur*, adiós.

¡ah!, interjección.
ahechar, limpiar semillas con la criba.
aherrojar, oprimir.
ahí, en ese lugar.
ahijar, prohijar.
ahilar, ir en hilera.
ahínco, afán, empeño.
ahitar, amojonar, hartar.
ahobachonado, apoltronado.
ahogar, asfixiar.
ahoguío, opresión.
ahojar, pacer hojas.
ahora, en este momento.
ahorcar, matar en horca.
ahorrar, economizar.
ahuchar, llamar al halcón, guardar en hucha.
ahuecar, poner hueco.
ahumar, llenar de humo.
ahurragado, aurragado.
ahusar, dar forma de huso.
ahuyentar, hacer huir.
aijada, vara con punta de hierro.
aína o *ahína*, presto.
aindamáis, además.
airado, irritado.
aire, fluido atmosférico.
airón, penacho de plumas.
aislar, separar.
ajabeba o *jabeba*, flauta.
aje, achaque.
ajedrez, juego.
ajenabe, jenabe.

ajenjo, bebida, planta.
ajeno, extraño.
ajetreo, jaleo.
ajilimójili, salsa.
ajimez, ventana.
ajo, planta.
ajorca, argolla de oro.
ajuar, menaje.
ala, extremidad para volar.
alabar, elogiar.
alabarda, arma.
alabastro, mármol.
alabeo, curvatura.
alacena o *alhacena*, armario.
alacrán, arácnido.
aladar, porción cabellos de la sien.
alado, con alas.
álaga, variedad de trigo.
alagar, llenar de lagos.
alajú, pasta almendras.
alamar, presilla y botón.
alambicar, sutilizar.
alambique, aparato para destilar.
alambre, hilo de metal.
alampar, enardecer el paladar.
alárabe, árabe.
alarbe, árabe, brutal.
alarde, ostentación.
alarido, grito.
alarife, arquitecto.
alarmar, asustar.
alazán, color canela.
alba, aurora.
albacea, testamentario.
albacora, breva, pez.

albahaca, planta.
albalá, documento.
albanega, cofia.
albañal o *albañar*, canal.
albañil, obrero.
albar, blanco.
albarán, señal de desalquilado.
albarca, abarca.
albarda, aparejo de caballerías.
albardán, truhán.
albardín, planta.
albarejo, candeal.
albaricoque, fruta.
albarizo, blanquecino.
albarrán, mozo soltero.
albatros, ave palmípeda.
albayalde, carbonato bárico de plomo, empléase en pintura.
albazano, castaño oscuro.
albedrío, potestad de obrar a elección.
albéitar, veterinario.
albenda, colgadura.
albendera, mujer callejera.
albéntola, red de pescar.
alberca, depósito de agua.
albérchigo, fruta.
albergue, alojamiento.
albihar o *abiar*, manzanilla loca.
albillo, clase de uva.
albino, blanquecino.
albitana, cerca de jardín.
albo, blanco.
albogue, dulzaina.

albóndiga, bolita carne.

albor, blancura.

alborear, amanecer.

albornía, vasija.

albornoz, prenda para secarse.

alborotar, conmover, alterar.

alborozo, regocijo.

albufera, laguna.

álbum, libro en blanco.

albumen, tejido vegetal.

albúmina, substancia.

albur, azar, pez.

albura, blancura.

alcabala, tributo.

alcahaz, jaula.

alcahazar, guardar aves en alcahaz.

alcahuete, encubridor.

alcaloide, substancia.

alcaller, alfarero.

alcancía, hucha.

alcaraván, ave.

alcayata, escarpia.

alcazaba, fortificación amurallada.

alcázar, fortaleza.

alcoba, habitación.

alcohol, líquido inflamable.

alcoholímetro, para medir alcohol.

alcrebite, azufre.

alcubilla, arca de agua.

alcurnia, linaje.

aldaba, llamador.

aldehido, substancia química.

aldehuela, aldea.

alear, mover alas.

aledaño, confinante.

alegar, aducir.

alegoría, representación figurada de una idea.

alejar, distanciar.

alelar, atontar.

alelomorfo, que se r·senta bajo diversas formas.

aleluya, voz de júbilo.

alergia, sensibilidad extremada y contraria respecto a substancias o temas.

alero, borde del tejado.

alerta, con atención.

alevin, cría de pez, joven principiante.

alevosia, traición.

alfa, letra griega.

alfabeto, abecedario.

alfajia, alfarjía.

alfalfa, planta.

alfanje, sable.

alfar o alfahar, obrador alfarero.

alfarero o alfaharero, fabricante de vasijas de barro.

alfarjía, madero.

alga, planta acuática.

algarabía, gritería.

algarroba, planta, fruto.

algarrobo, árbol.

álgebra, parte de las matemáticas.

algecireño o aljecireño, de Algeciras.

álgido, frío glacial.

algoritmia, cálculo.

alhaja, joya.

alhamar, cobertor rojo.

alhamel, animal de carga.

alharaca, algarabía.

alhelí o alelí, planta.

alheña, arbusto.

alhoja, alondra.

alhóndiga, casa venta pública de trigo.

alhorma, campo moros.

alhorre, excremento recién nacidos.

alhucema, espliego.

alhumajo, hojas de pino.

alhurreca, costra salina.

aliarse, unirse.

alicaído, débil.

alicate, tenaza pequeña.

alienado, loco.

alienígeno, extraño, no natural.

aliento, respiración.

aligerar, acelerar.

aligustre, arbusto.

alijo, contrabando.

alimaña, animal.

aliño, aderezo.

aliviar, mitigar.

aljébana o aljébena, jofaina.

aljecería, yesería.

aljerife, clase de red.

aljibe, cisterna.

alma, espíritu.

almadraba, pesca atunes.

almadreña, zueco.

almejia, manto pequeño moruno.

almena, prisma de muro de una fortaleza.

almete, pieza armadura.

almiar, montón paja.

almíbar, agua azucarada.

almocárabe o *almocarbe*, en carpintería adorno en forma de lazo.

almogávar, soldado.

almohada, colchoncillo.

almohade, árabe.

almohaza, rastrillo.

almorávide, árabe.

alnado, hijastro.

alocución, discurso.

áloe o *aloe*, planta.

aloja, bebida.

alojar, hospedar.

alopecia, caída de pelo.

aloque, rojo claro.

alquermes o *alkermes*, licor.

alrededor, *al rededor* o *alderredor*, contorno.

altivez, altanería.

altruismo, amor al prójimo hasta sacrificio.

alubia, judía.

alucinar, ofuscar.

alucinógeno, que produce alucinación.

alud, masa de nieve que se derrumba.

aludir, referirse a.

alumbre, substancia.

aluminio, metal.

alumnado, conjunto de alumnos.

alunizaje, acción de posarse en la Luna.

aluvión, inundación.

alveario, conducto auditivo externo.

álveo, madre de un río.

alveolo o *alvéolo*, cavidad dental.

alvino, bajo vientre.

alzacuello, prenda del traje eclesiástico.

allá, allí.

allende, de la parte allá.

amabilidad, de amable.

amagar, amenazar.

amancebarse, unirse ilícitamente.

amancillar o *mancillar*, manchar fama.

amaraje, *amarizaje* o *acuatizaje*, posarse en el agua un hidroavión.

amayuela, almeja mar.

ambages, rodeos.

ámbar, resinal fósil.

ambición, codicia.

ambidextro o *ambidiestro*, que usa ambas. manos indistintamente.

ambiente, lo que rodea.

ambiguo, incierto.

ámbito, recinto.

ambivalencia, sentimientos opuestos.

ambón, púlpito.

ambos, los dos.

ambrosía o *ambrosia*, manjar de dioses.

ambulancia, vehículo para transporte de enfermos o heridos, hospital de campaña.

ambular, andar.

ambutar o *embutar*, empujar.

ameba o *amiba*, protozoo.

amedrentar o *amedrantar*, atemorizar.

amén, así sea, así es.

ameritar, dar méritos.

ametralladora, arma.

amígdala, glándula garganta.

amnesia, pérdida o falta de memoria.

amolar, fastidiar.

amoldar, ajustar.

amoniaco o *amoníaco*, substancia.

ampo, blancura.

ampón, amplio.

anabaptista, hereje que opina no debe bautizarse antes del uso de razón.

anabolismo, proceso de síntesis orgánica.

anacronismo, error de cronología.

ánade, pato.

anaerobio, que vive sin aire.

análisis, descomposición.

anamnesis o *anamnesia*, examen clínico de antecedentes del paciente.

anarquía, sin gobierno.

anatema, maldición.

anca, grupa.

ancla, instrumento para sujetar una nave.

ancuviña, sepultura chilena.

anchoa o *anchova*, boquerón.
andar, caminar.
andarivel, maroma o cable tendido entre dos márgenes.
andas, tablero para el transporte.
andrajo, ropa estropeada.
andrógino, de dos sexos.
anea o *enea*, planta.
anécdota, sucedido.
anegar, inundar.
anejir, refrán en verso y cantable.
anejo o *anexo*, unido.
anélido, gusano.
anemone, *anemona* o *anémona*, planta.
anexión, unión.
anfibio, que vive en agua y tierra.
anfibologia, doble sentido de la palabra.
anfisbena o *anfisibena*, reptil.
anfractuoso, quebrado, tortuoso.
angarilla, armazón para transportar a mano.
ángel, criatura celeste.
angina, inflamación de los órganos de la deglución.
angioma, tumor formado por acumulación de vasos.
angiospermo, dícese de cierta clase de plantas.
anglohablante, que tiene como lengua materna el inglés.

angosto, estrecho.
anguila, pez.
angula, cría anguila.
anhelar, desear.
anhélito, respiración fatigosa.
anhidrido, cuerpo químico.
animadversión, enemistad.
aniquilar, destruir.
aniversario, anual.
anjeo, lienzo basto.
anobios, carcoma.
anodino, que calma el dolor, insignificante.
anorexia, falta anormal de apetito.
anquilosis, falta movimiento en articulación.
ánsar, oca.
anseático o *hanseático*, perteneciente a antigua confederación.
ansia, congoja, anhelo.
antagónico, opuesto.
antaño, de antes.
'*anteayer*, el día que precedió al de ayer.
antediluviano, anterior al diluvio.
antena, mástil.
antibiótico, substancia contra el desarrollo de ciertos microbios.
antinomia, contradicción.
antípoda, diametralmente opuesto.
antonomasia, figura retórica.

antorcha, hacha para alumbrar.
ántrax, grano maligno.
antro, caverna.
antropófago, salvaje que come carne humana.
antuvión, golpe repentino.
anuencia, consentimiento.
anúteba, llamamiento a la guerra.
anverso, cara principal.
anzuelo, arponcillo.
aña, nodriza.
añagaza, artificio.
añil, arbusto, substancia.
añoranza, melancolía por algo perdido.
añoso, de años.
aojar, ojear, desgraciar.
aorta, arteria.
aortitis, inflamación de la aorta.
aovar u *ovar*, poner huevos.
aovillarse, hacerse un ovillo.
apabullar, aplastar.
aparcería, trato a la parte.
aparecer, manifestarse.
apatía, dejadez.
apear, bajar de caballería o carruaje.
apellido, nombre de familia.
apenas o *a penas*, penosamente.
apepsia, falta digestión.

apero, instrumento de labranza.

apetencia, gana de comer.

ápice, extremo.

apicultura, cría de abejas.

apio, planta.

aplebeyar o *emplebeyecer*, dar carácter de plebeyo a una cosa.

apnea, falta respiración.

apocalíptico, terrorífico.

apócrifo, falso, fingido.

apogeo, cuando la Luna está más lejos de la Tierra, punto culminante.

apología, elogio.

apoplejía, derrame cerebral.

apotegma, sentencia.

apotema, en geometría.

apoteósico o *apoteótico*, de apoteosis.

apoteosis, ensalzamiento.

apoyar, ayudar, basar.

aprehender, prender.

aprender, instruirse.

aprensión, recelo.

aprisa, *a prisa* o *apriesa*, con celeridad.

aprisco, paraje ganado.

aprobar, dar por bueno.

apropósito, pieza teatral.

a propósito, adrede.

aprovechar, utilizar.

aproximar, acercar.

ápside, extremo eje mayor de la órbita de un astro.

áptero, sin alas.

aptitud, idoneidad.

aquelarre, reunión de brujas.

aquello, lo que está lejos.

aquiescencia, consentimiento.

ara, altar.

árabe, de Arabia.

arácnido, artrópodo.

arado, instrumento labranza.

arambel, colgadura de paños.

arandela, disco con agujero en medio.

araña, arácnido.

arañar, raspar.

arar, remover la tierra.

arbitrar, usar de arbitrio.

arbitrio, facultad para resolver en uno u otro sentido.

árbitro, juez.

árbol, planta de tronco leñoso y elevado.

arbollón, desaguadero.

arbusto, planta leñosa de menor talla que el árbol.

arca, caja.

arcabuz, arma de fuego.

arcada, ojo de un arco, convulsión nerviosa.

arcaico, anticuado.

arcano, secreto.

arcilla, substancia mineral.

arco, curva.

archivo, guarda documentos.

archivolta o *arquivolta*, conjunto molduras.

arder, estar encendido.

ardid, maña.

ardido, valiente.

ardilla, animal.

ardite, moneda de poco valor.

ardor, calor grande.

arduo, difícil.

área, medida de superficie.

arena, conjunto partículas roca.

arenga, discurso.

arenque, pez.

areola o *aréola*, círculo rojizo.

areómetro, densímetro.

areópago, tribunal ateniense.

argénteo, de plata.

argolla, aro de hierro.

argüir, deducir.

aria, composición musical.

árido, estéril.

ariete, máquina, buque.

ariscarse o *hariscarse*, enojarse.

arisco, áspero, hosco.

arista, borde.

aristocracia, nobleza.

aristocratizar, infundir nobleza.

arma, instrumento de ofensa y defensa.

armilar (esfera), aparato que representa la esfera celeste.

armonía o *harmonía,* consonancia.

armónica, instrumento musical.

armonio, órgano.

arnés, armadura.

árnica, planta.

aro, juguete, argolla.

aroma, flor, fragancia.

arpa o *harpa,* instrumento musical.

arpegio, sucesión sonidos.

arpía o *harpía,* ave fabulosa.

arpillera o *harpillera,* tejido.

arpón, lanza con punta anzuelada.

arponear o *arponar,* cazar o pescar con arpón.

arquear, curvar.

arqueólogo, que estudia monumentos antiguos.

arquitectura, un arte.

arquitrabe, parte inferior del cornisamiento.

arrabal, barrio extremo.

arrabio, hierro colado.

arráez, arrayaz o *arraz,* caudillo árabe.

arraigar, echar raíces.

arras, señal de contrato.

arrayán, arbusto.

¡*arre!* o ¡*harre!,* interjección.

arrear o *harrear,* estimular bestias.

arrebañar, recoger.

arrebatar, arrancar.

arrebol, color rojo.

arrebujar, coger sin orden.

arreciar, aumentar.

arredrar, atemorizar.

arreo, atavío.

arrequive, adorno.

arria o *harria,* recua.

arriar, aflojar cabo.

arribar, llegar.

arribista, advenedizo.

arriero o *harriero,* trajinante en bestias.

arroba, medida de peso.

arrobar, embelesar.

arrogar, adoptar, atribuirse.

arrojar, echar con fuerza.

arrollar, envolver.

arroyar, formar arroyos.

arroyo, caudal corto de agua.

arrullar, enamorar.

arte, maña, habilidad.

artemisa o *artemisia,* planta olorosa.

arteramente, con astucia.

arteria, conducto de sangre.

arteriola, arteria pequeña.

arteriosclerosis o *arterioesclerosis,* endurecimiento arterias.

arto, cambronera.

arveja o *alverja,* algarroba.

arvejo, guisante.

arvejón, almorta.

arzón, fuste, silla de montar.

as, naipe.

asa, agarradero.

asaz, bastante.

asbesto, mineral.

asceta, religioso.

ascio, de la zona tórrida.

asco, repugnancia.

asear, adornar, limpiar.

asenso, asentimiento.

asepsia, higiene.

asequible, que se puede conseguir.

aseverar, afirmar.

asfixia, ahogo.

asiduo, frecuente.

así mismo o *asimismo,* del mismo modo o manera, también.

asíntota, línea recta tangente a una curva en el infinito.

asir, coger, agarrar.

asma, enfermedad.

asolar, arrasar.

aspa, brazo de molino.

aspaviento, gesto.

asperges, rociadura.

asperjar o *asperger,* rociar.

áspero, no suave.

aspersorio, instrumento con que se asperja.

áspid o *áspide,* víbora.

aspillera, abertura en fortificación.

aspirar, atraer aire.

asta, cuerno, palo.

astenia, decaimiento.

astigmatismo, defecto de la vista.

astil, mango.

astringir, contraer.

astro, cuerpo celeste.

astrolabio, antiguo instrumento para precisar situación astros.

astroso, desastrado.

astucia, malicia.

asubiar, guarecerse de la lluvia.

asumir, tomar para sí.

atabal, timbal.

atabe, abertura, cañería.

ataguía, obras para cortar o desviar paso de agua.

ataharre, banda de cuero.

atajo, camino más corto.

atalaya, torre.

atar, sujetar.

ataraxia, tranquilidad del alma.

atarjea, atajea o *atajía*, conducto para agua.

ataúd, caja mortuoria.

ataujía, obra de joyería.

atavío, adorno.

atavismo, semejanza con los abuelos.

ataxia, desorden nervioso.

ateo, sin Dios.

aterrizaje, llegada a tierra.

atiborrar, llenar, atracar.

aticismo, elegancia en la escritura.

ático, último piso.

atisbar, observar.

atlanticense o *atlantiquense*, natural del Atlántico.

Atlántico, mar.

atlas, colección de mapas.

atleta, luchador.

atmósfera o *atmosfera*, masa de aire que rodea la Tierra.

atolón, arrecife coralino.

atolladero, atascadero.

átomo, partícula.

atonía, debilidad.

atónito, pasmado.

atorrante, vago.

atrabancar, atestar.

atrabiliario, violento.

atracción, de atraer.

atraer, traer hacia sí.

atravesar o *travesar*, pasar de parte a parte.

atrevimiento, audacia.

atribuir, achacar.

atribular, afligir.

atributo, símbolo.

atrición, dolor moral.

atropellar, empujar con violencia, ultrajar.

atuendo, ostentación.

atún, pez.

audaz, atrevido.

audio-, que expresa audición.

audiófono o *audífono*, aparato para oir mejor.

audiómetro o *audímetro*, instrumento para medir la sensibilidad auditiva.

audiovisual, referente al oído y la vista.

auge, aumento.

augurar, pronosticar.

augusto, majestuoso.

aula, clase.

aulaga o *aliaga*, mata espinosa.

áulico, cortesano.

aullar, ulular.

aun[1], todavía, hasta.

aunar, unir.

¡*aúpa!*, interjección.

aura, viento suave.

áureo, de oro.

aureola o *auréola*, resplandor.

auricular, del oído.

aurífero o *aurígero*, que lleva oro.

auriga, cochero.

aurragado, mal labrado.

ausentarse, marcharse.

auspicio, agüero.

austero, rígido, severo.

autarquía, calidad del que no precisa de otro para subsistir.

autenticar o *autentificar*, legalizar.

autillo, ave.

autobús, auto común para el público.

autóctono, originario del mismo país en que vive.

---

1) En la página 98 se explica cuándo deberá acentuarse.

autogiro, aparato de aviación.

automóvil, vehículo con motor.

autopsia, examen del cadáver.

autor, causante.

autoridad, potestad.

auxiliar, ayudar.

avacado, caballería de mucho vientre.

avahar, echar vaho.

aval, firma, garantía.

avalancha, alud.

avaluar, valuar.

avance, adelante.

avanzar, adelantar.

avaricia, codicia.

avasallar, dominar.

avatar, transformación, vicisitud.

ave, animal vertebrado generalmente volátil.

avecinar, acercar.

avecindar, dar vecindad.

avechucho, ave de figura desagradable.

avejentar, aviejar.

avellana, fruto.

avellanarse, arrugarse.

¡Ave María!, exclamación.

Avemaría, oración.

avena, planta.

avenencia, acuerdo.

avenir, concordar.

aventajar, adelantar.

aventar, hacer aire.

aventura, suceso extraño.

avergonzar, causar vergüenza.

avería, daño.

averiguar, investigar.

averno, infierno.

aversión, repugnancia.

avestruz, ave.

avezar, acostumbrar.

aviación, locomoción aérea.

aviar, arreglar.

avicultura, arte de criar aves.

avidez, ansia.

avieso, malo.

avifauna, aves de una región o país.

avilantez, insolencia.

avío, arreglo.

avión, aeronave con alas y motores.

aviso, noticia.

avispa, insecto.

avispado, despierto.

avituallar, proveer.

avivar, excitar.

avizor, acechante.

avocar, reclamar expediente un superior.

avoceta, ave.

avuguero, peral.

avulsión, extirpación.

avutarda, *avucasta* o *avetarda*, ave.

¡ax!, interjección.

axil o *axial*, relativo al eje.

axila, ángulo en articulación.

axioma, sentencia.

axiómetro, indicador del timón.

axis, vértebra.

¡ay!, interjección.

aya o *ayo*, preceptores educación hijos.

ayer, el día anterior.

ayudar, auxiliar.

ayunar, no comer.

ayuntar, juntar.

azabache, lignito.

azada, herramienta.

azafata, camarera en avión, servidora regia.

azagaya, lanza, dardo.

azahar, flor del naranjo.

azar, casualidad.

azarar, avergonzar.

azarbe, cauce.

azaroso, de azar.

azeuxis, hiato.

ázimo o *ácimo*, sin levadura.

ázoe, nitrógeno.

azogue, mineral blanco y brillante, plaza pública.

azor o *aztor*, ave.

azoramiento o *azaramiento*, turbación.

azorar, avergonzar.

azteca, mejicano.

azud, *azuda*, *azut*, presa para desviar agua.

azuela o *hachuela*, herramienta.

azuzar, irritar, estimular.

B

baba, saliva espesa.

babazorro, joven atrevido, natural de Álava.

babel, confusión.

babia (en), estar distraído.

babieca, bobo.

babilónico, perteneciente a Babilonia.

babilonio, natural de Babilonia.

babor, lado izquierdo de un barco.

babosa, molusco.

babucha, zapatilla.

baca, sitio en carruaje.

bacalao, pez.

bacanal, orgía.

bacante, mujer de bacanales.

bácara o bácaris, planta.

bacará o bacarrá, juego naipes.

baceta, de naipes.

bacía, vasija de barbero.

báciga, juego de naipes.

bacilo, microbio.

bacín, orinal.

bacinete, armadura.

Baco, dios del vino.

bacteria, microbio.

bacteriología, estudio de bacterias.

báculo, cayada, palo.

bache, hoyo.

bachiller, persona con título de bachillerato.

badajo, pieza de campana.

badana, piel curtida.

badea, sandía o melón malo.

badén, zanja.

badil, paleta de hierro.

badila, badil.

badina, balsa de agua.

badomía, disparate.

badulaque, persona de poco seso.

baga, soga, cápsula del lino.

bagaje, equipaje.

bagar, fructificar.

bagatela, minucia.

bagazo, cáscara del lino.

¡bah!, interjección.

baharí, ave rapaz diurna.

bahía, entrante de mar en la costa.

bahorrina, porquería.

bahúno o bajuno, soez, ruin.

bahurrero, cazador de aves con red o lazo.

baída, se dice de la bóveda cortada por cuatro planos laterales.

baile, danza.

baivel, escuadra de cantero.

bajá, título.

bajamar, término del reflujo del mar.

bajar, descender.

bajel, buque.

bajío, banco de arena.

bajo, de poca altura.

bala, proyectil.

balada, poesía.

baladí, insignificante.

baladro, alarido.

baladronada, fanfarronada.

bálago, paja de cereal.

balaje o balaj, rubí morado.

balance, confrontación, movimiento.

balancín, balanza.

balandra, embarcación.

balandrán, vestidura talar.

balandro, balandra.

bálano o balano, parte miembro viril.

balanza, instrumento para pesar.

balar, dar balidos.

balasto, capa de grava.

balaustre o balaústre, columnita de barandilla.

balbucir o balbucear, pronunciar con dificultad.

balcón, hueco al exterior.

balda, anaquel.

baldaquín o baldaquino, dosel.

baldar, impedir.

balde, cubo.

balde (de), sin precio.

baldés, piel de oveja.

baldío, inúti.

baldo, fallo.

baldón, oprobio.

baldosa, ladrillo.

balduque, cinta oficinas.

baleador, que mata a balazos.

baleo, felpudo.

balhurria, gente baja.

balido, voz de la oveja.

balística, ciencia trayectoria proyectiles.

balitadera, reclamo para gamo.

baliza, señal en el agua o en pistas terrestres.

balneario, lugar de baños.

balompié, fútbol.

balón, pelota, fardo.

baloncesto, juego.

balonvolea, juego.

balota, bolilla para votar.

balsa, charco, útil para navegar.

bálsamo, medicamento.

baluarte, defensa.

balumba, bulto.

ballena, cetáceo.

ballesta, arma, muelle.

bamba, acierto casual.

bambalina, lienzo de decorado.

bambarria, persona tonta.

bamboche, persona rechoncha.

bambolear, bambalear o *bambonear,* moverse a un lado y otro.

bambolla, boato.

bambú o *bambuc,* planta.

banal, trivial.

banana, plátano.

banasta, cesto.

banca, asiento, conjunto de bancos.

bancal, rellano en terreno pendiente.

bancarrota, quiebra comercial.

banco, asiento, establecimiento de crédito.

banda, cinta, orquesta, porción de gente armada.

bandada, conjunto de aves.

bandearse, ingeniarse.

bandeja, plato ancho.

bandera, insignia.

bandería, bando, parcialidad.

banderilla, palo con lengüeta de hierro.

bandido, malhechor.

bando, edicto.

bandola o *bandolín,* instrumento músico.

bandolera (en), cruzando desde un hombro a la cadera contraria.

bandolero, bandido.

bandolina, mucílago para sentar el cabello.

bandurria, instrumento músico.

banquete, gran comida.

baño, tina, remojón.

bao, elemento en armazón de buque.

baobab, árbol.

baptisterio o *bautisterio,* pila bautismal.

baque, batacazo.

baquelita, resina sintética.

baqueta, varilla.

baquetear, incomodar.

baquiano o *baqueano,* experto.

bar, tienda de bebidas.

barahúnda, baraúnda o *vorahúnda,* ruido y confusión grande.

baraja, naipes.

barato, de poco precio.

báratro, infierno.

barba, parte de la cara.

barbacana, obra defensa.

barbacoa o *barbacuá,* camastro, parrilla para asar.

bárbaro, cruel.

barbechar, labrar hazas.

barbecho, tierra labrantía sin sembrar.

barbihecho, recién afeitado.

barbitaheño, de barba roja.

barbitúrico, un ácido.

barbo, pez.

barboquejo o *barbuquejo,* cinta para sujetar el sombrero.

barbotar, mascullar.

barbullar, hablar atropelladamente.

barca, embarcación.

barceo, albardín.

barco, embarcación.

bardo, poeta heroico.

bardoma, suciedad.

bardomera, broza.

baremo, tabla de cuentas, repertorio de tarifas.

bargueño o *vargueño*, mueble.

bario, metal.

barita, óxido de bario.

baritel, especie de cabrestante.

barítono, cantante.

barloa, cable.

barlovento, por donde viene el viento.

barniz, substancia resinosa.

barómetro, instrumento para medir la presión atmosférica.

barón, título.

barquillo, hoja de pasta.

barquinazo, vaivén.

barra, pieza alargada.

barrabasada, travesura.

barraca, albergue.

barragana, manceba.

barral, redoma grande.

barranco, despeñadero.

barrasco, costra de miera.

barrear, cerrar.

barrena, instrumento de taladrar.

barreño, vasija.

barrer, limpiar con escoba.

barrera, valla.

barrica, tonel.

barricada, parapeto.

barriga, vientre.

barril, vasija de madera.

barrio, arrabal.

barritar, berrear el elefante.

barro, lodo.

barroco, un estilo.

barrueco, perla irregular.

barrumbada, dicho jactancioso.

barruntar, prever.

bartola (a la), sin cuidado.

bártulos, enseres.

baruca, enredo.

barullo, confusión.

barzonear, vagar.

basalto, roca.

basar, apoyar.

basca, desazón.

bascosidad, inmundicia.

báscula, aparato pesar.

base, fundamento.

basílica, iglesia.

basilisco, animal fabuloso.

basquiña, saya negra.

bastar, ser suficiente.

bastardo, ilegítimo.

baste, hilván, almohadilla para caballería.

bastero, albardero.

bastidor, armazón.

bastilla, doblez en tela.

bastimento, barco, provisión.

bastión, baluarte.

basto, ordinario.

bastón, vara para apoyarse.

bastos, palo de la baraja.

basura, suciedad.

bata, ropa talar.

batacazo, porrazo.

batahola o *bataola*, bulla.

batalla, combate.

batán, máquina con mazos.

batanear, dar golpes.

batata, planta.

batayola, barandilla.

batea, bandeja.

batel, barco pequeño.

bateo, bautizo.

batería, piezas artillería.

baticola, correa de montura.

batihoja, artífice metales.

batimetría, arte medir las profundidades marinas.

batintín, caldero-campana, tantán.

batir, golpear.

batiscafo, embarcación para explorar profundidades marinas.

batista, lienzo fino.

batojar, varear frutos.

batología, repetición de vocablos.

batracio, vertebrado anfibio.

batuda, saltos gimnasta.

baturrillo, *batiborrillo* o *batiburrillo*, lío.

baturro, rústico, aragonés.

batuta, varita director orquesta.

baúl, cofre.

bauprés, palo de proa.

bausán, pelele.

bautismo, sacramento.

bauxita, mineral.

bávaro, natural de Baviera.

baya, fruto.

bayadera, bailarina.

bayeta, tela de lana.

bayo, color amarillento

bayoneta, arma blanca.

bayuca, taberna.

baza, varios naipes.

bazar, tienda.

bazo, víscera, moreno.

bazofia o *gazofia*, sobras de comida.

bazuca, arma portátil.

bazucar o *bazuquear*, traquetear.

be, balido oveja, letra.

beatilla, lienzo.

beato, bienaventurado.

beber, tragar líquido.

beca, insignia, prebenda.

becada, ave.

becar, conceder beca.

becerro, ternero.

becuadro, signo musical.

bedel, conserje.

beduino, árabe nómada.

befa, mofa.

begardo, hereje.

begonia, planta.

behetría, confusión.

behíque o *bohíque*, sacerdote y médico indio.

béisbol o *beisbol*, deporte.

bejín, hongo.

belcebú, demonio.

beldad, belleza.

beldar, aventar.

beleño, planta.

belez, ajuar, vasija.

belfo o *befo*, de labios gruesos.

belicismo, tendencia guerrera.

bélico, perteneciente a la guerra.

beligerante, el que está en guerra.

belio, unidad de medida de las sensaciones acústicas.

belitre, pícaro.

bellaco, ruin.

belladona, planta.

belleza, hermosura.

bellido, bello.

bellota, fruto.

bellote, clavo.

bemol, la nota musical un semitono más baja que la normal.

ben, árbol.

benceno, hidrocarburo.

bencina, substancia.

bendecir, alabar, consagrar.

benedictino, monje.

beneficiar, hacer bien.

benemérito, digno de premio.

beneplácito, aprobación.

benevolencia, buena voluntad hacia alguien.

bengala, caña, luz.

benigno, apacible.

benjamín, hijo menor.

benjuí o *menjuí*, bálsamo.

benzoato, clase de sal.

beodo, borracho.

bequeriana o *becqueriana*, de Bécquer.

berberecho, molusco bivalvo.

berberisco, de Berbería.

berbiquí, herramienta.

beréber o *berebere*, de Berbería.

berenjena, planta.

bergamota, fruta.

bergante, pícaro.

bergantín, buque.

berilio, metal.

berilo, esmeralda.

berlina, coche cerrado.

berlinga, pértiga para remover masa en hornos de fundición.

berma, espacio al pie de la muralla.

bermejo, rubio, rojizo.

bermellón, rojo vivo.

bernegal, taza ancha.

berrear, dar berridos.

berrenchín, rabieta.

berrendo, de dos colores.

berrido, voz de becerro.

berrín, bejín.

berrinche, rabieta.

berro, planta.

berroqueño, rocoso.

berza, col.

bes, ocho onzas.

besamel o *besamela*, salsa.

besana, labor de arado.

besante, moneda.

besar, tocar o hacer ademán de tocar con labios.

bestia, animal.

béstola, abéstola.

besugo, pez.

beta, cuerda, letra.

bético, andaluz.

betlemita o *betlehemita*, de Belén.

betún, substancia.

bezante, figura heráldica.

bezo, labio grueso.

bezoar, *bezaar* o *bezar*, antídoto.

biacentual, dos acentos.

biarrota, natural de Biarritz.

biberón, utensilio para lactancia artificial.

Biblia, sagrada escritura.

biblioteca, conjunto de libros.

bicarbonato, substancia.

bíceps, de dos puntas.

bicerra, cabra.

bicicleta, velocípedo.

bicípite o *bicéfalo*, que tiene dos cabezas.

bicoca, insignificancia.

bicolor, de dos colores.

bicóncavo, de dos superficies cóncavas.

biconvexo, de dos superficies convexas.

bicorne, de dos cuernos.

bicúspide, de dos cúspides.

bichero, asta larga.

bicho, animal pequeño.

bidé, cubeta tocador.

bidente, de dos dientes.

bidón, recipiente.

biela, pieza máquina.

bien, merced, provecho.

bienaventurado, feliz.

bienhechor, que hace bien.

bienio, dos años.

bienmesabe, dulce.

bienoliente, fragante.

bienplaciente, muy agradable.

bienteveo, choza para vigilar la viña, pájaro de Argentina y Uruguay.

bienvenida, llegada feliz.

bienvivir, vivir con holgura.

bierva, vaca sin cría, que da leche.

bies, sesgo.

bifásico, de dos fases.

bífido, hendido en dos partes.

biforme, de dos formas.

bifronte, de dos frentes.

bifurcarse, dividirse.

biga, carro.

bigamia, casamiento con dos consortes a la vez.

bigardo, vago, vicioso.

bigornia, yunque.

bigote, pelo sobre el labio superior.

bigudí, laminita para ensortijar cabello.

bilabial, de dos labios.

bilateral, de dos lados.

bilingüe, de dos lenguas

bilis, hiel.

billa, cierta jugada de billar.

billar, juego.

billarda, red, trampa.

billete, tarjeta, carta.

billón, millón de millones.

bimano o *bímano*, de dos manos.

bimba, sombrero copa.

bimembre, de dos miembros.

bimensual, que tiene lugar dos veces al mes.

bimestral, que sucede cada dos meses.

bimotor, de dos motores.

binar, hacer segunda vez.

binario, de dos.

binocular, visión con dos ojos.

binóculo, anteojo para los dos ojos.

binomio, expresión algebraica.

bínubo, casado segunda vez.

bio-, idea de vida.

biografía, historia de una vida.

biología, ciencia.

biombo, mampara.

biopsia, examen tejido ser vivo para diagnóstico.

biosfera, conjunto de los seres vivos con el medio en que se desarrollan.

biotipo, forma característica de una especie.

bípedo o *bípede*, de dos pies.

biplano, aeroplano.

biricú, cinto especial.

birlar, quitar, tirar.

birlibirloque (por arte de), encantamiento.
birlocha, cometa.
birlocho, carruaje.
birlón, bolo.
birreme, nave de dos filas de remos.
birreta, solideo rojo.
birrete, birreta.
birria, mamarracho.
bis, dos veces.
bisabuelo o bisagüelo, padre del abuelo.
bisagra, planchitas articuladas.
bisar, repetir actuación.
bisbís, juego.
bisbisar o bisbisear, musitar.
biscuit (galicismo), bizcocho, porcelana.
bisel, corte oblicuo.
bisexual, de dos sexos.
bisiesto, año de 336 días.
bisílabo o disílabo, de dos sílabas.
bismuto, metal brillante.
bisnieto o biznieto, hijo del nieto.
bisojo o bizco, de vista torcida.
bisonte, rumiante.
bisoñada, novatada.
bisoñé, peluca.
bisoño, novato.
bispón, rollo de encerado.
bisté o bistec, lonja de carne asada o frita.
bistraer, anticipar dinero.
bistrecha, anticipo.

bisturí, instrumento quirúrgico.
bisulco, de pezuñas partidas.
bisunto, sucio.
bisutería, joyería de imitación.
bita, poste para asegurar ancla.
bitácora, armario para aguja marear.
bíter, cierto licor.
bitongo, zangolotino.
bitoque, tapón tonel.
bitor, rey de codornices.
bituminoso, de betún.
biunívoco, relación entre dos.
bivalvo, que tiene dos valvas.
bizantino, de Bizancio.
bizarro, valiente.
bizcocho o biscocho, pan dulce.
bizma, emplasto.
boa, serpiente.
boato, pompa.
bóbilis (de), de balde.
bobina, carrete.
bobo, tonto.
boca, abertura.
bocadillo, alimento.
bocado, mordisco.
bocal, vasija.
bocear, bocezar.
bocel, moldura.
bocera, mancha en labios.
boceras o voceras, persona habladora.
boceto, esbozo, bosquejo.
bocezar, movimiento labios de las bestias.

bocín, pieza de esparto.
bocina, instrumento músico.
bocio, hipertrofia tiroides.
bocacalle, calle que afluye a otra.
bocón, hablador.
bocoy, barril.
bocha, bola de madera.
boche, hoyo pequeño.
bochinche, barullo.
bochorno, calor, desazón.
boda, casamiento.
bodega, depósito vinos.
bodegón, taberna, pintura de cosas comestibles y cacharros.
bodigo, panecillo.
bodijo o bodorrio, boda desigual.
bodoque, bola, torpe.
bodrio, sopa de sobras.
bóer, de cierta región del sur de África.
bofe, pulmón.
bofetada, golpe cara.
bogar, remar.
boga, fama, pez.
bogavante, remero, crustáceo.
bohemio o bohemo, gitano.
bohío o buhío, cabaña.
bohordo, tallo, lanza.
boicotear, privar de relación social y comercial.
boicoteo, de boicotear.

boíl, boyera.
boina, gorra.
boj, arbusto.
bojar, medir costa.
boje, conjunto de dos pares de ruedas montadas en dos ejes y utilizadas en vehículos de carril.
bol, ponchera, redada.
bola, cuerpo esférico, embuste.
bolcheviquismo, dictadura proletariado ruso.
boldo, arbusto del que proviene una infusión medicinal.
bolear, de bola.
boleo, de bolear.
bolero, bailador, baile.
boletín, publicación.
boleto, billete.
boliche, bola pequeña.
bólido, meteoro.
bolina, sonda, cuerda.
boliviano, de Bolivia.
bolo, palo torneado.
bolonio, ignorante.
bolsa, saco de mano.
bolsillo, bolsa.
bollar, poner marchamo.
bollo, pan dulce.
bomba, máquina, proyectil.
bombarda, cañón.
bombardear, hacer fuego artillería.
bombasí, tela algodón.
bombilla, aparato luz.
bombo, tambor, elogio.
bombón, dulce.
bonachón, amable.

bonaerense, de Buenos Aires.
bonanza, buen tiempo.
bonazo, bueno.
bondad, afabilidad.
bonete, gorro clérigo.
boniato o buniato, planta.
bonificación, mejora.
bonísimo, de bueno.
bonito, pez, lindo.
bono, tarjeta.
bonzo, sacerdote del culto de Buda.
boñiga, excremento.
Bootes, constelación.
boquera, puerta, excoriación.
boquerón, pez.
boquete, brecha.
boquiabierto, embobado.
boquihundido, de boca hundida.
borato, sal.
bórax o borraj, substancia.
borborigmo, ruido de tripas.
borbotar, bullir agua.
borceguí, calzado.
borda, vela galeras.
bordada, navegación entre dos viradas.
bordar, adornar con hilo una tela o piel.
borde, extremo, orilla.
bordear, andar por orilla.
bordo, costado de la nave.
bordón, bastón alto.
boreal, septentrional.
bóreas, viento norte.
borla, adorno.

borne, extremo del hilo conductor de un aparato eléctrico.
bornear, dar vueltas.
borona, pan de maíz.
borra, lana inferior.
borracho, beodo.
borraja, planta.
borrajear, escribir rasgos.
borrajo, rescoldo.
borrar, eliminar escrito.
borrasca, tempestad.
borrego, cordero.
borrén, parte silla montar.
borrico, asno.
borro, cordero de uno a dos años.
borrón, mancha tinta.
borrufalla, hojarasca, fruslería.
boruca, algazara.
boscaje, bosquecillo.
Bósforo, estrecho, canal.
bosque, sitio poblado de árboles y matas.
bosquejar, esbozar.
bostezar, abrir la boca.
bota, calzado, envase.
botador, herramienta.
botalón, palo embarcación.
botamen, botes de farmacia.
botana, remiendo en los odres.
botánica, ciencia.
botar, saltar, arrojar.
botarate, de poco juicio.
botarga, calzón.

botavante, asta abordaje.

bote, lancha, salto.

botella, vasija.

botica, farmacia.

botija, vasija de barro.

botijo, vasija de barro.

botillería, taberna.

botín, calzado, premio de conquista.

botivoleo, jugada pelota.

boto, rudo, torpe.

botón, capullo, disco metal, hueso o pasta.

botonadura o abotonadura, juego de botones.

botones, recadero.

botulismo, intoxicación por alimentos en malas condiciones.

bou, sistema pesca, barca.

bovaje, pago por yuntas.

bóveda, obra de fábrica que cubre espacio entre dos muros o varios pilares.

bóvido, mamífero.

bovino, del buey o vaca.

boxear, luchar con los puños.

boya, cuerpo flotante.

boyada, manada de bueyes.

boyal, referente al ganado vacuno.

boyante, próspero.

boyera, corral bueyes.

boyero, guarda bueyes.

bozal, sujeta boca.

bozo, vello en el labio.

brahmanismo, religión india.

bravata, baladronada.

bravo, valiente.

bravonel, fanfarrón.

bravura, valentía.

brebaje, bebida.

breva, fruto higuera.

breve, corto, conciso.

brevete, membrete.

breviario, libro de rezo.

briba, holgazanería.

bribón, haragán, pícaro.

bricbarca, clase buque.

brillo, lustre, resplandor.

bronconeumonía, inflamación bronquial.

bronquiolo o bronquíolo, de bronquio.

brujería, de brujo.

brujir, grujir.

bu, fantasma.

buba, tumor blando.

búbalo, cuadrúpedo.

bubón, tumor.

bucal, de la boca.

bucanero, cierto aventurero pirata.

búcaro, arcilla, vasija.

bucear, nadar bajo el agua.

bucéfalo, hombre rudo.

bucle, rizo de cabello.

bucólica, poesía campestre.

buche, estómago.

budín, plato de dulce.

budismo, doctrina.

bueno, bondadoso.

buey, macho vacuno castrado.

búfalo, rumiante.

bufanda, prenda abrigo.

bufar, resoplar.

bufé o ambigú, comida compuesta de manjares calientes y fríos servidos en una mesa a la vez, local para reuniones con este tipo de comidas.

bufete, mesa escribir, despacho abogado.

bufón, buhonero, truhán.

bugalla, agalla de árbol.

buganvilla, arbusto trepador.

buhardilla, bohardilla, boardilla o guardilla, desván.

buharro, ave rapaz.

buhedera, agujero.

buhedo, legunajo.

búho, ave nocturna.

buhonería, mercadería de baratijas.

buido, afilado, acanalado, con estrías.

buitre, ave rapaz.

buitrón o butrón, arte pesca.

bujarda, martillo usado en cantería.

buje, pieza cilíndrica.

bujeta, caja madera.

bujía, vela.

bula, dispensa papal.

bulbo, parte de algunas plantas.

bulevar, calle o paseo.

búlgaro, de Bulgaria.

bulo, noticia falsa.
bulto, fardo.
bululú, farsante.
bulla, gritería.
bullabesa, sopa de pescado.
bullir, hervir, agitar.
bumerán, arma australiana.
buñuelo, fritura, cosa mal hecha.
buque, barco.
burato, tejido.
burbuja, glóbulo de gas.
burdel, mancebía.
burdo, tosco.
burel, pieza escudo.
bureo, diversión.

bureta, tubo de vidrio.
burgalés, de Burgos.
burgo, aldea.
burgués, persona acomodada.
buriel, de color rojo.
buril, instrumento.
burla, chanza.
burlete, cilindro tela.
buró, mueble escritorio.
burócrata, empleado público.
burro, asno.
bursátil, de la Bolsa.
burujo o *borujo,* bulto.
burujón, chichón, bulto.
buscapiés, cohete.

buscar, inquirir.
buscavidas, curioso, trabajador.
busilis, quid.
busto, escultura o pintura de medio cuerpo.
butaca, sillón.
butano, hidrocarburo gaseoso.
buten (de), excelente.
butifarra, embuchado.
butiondo, hediondo.
buyo, mixtura.
buzo, que trabaja sumergido en el agua.
buzón, depósito para cartas.

C

cabal, completo.
cábala, cálculo.
cabalgar, montar a caballo.
cabalhuste, caballete.
caballero, que cabalga, señor.
caballete, de caballo, soporte.
caballo, cuadrúpedo.
cabaña, choza.
cabás, bolsa.
cabe, junto a.
cabello, pelo.
caber, tener lugar.
cabestrillo, banda para sostener brazo lastimado.
cabestro, buey manso.
cabete, extremo de cordón, cabo.
cabeza, testa.

cabida, espacio.
cabila, tribu de beduinos.
cabildo, comunidad.
cabilla, barra de hierro.
cabina, recinto aislado.
cabio, listón entre vigas.
cabizbajo, preocupado.
cabo, extremo, militar.
cabotaje, navegación.
cabrahígo, higuera silvestre.
cabrestante o *cabestrante,* torno.
cabritilla, piel curtida.
cabujón, piedra preciosa sin tallar.

cabuya, planta, cuerda.
cacahuete, cacahué, cacahuey o *cacahuate,* planta y fruto de la misma.
cacto, planta crasa.
cachava, cayado.
cachivache, vasija.
cadahalso, cobertizo.
cadalso, tablado para ejecuciones.
cadáver, cuerpo muerto.
caer, perder equilibrio.
cahíz, medida.
caíd, juez musulmán.
caimán, reptil.
cajero, de caja.
cajetilla, paquete tabaco.

cajetín, sello, compartimiento.
calabaza, planta.
calabozo, prisión.
calavera, huesos de la cabeza, perdido.
calbote, castaña asada.
calcomanía, imagen que se traspasa de un papel a otro.
calidad o *cualidad*, características de persona, animal o cosa.
calidez o *calidad*, calor, ardor.
calina o *calima*, turbidez del aire.
caliginoso, brumoso.
calumnia, falsedad.
calvario, sufrimiento.
calvero, paraje sin árboles.
calvo, sin pelo.
callar, no hablar.
calle, vía en poblado.
callo, dureza en la piel.
camagüeyano, de Camagüey.
cambalachear, cambiar objetos.
cambiar, alterar.
campo santo o *camposanto*, cementerio.
camuflaje, acción de camuflar.
camuflar, disimular presencia.
cancerbero, perro tres cabezas, portero severo.
canciller o *chanciller*, magistrado, alto funcionario.

cangilón, vaso grande.
caníbal, feroz, antropófago.
canjear, cambiar.
canjilón, de Canjáyar.
cantidad, porción.
cantiga o *cántiga*, cantar.
cañaveral, plantío de cañas.
caoba, árbol, madera del mismo.
caolín, arcilla blanca.
caos, confusión.
capcioso, engañoso.
capilla, capucha, oratorio.
capó, cubierta del motor del automóvil.
captar, atraer.
capturar, prender.
caquexia, enfermedad.
cáraba, embarcación.
caraba, holgorio.
carabao, rumiante.
cárabe, ámbar.
carabela, embarcación.
carabina, arma de fuego.
carabinero, soldado.
cárabo, embarcación, ave.
¡caramba!, interj. con que se denota extrañeza o enfado.
carámbano, pedazo hielo alargado y puntiagudo.
caranday o *carandaí*, palmera.
carácter, marca, genio.
caravana, grupo en viaje.
carbón, combustible.

carbono, metaloide.
carbunco o *carbunclo*, enfermedad.
carburante, mezcla de hidrocarburos para motores.
carburo, combinación del carbono.
cárcava, hoya.
carcavón, de cárcava.
carcavuezo, hoyo profundo en tierra.
carcaj o *carcax*, funda de cuero.
carcajear, reír a carcajadas.
cardialgia, dolor del cardias.
cardiología, tratado del corazón.
cargareme, documento de cargo.
carguero, que lleva carga.
caribe, de las Antillas, cruel.
caribú, reno del Canadá.
caries, úlcera de un hueso.
carnaval, fiesta.
carné, carterita notas.
carnívoro, que come carne.
carruaje, vehículo.
cartabón, instrumento de dibujo.
cárter, pieza mecánica.
cartivana, tira de papel.
carvajal, robledal.
carvajo, roble.
carvallar o *carvalledo*, robledal.

cascabel, bola hueca sonora.

cascabillo, cascabel.

cascarrabias, persona que se enfada fácilmente.

caseína, substancia.

casquivano, ligero de cascos.

castellanizar, dar carácter castellano.

casulla, vestidura sagrada.

catabolismo, fase destructiva del metabolismo.

catacumbas, subterráneos de los antiguos cristianos.

catalepsia, accidente nervioso.

cataplexia, enfermedad.

caterva, multitud de personas o cosas sin importancia.

catéter, sonda.

cauce, lecho de los ríos.

caución, precaución o cautela.

caucho, goma elástica.

caudillo, guía.

causahabiente, sucesor en el derecho de otro.

cáustico, que quema, agresivo.

cautivar, prender, atraer.

cauto, sagaz.

cava, acción de cavar, vena.

cavacote, montoncillo de tierra.

cavadiza, tierra cavada.

cavar, mover la tierra.

cavatina, aria musical.

caverna, concavidad.

caví, preparado de coca del Perú.

cavia, conejillo, excavación.

caviar o *cavial*, manjar.

cavidad, espacio, hueco.

cavilar, pensar.

cavo, cóncavo.

cayá, dignidad en Argel.

cayado, palo, bastón.

cayo, isla arenosa de las Antillas.

cazabe, torta de harina de mandioca.

cebada, planta.

cebadilla, especie de cebada.

cebar, alimentar animales.

cebellina, especie de marta.

cebolla, planta.

cebra o *zebra*, mamífero equino con listas color.

cebú, especie de toro con giba adiposa.

cecear, pronunciar la S como C.

cedilla o *zedilla*, signo escritura.

cefalalgia, dolor cabeza.

cefalotórax, cabeza y tórax en artrópodos.

cejijunto, cejas juntas.

celebérrimo, de célebre.

celibato, soltería.

celtíbero o *celtibero*, de Celtiberia.

cellisca, temporal de agua y nieve.

cenit o *zenit*, punto del hemisferio celeste que está en la vertical de un punto.

cenobita, de vida monástica.

centauro, monstruo.

centella, rayo.

centolla o *centollo*, crustáceo marino.

cepillo, instrumento.

cerbatana, arma de viento.

cerebelo, parte encéfalo.

cerval, cervuno, miedo grande.

cervantino, de Cervantes.

cervato, ciervo.

cerveza, bebida.

cerviguillo, exterior de la cerviz.

cerviz, parte posterior del cuello.

ciaboga, vuelta de embarcación.

cianhídrico, ácido.

cianógeno, gas.

cibario, reglamento de las comidas y convites romanos.

Cibeles, Tierra.

cibera, que ceba.

cibernética, una ciencia.

cibica, barra de hierro.

cicloide, curva plana.

ciempiés o *cientopiés*, escolopendra o miriápodo.
ciervo, animal rumiante.
cigüeña, ave.
címbalo, campana pequeña.
címbara, guadaña.
cimbel, ave señuelo.
cimborrio o *cimborio*, base de cúpula.
cinc o *zinc*, metal.
cinegética, arte de caza.
cíngaro, gitano.
cingiberáceo, cierto género de plantas.
circunscribir, reducir a ciertos límites.
circunspección, prudencia.
circunvalar, cercar.
circunvolución, rodeo.
cirugía, parte medicina.
ciudad, población.
cívico, civil, patriótico.
civil, ciudadano, guardia.
civilidad, sociabilidad.
civismo, celo patriótico.
cizalla, especie de tijeras para cortar metal.
cizaña, planta, disensión.
claraboya, ventana.
clarividencia, ver claro.
claustro, galería, patio de un convento.
cláusula, párrafo dispositivo.

clausurar, cerrar.
clava, palo.
clavar, hincar.
clavario, llavero.
clave, explicación para lenguaje cifrado.
clavel, planta.
clavicémbalo, *clavicímbano* o *clavicímbalo*, instrumento músico.
clavicordio, instrumento músico.
clavícula, hueso.
clavija, pieza que ensambla.
claviórgano, instrumento músico.
clavo, pieza de hierro.
claxon, bocina de automóvil.
cleptómano, ladrón.
cliché o *clisé*, plancha de imprenta, negativo fotográfico.
climatizar, mejorar las condiciones del aire de un espacio limitado.
climax, gradación.
cloaca, alcantarilla.
clon, payaso.
clorhídrico, combinación química.
club, sociedad recreo.
coacción, violencia.
coadyuvar, ayudar.
coagular, cuajar.
coalición, unión.
coartada, prueba.
coartar, restringir.
coautor, autor con otro.
coba, broma, halago.
cobalto, metal.
cobarde, miedoso.

cobayo, conejo indias.
cobertizo, tejado saliente, refugio.
cobertor, colcha.
cobertura, tapadera.
cobijar, albergar.
cocaina, alcaloide.
cocción, de cocer.
cóccix o *coxis*, hueso.
coctel, bebida.
cocuyo, insecto.
cochevira, manteca de puerco.
coeficiente, que con otra cosa produce un efecto.
coercer, refrenar.
coetáneo] de la misma
coevo] época
coexistir, existir con otro.
cogedura, acción coger.
coger, agarrar, asir.
cognación, tipo de parentesco.
cognición, conocimiento.
cogollo, lo escogido.
cogullo o *cogulla*, capuz, hábito.
cohabitar, habitar con otro, hacer vida marital.
cohechar, sobornar.
cohen, adivino.
coheredar, heredar con otro.
coherencia, cohesión.
cohesión, enlace.
cohete, tubo explosivo.
cohibir, reprimir.
cohobar, destilar varias veces.
cohobo, piel de ciervo.

cohombro o *cogombro*, planta.

cohonestar, dar visos de buena a una acción.

cohorte, unidad ejército romano.

coima, manceba, dádiva.

coincidir, concordar.

coito, cópula carnal.

cojear, andar irregularmente.

cojijo o *cosijo*, sabandija, desazón.

cojín, almohadón.

cojinete, pieza acero.

cojinúa, pez.

colaborador, compañero de labor.

colapso, postración, paralización.

colección, conjunto de cosas.

colectivo, que reúne.

colegiata, iglesia colegial.

colegio, escuela.

colegir, inferir, unir.

coleóptero, insecto.

colisión, choque.

colmillo, diente agudo.

colodrillo, parte posterior de la cabeza.

colombiano, de Colombia.

colombino, de Colón.

columbino, de paloma.

columna, pilastra.

collado, depresión en sierra.

collar, adorno para el cuello.

comba, inflexión, juego.

combatir, pelear.

combatividad, de combatir.

combés, espacio descubierto.

combinar, unir cosas.

combo, encorvado.

combustible, que arde.

comején, insecto.

comilla, signo ortográfico.

comitiva, acompañamiento.

commelináceo, relativo a ciertas plantas.

compacto, apretado.

compage, trabazón.

compaginar, ajustar.

companage, comida fiambre.

compartimiento, o *compartimento*, de compartir, parte de un todo.

compilar o *copilar*, reunir.

complejidad o *complexidad*, de complejo.

complexión, constitución.

complot, intriga.

comprobar, verificar.

compungirse, contristarse.

cóncavo, hundido.

concebir, crear.

concepción, de concebir.

concepto, idea.

conciliábulo, concilio ilegal.

conclave o *cónclave*, junta o congreso.

concubina, manceba.

concúbito, unión carnal.

conchabar, unir, juntar.

cóndor, ave rapaz.

conducta, comportamiento.

conejera, conejar.

conexión, enlace.

confabular, tramar.

confeccionar, hacer determinadas cosas materiales.

congelar, helar.

congénere, del mismo género.

congeniar, llevarse bien.

congénito, connatural.

congestión, acumulación de sangre.

conjeturar, suponer.

conjunción, unión.

conjuntiva, membrana delicada del ojo.

conjuntivitis, inflamación de la conjuntiva.

conmensurable, que se puede medir.

conmisto o *conmixto*, unido o mezclado.

conmoción, alteración.

conmutar, cambiar una cosa por otra.

connivencia, confabulación.

connubio, matrimonio.

conscripto, mozo que cumple el servicio militar.

consejero, que aconseja.

conserje, portero.

conservar, guardar.

consignar, señalar, destinar.

consomé, caldo.
constante, duradero.
constatación, comprobación.
constatar, comprobar.
constiparse, resfriarse.
constitución, formación.
constricción, encogimiento.
construcción, de construir.
consunción, extenuación.
contabilidad, arte de llevar las cuentas.
contagiar, contaminar.
conterráneo o *coterráneo*, de la misma tierra.
contestar, responder.
contexto, hilo discurso.
contextura, compaginación, configuración.
contingencia, riesgo.
contrabajo, instrumento músico.
contrabando, comercio ilícito.
contracción, de contraer.
contraer, estrechar.
contrahaz, revés.
contrahecho, torcido.
contravalar, construir trinchera frente a ejército sitiador.
contravención, de contravenir.
contravenir, obrar en contra.
contribuir, cooperar.
contribulado, atribulado.

contrición, dolor perfecto de haber ofendido a Dios.
control, inspección, registro.
controlar, fiscalizar.
controvertir, discutir.
contubernio, unión vituperable.
conturbar, turbar.
convalecer, recuperarse después de enfermedad.
convelerse, agitarse.
convencer, persuadir.
convención, concierto.
convenenciero, que sólo atiende a sus conveniencias.
conveniente, úttil.
convenio, pacto.
convenir, ser conveniente.
convento, monasterio.
convergir o *converger*, concurrir.
conversar, hablar.
converso, convertido.
convertir, mudar, volver.
convexo, abombado.
convicción, convencimiento.
convicto, de convencer.
convictorio, habitación colegial.
convidar, invitar.
convincente, que convence.
convival, de convite.
convocar, citar.
convoy, escolta.
convulsión, agitación violenta.
cónyuge, consorte.

coñá o *coñac*, cierto licor.
cooperar, colaborar.
coordinar, disponer con método.
copartícipe, partícipe con otro u otros.
coproductor, que produce con otro u otros.
copropietario, propietario con otro u otros.
copto o *cofto*, cristiano de Egipto.
coque o *cok*, substancia carbónica.
coraje, valor.
coranvobis, ante vosotros.
corbacho, vergajo.
corbata, prenda vestir.
corbato, baño frío del serpentín.
corbeta, barco.
corcova, corvadura.
corcovo, salto, desigualdad.
cordilla, trenza de tripas.
cordobán, piel curtida.
cordobés, de Córdoba.
corimbo, cierta inflorescencia.
corniveleto, de cuernos altos.
cornúpeta, animal cornudo en actitud de acometer.
corrección, de corregir.
corregir, enmendar.
correjel, cuero grueso.
correveidile o *correvedile*, alcahuete.
corroborar, confirmar.

corroer, desgastar.
corrupto, podrido, perverso.
corto circuito, contacto que produce descarga.
corva, revés rodilla.
corvato, cuervo cría.
corvejón, articulación de la pierna.
corveta, ejercicio del caballo.
corvina, pez.
corvo, arqueado.
cosechar, recolectar.
cosmonáutica, ciencia o arte de navegar más allá de la atmósfera terrestre.
cosquillas, sensación nerviosa.
coste, precio o gasto sin ganancia.
costo, ración en los cortijos, hierba tropical, cantidad que se paga por algo.
cotidiano o *cuotidiano*, diario.
cotillón, baile.
covacha, cueva pequeña.
coxalgia, enfermedad.
coxcojilla, juego.
coyote, especie de lobo
coyunda, unión conyugal, látigo.
coyuntura, oportunidad.
creación, acto de crear.
creer, juzgar, entender
crehuela, cierto lienzo
cremallera, barra con engranaje, cierre.
creosota, substancia.

creyente, que cree.
criar, producir, amamantar.
criba, plancha con orificios para cribar.
cribar, separar por tamaños unas partículas de otras.
cricquet, juego.
criollo, de padres europeos nacido en otro lugar.
cripta, lugar subterráneo de enterramientos.
cristofué, pájaro.
croar o *groar*, cantar la rana.
crol, estilo de natación.
cronometraje, medida del tiempo.
croqueta, fritura en pequeños trozos.
croquis, diseño.
crucifixión, efecto de crucificar.
crujía, espacio entre muros, espacio de proa a popa de un buque.
crujir, rechinar.
crup, garrotillo, difteria.
cuadrivio, punto en que concurren cuatro caminos.
cuáquero o *cuákero*, de cierta secta religiosa.
cuatralbo, con cuatro pies blancos.
cuba, recipiente de madera, isla americana.
cubeta, herrada.

cúbico, de figura de cubo geométrico.
cubiculario, servidor de cámara.
cubichete, pieza de metal.
cubil, guarida fieras.
cubilar, cubil, majada.
cubilete, especie de vaso.
cubiletear, manejar los cubiletes, valerse de artificios.
cúbito, hueso.
cuclillas (en), agachado
cucúrbita, retorta.
cuchillo, instrumento.
cuello, unión de la cabeza al tronco.
cuervo, pájaro.
cueva, cavidad.
cuévano, cesto.
cuin, conejillo indias.
cuino, cerdo.
culombio o *coulomb*, unidad de carga eléctrica.
culpabilidad, de culpa.
cultivar, labrar.
cumquibus, dinero.
cuodlibeto, discusión o disertación sobre tema elegido.
cúrbana, arbusto.
curbaril, árbol.
currículo, plan estudios, cómputo estudios.
curvatón, curva pequeña.
curvilíneo, con líneas curvas.
curvo, no recto.
cuscurro, pedazo de pan.
cuyo, de quien.

CH

chabacano, grosero.
chabola o chavola, choza.
chabuco, charco.
chalé o chalet, casa de recreo.
chamba, chiripa.
chambelán, gentil-hombre de cámara.
chambergo, regimiento, tipo prenda vestir.
chambón, poco hábil.
champiñón, hongo comestible.
chanclo, calzado para sobreponer al zapato o zapatilla.
chanchero, que cuida cerdos.
changuear, bromear.
chantaje, amenaza de difamación para obtener provecho.
chantillí, crema de nata.

charabán, coche descubierto.
chartreuse, licor.
chasis, armazón.
chaval, jovenzuelo.
chaveta, clavo para remachar, pasador.
chavó, chaval.
checoslovaco o checoeslovaco, natural de Checoslovaquia.
cheviot, lana.
chibalete, armazón de madera.
chicle, gomorresina, producto masticable.
chichisbeo, galanteo a mujer.
chilaba, prenda de vestir mora.
chillido, voz desarticulada y desapacible.
chiribita, chispa.
chiribitil, desván.
chirimbolo, utensilio.

chirimoya, fruto.
chirivía, planta.
chirusa o chiruza, moza del pueblo.
¡chis! o ¡chist!, interjección.
chisgarabís, zascandil.
chivata, porra de pastor.
chivatear, acusar, delatar.
chivo, cría de cabra.
chófer o chofer, mecánico que conduce automóvil.
chova, corneja.
chozno, hijo del tataranieto.
chubasco, chaparrón.
chumbera, planta.
chumbo (higo), fruto.
churrigueresco, estilo de Churriguera.
churumbel, niño.
churumbela, instrumento musical.

D

dádiva, regalo.
dahír, decreto en Marruecos.
dallar, segar con dalle.
dalle, guadaña.
danubiano, del Danubio.
darvinismo, teoría de Darwin.
dativo, caso gramatical.

de, verbo o preposición[1].
deambular, pasearse.
deán, dignidad eclesiástica.
debajo, lugar inferior.
debatir, contender.
debelar, rendir.
deber, adeudar.
débil, endeble.
débito, deuda.

debó, instrumento adobar pieles.
debutar (galicismo), dar principio.
decalcificación o descalcificación, disminución de sales calcáreas en los tejidos.
decenviro, magistrado antigua Roma.

---

1) En la página 98 se explica cuándo deberá acentuarse.

decepción, engaño.

decepcionar, desilusionar.

decibelio, décima parte del belio.

decisivo, definitivo.

declive, pendiente.

decúbito, posición horizontal del cuerpo.

deducción, consecuencia.

de facto, de hecho.

defección, deserción.

defectivo, defectuoso.

déficit, saldo en contra.

defuera, exteriormente.

degenerar, decaer.

degollar, cortar la garganta.

dehesa, tierra de pasto.

dehiscencia, acción de abrirse un fruto o antera.

deicida, que mata a Dios.

deidad, ser divino.

delectación, complacencia.

deliberar, considerar.

delimitar, señalar la demarcación de fronteras.

demagogia, dominación tiránica de la plebe.

demagogo, partidario de la demagogia.

dentellada, hacer acción de morder.

deportividad, caballerosidad en el deporte.

depravación, corrupción.

depresivo, que deprime.

de prisa o *deprisa*, con celeridad.

derivar, proceder de algo, llevar algo de una parte a otra.

derrabar, cortar cola.

derribar, demoler.

derrumbar, despeñar.

derviche, monje mahometano.

desaborido, sin sabor.

desabrido, insípido.

desaforado, contra ley.

desafuero, acto contra la ley.

desagüe, desaguadero.

desahogado, descarado.

desahuciar, desesperanzar, despedir al inquilino.

desairado, no airoso.

desalado, sin sal, presuroso.

desalar, andar presuroso, quitar la sal, quitar las alas.

desaliento, desánimo.

desaliñar, descomponer.

desalmado, inhumano.

desalojar, desocupar.

desaprensión, sin escrúpulo.

desaseado, sucio.

desasosiego, inquietud.

desavenencia, discordia.

desayuno, ligero alimento matinal.

desazón, inquietud.

desbandada, dispersión.

desbarajuste o *desbarahúste*, desorden.

desbaratar, deshacer.

desbarrar, disparatar.

desbastar, quitar lo basto.

desbocar, dispararse una caballería.

desbordar, desparramar.

desbullar, sacar la ostra.

descervigar, torcer cerviz.

descollar, destacar.

descoyuntar, desencajar los huesos.

describir, dibujar, delinear, referir.

descripción, acción y efecto de describir.

desechar, rechazar.

desecho, residuo.

desembarazo, soltura.

desembocar, salir por una boca.

desembolsar, sacar de la bolsa.

desemejante, diferente, no semejante.

desempleo, paro forzoso.

desenhornar o *deshornar*, sacar del horno.

desenvainar, sacar de la vaina.

desenvolver, desarrollar lo envuelto.

desfasar, desajustar.

deshacer, descomponer.

deshambrido, muy hambriento.

desharrapado o *desarrapado*, andrajoso.

deshecha, disimulo, de deshacer.

desherbar, quitar hierbas.

deshilachar, quitar hilachas de una tela.

deshojar, quitar hojas.

deshollinar, quitar hollín.

deshonesto, impúdico, indecente.

deshonrar, quitar honra.

designar, destinar.

deslavar, medio lavar.

deslavazar, deslavar.

desleír, disolver.

desmallar, quitar mallas.

desmayar, desfallecer.

desoír, desatender.

desojar, lastimar ojos.

desolar, derruir, afligir.

desollar, quitar la piel.

desopilar, desobstruir.

desorbitar, sacar de órbita.

desorden, sin orden.

desosar, deshuesar.

desovar, soltar huevos los peces y anfibios.

despabilar o *espabilar*, avivar.

despavorir, sentir pavor.

desquijarar, dislocar quijadas.

desprovisto, falto.

desquijerar, serrar un madero para hacer espiga.

destornillador o *atornillador*, instrumento para atornillar y destornillar.

destornillar, sacar un tornillo.

desusar, desacostumbrar.

desvahar, quitar lo marchito de una planta.

desvaído, color débil.

desvalido, desamparado.

desvalijar, robar.

desván, buhardilla.

desvanecer, disipar.

desvarar, resbalar.

desvarío, delirio.

desvelo, insomnio, esmero.

desventar, sacar el aire.

desventura, desgracia.

desviación o *deviación*, separación.

desvío, despego.

desvirtuar, quitar virtud.

detalle, pormenor.

detección, de detectar.

detectar, poner de manifiesto algo por métodos físicos o químicos.

detective, policía particular.

deuda, débito.

devalar o *davalar*, separarse del rumbo.

devaluar, rebajar valor.

devanar, arrollar hilo.

devaneo, distracción vana.

devastar, destruir.

devengar, adquirir derecho a percepción.

devenir, sobrevenir.

devoción, fervor religioso.

devolutivo, que devuelve.

devolver, volver a su sitio.

devorar, tragar con ansia.

dextro, espacio en iglesia con derecho asilo.

dextrorso, que se mueve a derechas.

dextrórsum, a derechas.

deyección, defecación.

diabático, que implica intercambio de calor.

diabetes, enfermedad.

diabólico, infernal.

diábolo, juguete.

díada, pareja de entes estrechamente unidos.

diagnosticar, determinar la enfermedad.

dialecto, variedad idioma.

dialefa, hiato.

diatriba, discurso o escrito violento.

dibujar, delinear.

dicción, palabra.

diccionario, catálogo de vocablos del idioma.

dictar, hablar o leer para que se escriba.

dicterio, dicho denigrativo.

didacticismo o *didactismo*, cualidad de didáctico.
difteria, enfermedad.
digamma, letra griega.
digerir, hacer digestión.
digital, de los dedos, planta.
dígito (número), de un guarismo.
digno, merecedor.
dije o *dij*, adorno.
dilección, aprecio.
diligencia, prontitud.
diluvio, lluvia muy copiosa.
dinamo o *dínamo*, máquina.
dioptría, unidad óptica.
dipsomanía, tendencia irresistible a la bebida.
díptico, tablas plegables.
diptongo, conjunto de dos vocales que se funden en una sola sílaba.
dirección, de dirigir.
dirigir, enderezar.
discóbolo, atleta que arroja el disco.
disconformidad o *desconformidad*, diferencia opinión.

discreción, sensatez.
disección, de disecar.
disolver, desleír.
dispepsia, enfermedad.
distracción, diversión.
distraído, despreocupado.
distribuir, repartir.
disturbio, alboroto.
disyuntiva, opción entre cosas opuestas.
ditirambo, poesía, alabanza exagerada.
divagar, separarse del tema.
diván, sofá.
divergencia, discrepancia.
diversidad, variedad.
diversión, pasatiempo.
dividir, partir, separar.
divieso, tumor.
divino, relativo a Dios, muy excelente.
divisa, señal.
divisar, ver, percibir.
divisibilidad, de divisible.
divisorio, que divide.
divo, divino, cantante.
divorcio, separación.
divulgar, dar a conocer.
diyambo, pie de poesía.
docto, erudito.

doctrina, enseñanza.
dogma, fundamento, doctrina.
dom, título que se antepone al apellido en las órdenes religiosas.
dominó o *dómino*, juego.
doncella, mujer virgen.
dovela, piedra labrada para arcos.
dozavo, duodécimo.
dracma, moneda griega.
drenaje, para salida de líquidos.
druida, sacerdote galo.
dual, de dos.
duba, muro, cerca.
dubitación, duda.
duermevela o *dormivela*, sueño ligero.
dueto, de dúo.
dúho, escaño, banco.
dúo, música o canto entre dos.
duplex, que puede transmitir y recibir simultáneamente dos mensajes.
duunviro, magistrado antigua Roma.
dux, magistrado italiano.

E

¡ea!, interjección.
ebanista, que trabaja maderas finas.
ébano, cierto árbol, madera del mismo.

ebenáceo, de botánica.
ebionita, hereje.
ebonita, pasta.
eborario, de marfil.

ebrio, embriagado.
ebullición, hervor.
ebúrneo, de marfil.
eccehomo, imagen de Jesucristo lacerado.

eccema o *eczema*, afección de la piel.
eclampsia, enfermedad.
eclipsar, oscurecer.
eclíptica, órbita aparente del sol.
eclosión, brote.
eco, repetición sonido.
ecoico, perteneciente al eco.
ecología, ciencia que estudia la relación entre los organismos y el medio en que viven.
ecuanimidad, imparcialidad.
ecuestre, relativo al caballo.
echar, arrojar.
edad, tiempo.
edafología, ciencia que estudia el suelo en su relación con las plantas.
edecán, ayudante.
edema, hinchazón patológica.
edén, paraíso.
edición, impresión de una obra.
edicto, mandato.
edil, concejal.
editar, publicar.
edredón, cobertor, relleno de plumas.
efebo, mancebo.
efectivo, real.
efeméride, relación de sucesos.
efervescencia, agitación.
efigie, imagen.

efímero, pasajero.
efluvio, emisión partículas.
efugio, recurso para sortear dificultad.
efusión, derramamiento.
egetano, de Vélez Blanco.
égida o *egida*, escudo, protección.
egipcio, de Egipto.
egoísmo, amor a sí mismo.
egolatría, culto del yo.
egotismo, afán de hablar de sí mismo.
egregio, insigne.
¡eh!, interjección.
eje, barra, fundamento.
ejecutar, realizar.
ejemplar, modelo.
ejemplarizar, edificar con el ejemplo.
ejemplo, caso o hecho sucedido.
ejercer, practicar.
ejército, conjunto fuerzas.
ejido, campo común.
el, artículo y pronombre[1].
elaborar, preparar algo.
elástico, acomodaticio.
elastómero, materia de gran elasticidad.
elección, designación.
electricidad, fluido.
eléctrodo o *electrodo*, polo en electrólisis.

electrólisis, descomposición de un cuerpo por electricidad.
elegía, poesía.
elegir, escoger.
elenco, catálogo.
elevar, levantar.
elidir, frustrar.
elipse, curva cerrada.
elipsis, figura gramatical.
élitro, ala insecto.
elixir o *elíxir*, licor.
elocución, manera de expresarse.
elogio, alabanza.
elucidar, poner en claro.
eludir, esquivar.
ella, *ello*, pronombres.
emanación, efluvio.
embadurnar, manchar.
embaír, embaucar.
embajada, mensaje.
embalaje, caja o cubierta.
embalar, preparar cosas para transporte, lanzarse a gran velocidad.
embaldosar, solar con baldosas.
embalsamar, preparar cadáveres para evitar putrefacción.
embalse, pantano artificial.
embarazo, impedimento.
embarcación, barco.
embargo, obstáculo.
embarnecer, engrosar.
embarullar, confundir.

---

1) En la página 98 se explica cuándo debe acentuarse.

embastar, hilvanar.

embate, golpe rudo.

embaucar, alucinar.

embazar, teñir de color pardo o bazo.

embebecer, entretener.

embeber, absorber.

embeleco, engaño.

embelesar, cautivar.

embellecer, poner bello.

embero, árbol, madera del mismo.

emberrenchinarse, encolerizarse.

embestir, acometer.

embijar, teñir con bermellón.

embobar, atontar.

embocar, meter por la boca.

embolia, obstrucción sanguínea.

embolismo, confusión.

émbolo, pieza máquina

embolsar, guardar en la bolsa.

emboque, bolo menor, engaño.

emborrachar, trastornar con bebida alcohólica.

emborrizar, cardar lana.

emborronar, llenar de borrones y rasgos un papel.

emborrullarse, disputar.

emboscada, asechanza.

embotar, enervar, cegar.

embozar, ocultar, cubrir.

embrear, untar de brea.

embriagar, emborrachar.

embuchar, meter en buche.

embudo, instrumento para transvasar líquidos, depresión.

emburujar, formar burujos.

embuste, mentira.

embutir, llenar.

eme, letra.

emergente, que nace.

emérito, jubilado con pensión.

emético, vomitivo.

emigrar, abandonar la nación.

eminencia, elevación.

emitir, echar fuera.

emotividad, emoción.

empellón, empujón.

emperejilar, adornar con profusión.

empíreo, celestial.

empírico, experimental.

empleo, cargo, oficio.

empollar, calentar huevos para cría, estudiar.

emporio, gran centro comercial.

empuje, impulso.

émulo, competidor.

enajenar, vender, turbar.

enálage, figura gramatical.

enamoricarse o enamoriscarse, prendarse de una persona.

enarbolar, levantar en alto enseña.

enarcar, arquear.

enardecer, excitar.

encaje, de encajar, labor.

encallar, quedar sujeta en bajío la nave.

encasillar, poner en casillas.

encía, carne sobre la dentadura.

encinta, embarazada.

enclave, grupo incluido en otro más extenso.

encobar, empollar.

encorajinarse, encolerizarse.

encorvar, arquear.

encovar o encuevar, encerrarse en cueva.

encrespar, rizar.

encubertar, vestir.

ende, allí.

endósmosis o endosmosis, paso hacia dentro de líquidos a través de membrana

endrino, negro azulado.

enebro, arbusto.

éneo, de cobre o bronce.

energía, eficacia, poder.

energúmeno, poseso.

enervar, debilitar.

enfatizar, poner énfasis.

engarabitar, retorcer.

engendrar, procrear.

engibar, corcovar.

engreír, envanecer.

engullir, tragar aprisa.

enhebrar, pasar la hebra por el ojo de la aguja.

enherbolar, inficionar.
enhestar o *inhestar*, levantar.
enhiesto o *inhiesto*, erguido.
enhorabuena o *norabuena*, felicitación.
enigma, misterio.
enjaezar o *jaezar*, poner jaeces.
enjalbegar, blanquear paredes con cal.
enjebar, blanquear muro.
enmohecer, cubrir de moho.
enojar, molestar.
enología, técnica de elaboración de vinos.
enredar, enmarañar.
enrevesado, enredado.
enriquecer, hacer rico.
enrobinarse, enmohecerse.
enrolar, alistar.
ensayar, experimentar.
en seguida o *enseguida*, acto continuo.
ente, lo que es o existe.
enteco, enfermizo.
entelequia, forma substancial.
entenado, hijastro.
entibar, apuntalar.
entibiar, templar.
entrambos, ambos.
entreacto, intermedio.
entrenamiento, acción de entrenar o entrenarse.
entrenar o *entrenarse*, ensayar.
entreverar, mezclar.

entrevista, reunión para tratar.
envainar, meter en la vaina.
envanecer, infundir vanidad.
envarar, entorpecer.
envarbascar, inficionar con verbasco.
envasar, echar en vasos.
envase, recipiente.
envejecer, de viejo.
envenenar, emponzoñar.
envergadura, anchura.
envés, revés.
enviar, remitir.
envidiar, codiciar.
envilecer, degradar.
enviscar, untar liga.
envite, apuesta.
envoltorio, lío.
envolver, cubrir con papel o tela, liar con argumentos.
Eolo, dios del viento.
épica, clase de poesía.
epicúreo, sensual.
epidemia, enfermedad transitoria general en una zona.
epidermis, capa celular.
epilepsia, enfermedad.
epílogo, recapitulación.
epiqueya, interpretación ecuánime de la ley.
epistaxis, hemorragia nasal.
epitalamio, composición lírica.
epíteto, adjetivo.

epizootia, enfermedad que acomete a animales general y transitoriamente.
época, temporada.
epopeya, poema heroico.
épsilon, nombre *e* breve griega.
equinoccio, época en que el sol se halla en el plano del ecuador terrestre.
equis, nombre letra.
equitativo, justo.
equivalencia, igualdad.
equivocar, confundir.
era, tiempo, terreno para trillar.
eraje, miel virgen.
eral, res vacuna de uno hasta dos años.
erar, formar eras.
erario, tesoro público.
erbio, metal.
erección, acción de levantar.
eréctil, que se endereza.
eremita, ermitaño.
eremitorio o *ermitorio*, paraje de ermitas.
ergástulo o *ergástula*, cárcel de esclavos.
ergio, unidad de trabajo.
erguir, enderezar.
erial, tierra inculta.
erigir, levantar.
erisipela, enfermedad.
erizar, encrespar.
erizo, mamífero equinodermo, planta.
ermita, capilla.
Eros, dios del amor.
erosión, señal por roce.

erosionar, producir erosión.

erotismo, pasión de amor.

errabundo, errante.

erradicar, arrancar de raíz.

erraj o *herraj*, cisco de huesos.

errante, de errar.

errar, equivocar, vagar.

error, equivocación.

erubescencia, rubor.

eructar o *erutar*, expeler gases.

erudición, instrucción.

erupción, formación de granos, emisión volcánica.

ervilla, arveja.

esa-e-o, pronombre[1].

esbelto, gallardo.

esbirro, alguacil.

esbozo, bosquejo.

escaba, desperdicio del lino.

escabeche, especie de adobo.

escabel, tarima.

escabroso, desigual.

escabullir, escapar.

escalofrío o *calofrío*, sensación de frío.

escalope, loncha de carne.

escamiforme, de forma de escama.

escanciar, echar el vino.

escandir, medir el verso.

escarabajo, insecto.

escarbar, remover tierra.

escarcela, mochila.

escarceo, divagación.

escarmiento, desengaño.

escarnio, burla.

escasez, mezquindad.

escayola, yeso.

escéptico, incrédulo.

escisión, rompimiento.

esclarecer, aclarar.

esclavina, vestidura.

esclavo, siervo.

esclerosar, producir esclerosis.

esclerosis, transformación en tejido fibroso.

esclusa, recinto en canal.

escoba, útil de limpieza.

escobén, ciertos agujeros en buques.

escocer, doler.

escofina, herramienta.

escoger, elegir.

esconder, ocultar.

escorar, ladearse un barco.

escorbuto, enfermedad.

escoria, cosa despreciable.

escribir, trazar letras.

escrófula, tumefacción.

escrúpulo, aprensión.

escrutar, escudriñar.

escrutinio, examen.

escuadra, conjunto barcos, ángulo recto.

escuálido, flaco.

escuchar, aplicar oído.

escudar, amparar.

escudero, paje.

escudriñar, inquirir.

escurribanda, escapatoria.

esdrújulo, que se acentúa en la antepenúltima sílaba.

esecilla, alacrán.

eseíble, que puede ser.

esencial, principal.

esenio, secta.

esfera, globo, la del reloj.

esforzar, infundir ánimo.

esfumar, *esfuminar*, *difumar* o *difuminar*, restregar con esfumino.

esguince, movimiento, gesto, torcedura.

eslabón, anillo.

esmoquin, prenda de etiqueta.

esófago, conducto de la faringe al estómago.

esotérico, oculto.

espabilado, avivado.

espaciar, separar.

espadaña, planta, campanario.

espagueti, pasta alimenticia.

espantar, asustar.

españolizar o *españolar*, castellanizar.

esparaván, gavilán.

esparavel, red.

esparcir, extender.

---

1) En la página 98 se explica cuándo han de acentuarse las formas *esa* y *ese*.

esparteína, alcaloide.

esparto, planta.

espasmo, contracción nerviosa.

especial, singular.

espécimen, muestra.

especioso, hermoso.

espectáculo, función.

espectador, que mira.

espectro, fantasma.

especular, meditar, registrar, comerciar.

espejismo, ilusión óptica.

espeleología, ciencia sobre formación cavernas.

espeluznante, que eriza el cabello.

esperar, aguardar.

esperpento, persona rara.

espeso, denso.

espiar, acechar.

espionaje, de espiar.

espiral, curva indefinida.

espirar, exhalar olor, animar, expeler aire.

espíritu, alma, vigor.

espita, medida grifo.

esplender, resplandecer.

espléndido, magnífico.

esplénico, referente al bazo.

esplenio, músculo.

esplenitis, inflamación bazo.

espliego, mata.

esplín, hastío, tedio.

esplique, armadijo caza.

espolear, avivar.

espoleta, pistón, horquilla, clavícula aves.

espolio, bienes mitra.

espolique, mozo que va a pie delante de caballería en que va su amo.

esponjera, para colocar la esponja.

esponsales, matrimonio.

espontáneo, voluntario, que se produce sin cultivo.

esporádico, ocasional.

esposar, poner esposas.

espuela, acicate.

espurio, bastardo, falso.

esqueje, tallito para regenerar nueva planta.

esquema, bosquejo.

esquí, patín para nieve.

esquife, barco.

esquilmar, empobrecer.

esquirol, que substituye a un huelguista.

esquisto, pizarra.

esquivar, evitar.

esquivo, huraño.

estabilidad, permanencia, firmeza.

estabilizar, dar estabilidad.

estabular, criar ganado en establo.

estalactita, concreción calcárea en techo.

estalagmita, concreción calcárea en el suelo.

estampido, ruido fuerte.

estándar, tipo, modelo.

estandarizar o *estandardizar*, ajustar a un tipo, modelo o norma.

estaño, metal.

estarcir, pintar mediante patrón.

estasis, estancamiento de la sangre.

estático, que permanece quieto.

estatuir, establecer.

estay, cabo del mástil.

esteba, planta, pértiga.

estebar, en tintorería.

estenosis, estrechamiento.

estentóreo, retumbante.

estereoscopio, instrumento óptico.

estéril, que no da fruto.

estertor, respiración anhelante.

esteva, pieza del arado.

estevado, de piernas torcidas.

estibar, apretar cosas.

estibio, antimonio.

estigma, afrenta, marca.

estilete, punzón.

estilo, modo, manera.

estimar, apreciar.

estimular, incitar.

estío, verano.

estipendio, salario.

estirpe, linaje.

estival, de verano.

estoico, imperturbable.

estorbo, obstáculo.

estovar, rehogar.

estrabismo, torcedura de ojos.

estrado, tarima.

estrafalario, extravagante.

estragar, corromper.

estrambote, verso.

estrambótico, raro.

estrangular, ahogar.

estraperlo[1], sobreprecio ilícito.

estratagema, ardid.

estrategia, arte de guerra.

estrato, capa masa mineral.

estratosfera, zona superior de la atmósfera.

estrave, extremo quilla.

estraza, trapo.

estrechar, apretar.

estrellar, de estrella, arrojar contra algo.

estremecer, conmover.

estrenar, usar por primera vez.

estreñimiento, dificultad de evacuar.

estrépito, estruendo.

estreptomicina, antibiótico.

estrés, rendimiento fisiológico exagerado.

estriar, formar surcos.

estribar, apoyarse.

estribillo, muletilla.

estribo, apoyo.

estribor, lado derecho del navío.

estricnina, alcaloide.

estricote (al), al retortero.

estricto, estrecho, justo.

estridencia, sonido agudo desapacible.

estróbilo, infrutescencia en muchas coníferas.

estrobo, sujetarremos.

estrógeno, substancia que produce el celo de los mamíferos.

estropajo, esparto machacado.

estropicio, destrozo.

estructura, conformación.

estruendo, ruido grande.

estrujar, apretar.

estuario, ribera de la ría sometida a las mareas.

estulto, necio.

estupefacción, pasmo.

estúpido, torpe.

ésula, planta.

esvarón, resbalón.

esvástica, cruz gamada.

etcétera, indicación de lo que queda.

éter, fluido sutil.

etéreo, de éter.

ética, moral.

ético, tísico.

etíope o *etiope*, natural de Etiopía.

étnico, pagano, de una raza.

etnografía, descripción de razas.

eucalipto, árbol.

eucaristía, sacramento.

eufemismo, circunloquio.

eufónico, de buen sonido.

euforia, sensación de bienestar.

eugenesia, aplicación leyes biológicas de la herencia para mejorar la especie.

eunuco, hombre castrado.

eupepsia, digestión normal.

¡eureka!, interjección.

euritmia, buen ritmo.

eutrapelia o *eutropelia*, discurso o juego recreativo.

eutrofia, buen estado de nutrición.

evacuar, expeler, desalojar.

evadir, eludir dificultad.

evaluar, valorar.

evangelio, doctrina de Cristo.

evaporar, desvanecer.

evasión, fuga.

evento, acontecimiento.

eventual, inseguro.

eversión, destrucción.

evicción, despojo.

evidencia, certeza.

evitar o *vitar*, rehuir.

eviterno, eterno.

evo, eternidad.

evocar, traer a la imaginación.

---

1) Figura ya en el Diccionario de la Academia de 1970.

¡evohé!, exclamación.

evolución, transformación.

evónimo, arbusto.

exabrupto o *ex abrupto*, salida de tono, arrebatadamente.

exacción, cobro de impuestos o multas.

exacerbar, irritar.

exacto, puntual.

exagerar, dar proporciones excesivas.

exaltar, ensalzar.

examinar, inquirir.

exangüe, desangrado.

exánime, desmayado.

exantemático, eruptivo.

exasperar, irritar.

excarcelar, libertar.

ex cáthedra, con autoridad de maestro.

excavar, hacer hoyo.

exceder, superar.

excelencia, superior calidad, tratamiento.

excelente, superior.

excelso, muy elevado.

excéntrico, extravagante.

excepción, exclusión.

exceptuar, excluir.

exceso, demasía.

excitar, estimular.

exclamar, emitir palabras con vehemencia.

exclaustrado, salido del claustro.

excluir, suprimir.

exclusive, sin incluir.

excogitar, meditar.

excomulgar, apartar de la comunión.

excoriación, de excoriar.

excoriar o *escoriar*, arrancar cutis.

excrecencia o *excrescencia*, superfluidad.

excremento, basura.

excretar, expeler el excremento.

excrex, donación de uno a otro cónyuge.

exculpar, quitar culpa.

excursión, correría.

excusa, disculpa.

execrar, condenar.

exégesis, interpretación.

exegeta, intérprete Sagrada Escritura.

exención, de eximir.

exequias, honras fúnebres.

exfoliación, división en láminas.

exhalación, rayo.

exhalar, emitir, lanzar.

exhausto, agotado.

exheredar, desheredar.

exhibir, mostrar.

exhortar, aconsejar.

exhorto, mandato.

exhumar, desenterrar.

exigir, reclamar.

exigüidad, escasez.

exiliado, alejado patria.

exilio, destierro.

eximio, relevante.

eximir, dispensar.

exinanición, falta vigor.

existencialismo, tendencia filosófica.

existir, ser.

éxito, resultado feliz.

ex libris, referencia editorial o de autor.

éxodo, emigración.

exogamia, matrimonio entre seres de distinta tribu, apareamiento animales distinta especie.

exonerar, destituir.

exorable, que se vence por ruegos.

exorar, rogar.

exorbitancia, demasía.

exorcismo, conjuro contra el mal.

exordio, introducción.

exornar, adornar.

exósmosis o *exosmosis*, paso hacia afuera de líquido a través membrana.

exotérico, accesible para el público.

exótico, extranjero.

expandir, extender.

expansión, desahogo.

expatriarse, abandonar la patria.

expectación, intensidad en la espera.

expectativa, esperanza de conseguir algo.

expectorar, arrancar flemas.

expedición, excursión, despacho.

expediente, conjunto de documentos.

expedir, despachar.

expedito, sin traba.

expeler, arrojar.

expender, vender.

expensas, gastos.

experiencia, prueba, práctica.

experimentar, probar.

experto, práctico.
expiar, penar.
expirar, morir.
explanar, allanar, explicar.
explayar, extender.
expletivo, expresivo.
explicar, aclarar.
explícito, claro.
explorar, reconocer.
explosión, conmoción.
explosionar, estallar, hacer estallar.
explotar, extraer de las minas su riqueza, estallar.
expoliación, despojo.
exponer, presentar, arriesgar, explicar.
exportar, remitir fuera.
expósito, inclusero.
expresar, manifestar.
expresión, declaración.
expreso, tren, claro.
exprimir, estrujar.
ex profeso, de propósito.
expropiar, desposeer.
expugnar, tomar por la fuerza.
expulsar, expeler.
expurgar, purificar.
exquisito, delicioso.
éxtasis o *éxtasi*, arrobo.
extático, en éxtasis.

extemporáneo, inoportuno.
extender, difundir.
extenuar, debilitar.
exterior, parte externa.
exterminar, aniquilar.
externo, de fuera.
extinguir, apagar, acabar.
extirpar, arrancar.
extorsión, de extorsionar.
extorsionar, usurpar, causar daño.
extra, prefijo latino, plato fuera del cubierto, persona o servicio accidental.
extracción, de extraer.
extractar, reducir.
extradición, acción de traer de fuera.
extradós, superficie exterior de una bóveda.
extraer, sacar.
extrajudicial, fuera de la vía judicial.
extramuros, fuera de los muros.
extranjero, de otro país.
extranjía, extranjería.
extranjis (de), de tapadillo.
extrañar, causar sorpresa, desterrar.

extrañez, extrañeza.
extraordinario, fuera de lo ordinario.
extrapolar, averiguar el valor de una magnitud entre dos medidas.
extrarradio, fuera del radio.
extrasístole, latido anormal del corazón.
extratémpora, dispensa eclesiástica.
extravagancia, rareza.
extravasarse, rebosar.
extraviar, perder.
extremar, llevar al extremo.
extremaunción, sacramento.
extremeño, de Extremadura.
extremidad, parte extrema.
extremo, último.
extrínseco, externo.
exuberancia, abundancia.
exudar, salir líquido.
exulcerar, formar llaga.
exultación, demostración de gran gozo o alegría.
exvoto, ofrenda.
eyacular, lanzar con fuerza el contenido.

F

faba, haba.
fabada, potaje.
fabordón, contrapunto musical.

fábula, relato, mentira.
facción, bando.
faccioso, rebelde.

facsímil o *facsímile*, reproducción.
factible, hacedero.
facticio, no natural.

fáctico, relativo a hechos.

factótum, persona principal.

facturar, extender facturas.

faena, trabajo.

fajín, faja.

falange, cuerpo militar, huesos dedos.

falibilidad, posibilidad de errar.

falsilla, papel con líneas.

falúa, embarcación.

falla, falta, hoguera.

fallar, frustrar, dar sentencia.

falleba, mecanismo de cierre para ventanas.

fallecer, morir.

fanega, medida áridos.

faraute, mensajero.

farfullar, hablar atropelladamente.

faringe, porción alta tubo digestivo.

fauces, parte posterior de la boca.

fauna, conjunto de animales de un país.

fausto, feliz.

favila, pavesa.

favor, ayuda.

faya, tejido, peñasco.

Febo, el sol.

fehaciente, que hace fe.

fénix, ave fabulosa.

ferrugiento, de hierro.

férvido, ardiente.

ferviente, fervoroso.

fervor, devoción.

festividad, fiesta.

festivo, alegre.

feudo, señorío.

fiar, confiar.

fíbula, hebilla.

ficción, fingimiento.

fiel, leal.

fijeza, firmeza.

filibustero, pirata.

filmar, impresionar cintas cinematográficas.

filme, película cinematográfica.

filoxera, insecto.

fingir, aparentar.

fiordo, golfo o ría en península escandinava.

fisiología, estudio funciones seres orgánicos.

flabelo, abanico.

flaccidez o *flacidez*, de fláccido.

fláccido o *flácido*, flaco, flojo.

flagelación, azote.

flamígero, que llamea.

flavo, amarillento.

flébil, lamentable.

flebitis, inflamación de las venas.

flexible, doblegable, cable.

flexión, acción de doblar.

flexuoso, que forma ondas, blando.

flictena, tumor.

flirteo, coqueteo.

flojear, flaquear.

florilegio, antología.

fluctuar, vacilar.

fluido, sin coherencia.

fluir, manar, correr.

flúor, metaloide.

fluvial, de río.

fluxión, acumulación de humor.

fobia, repulsión.

fogaje, cierto tributo.

folklore, *folclore* o *folclor*, tradiciones populares.

folla, lance de torneo.

follaje, ramaje.

folleto, obra impresa.

follón, persona vana, alboroto.

fonje, blando, esponjoso.

forajido, facineroso.

forcejar o *forcejear*, hacer fuerza.

fórceps, instrumento de obstetricia.

fotofobia, horror a luz.

fracción, división.

fractura, rotura.

frágil, quebradizo.

fragmento, trozo.

frajenco, cerdo mediano.

frambuesa, fruto.

francmasonería, asociación secreta.

frangente, que parte.

frangir, partir.

franjar o *franjear*, hacer franjas.

fraude, estafa, engaño.

fray, fraile.

freír, preparar alimento en aceite o grasa hirviendo.

friccionar, dar friegas.

frigidez, frialdad.

frigidísimo, de frío.

frívolo, ligero.

fructificar, producir utilidad, dar fruto.

frugífero, que lleva fruto.

frugívoro, que se alimenta de frutos.

fruición, complacencia.

fuelle, útil para soplar.

fugitivo, que huye.

fulgente, brillante.

fulgir, resplandecer.

fulgoroso o *fulguroso*, resplandeciente.

fuligo, hollín, sarro, hongo.

funámbulo, volatinero.

fundíbulo, máquina de disparar piedras.

fungible, consumible.

fungistático, que impide actividad de los hongos.

fútbol o *futbol*, juego.

futbolín, juego.

fútil, de poco aprecio.

G

gabacho, de algunos pueblos de los Pirineos, francés.

gabán, abrigo.

gabardina, impermeable.

gabarra, embarcación, molestia.

gábata, escudilla.

gabato, cría de ciervo o liebre.

gabela, tributo.

gabinete, aposento.

gaje, emolumento.

galaxia, formación estelar.

galbana, pereza.

gálbano, gomorresina.

gálibo, arco para controlar el volumen de carga en vagones y vehículos.

galop o *galopa*, baile.

galvanismo, excitación eléctrica.

galvanizar, aplicar baño de un metal a otro.

galvanoplastia, arte de galvanizar.

gallardete, adorno.

gallardo, bizarro.

gallina, ave de corral.

gallito, hombre presuntuoso.

gallo, ave de corral.

gambax o *gambaj*, jubón.

gamberro, libertino, grosero.

gambeta, movimiento piernas.

gamellón, pila donde se pisan las uvas.

gamma, letra griega.

garabato, gancho hierro, rasgo pluma.

garabito, asiento alto.

garaje, cochera de autos.

garambaina, adefesio.

garba, gavilla de mieses.

garbanzo, planta.

garbeo, paseo.

garbo, gentileza.

garrobal, algarrobal.

garvín o *garbín*, cofia hecha de red.

gasoducto, tubería para conducir gas.

gasóleo, derivado del petróleo.

gaucho, de las pampas.

gausio o *gauss*, unidad de inducción magnética.

gaveta, cajón.

gavia, gaviota, jaula.

gavial, reptil.

gavilán, ave.

gavilla, haz.

gavina, gaviota.

gaviota, ave.

gavota, baile.

gayo, alegre, vistoso.

gehena, infierno.

géiser, fuente termal.

gelatina, substancia.

gélido, muy frío.

gema, piedra preciosa.

gemebundo, que gime.

gemelo, juego de dos.

gemido, lamento.

gemir, clamar.

gemología, ciencia que trata de las piedras preciosas.

gendarme, militar.

genealógico, relativo a los ascendientes.

generación, casta, sucesión.

general, común, militar.

generar, engendrar.

género, especie.

generosidad, largueza.

génesis, origen.

genial, ingenioso.

genio, carácter.

genital, que engendra.

genitivo, caso gramatical.

genocidio, exterminio.

genovés, de Génova.

gente, pluralidad de personas.

gentil, pagano, airoso.

gentilicio, relativo a las gentes o naciones.

genuflexión, acción de arrodillarse.

genuino, puro, legítimo.

geología, ciencia de la Tierra.

geometría, ciencia.

geranio, planta.

gerencia, dirección.

geriatría, ciencia que estudia la vejez.

gerifalte, ave rapaz.

germanía, jerga gitana.

germen, origen, semilla.

germinar, brotar.

gerontología, estudio sobre la vejez y envejecimiento.

gerundense, de Gerona.

gerundio, modo de verbo.

gesta, conjunto de hechos memorables.

gestación, duración de la preñez.

gestión, diligencia.

gesto, mueca.

gestor, que gestiona.

giba, joroba.

gibraltareño o *jibraltareño*, de Gibraltar.

gigante, coloso.

gigote o *jigote*, guisado de carne.

gilí, tonto.

gimnasio, local para ejercicios.

gímnico, referente a atletas.

gimotear, gemir.

gineceo, parte de la flor.

Ginebra, ciudad, licor.

ginecología, ciencia que trata enfermedades mujer.

gingival, perteneciente a las encías.

gira, excursión con vuelta al punto de partida, de girar.

girándula, rueda.

girar, moverse alrededor, operar en Banco.

girasol, planta.

girola, nave del ábside.

giróvago, monje errante.

gitano, vagabundo.

glaciar, río de hielo.

gladíolo, *gladiolo* o *gradiolo*, planta.

glauco, verde claro.

gleba, terrón.

globo, cuerpo esférico.

glóbulo, de globo.

gneis o *neis*, roca.

gnomo o *nomo*, ser fantástico.

gobernalle, timón.

gobernar, mandar.

gol, tanto en el juego de fútbol.

golf, juego.

gollería, manjar exquisito, demasía.

gongo o *gong*, batintín.

gorjeo, quiebro de la voz en la garganta.

grabar, esculpir.

gragea, confite, píldora.

grajear, cantar el grajo.

granívoro, que se alimenta de granos.

granjería, ganancia.

granjero, de granja.

granujería, bribonería.

granujiento, con muchos granos.

gratitud, agradecimiento.

grava, piedra triturada.

gravamen, carga.

gravar, cargar.

grave, serio, importante.

gravedad fuerza de atracción de la Tierra.

gravedoso, serio.

grávido, cargado.

gravoso, molesto, que ocasiona gasto.

greba, pieza armadura.

grecorromano, griego y romano.

greguería, algarabía.

gregüescos, calzones.

grillo, insecto.

gruir, gritar las grullas.

grujir o *brujir*, igualar bordes vidrio.

grulla, ave zancuda.
guacamayo, ave.
guajira, canto cubano.
guajiro, campesino blanco de Cuba.
guardaespaldas, que sigue a otro para su defensa.
guardagujas, empleado ferrocarril.
guau, voz del perro.
¡guay!, interjección.

guayaba, fruto, jalea.
guayabera, chaquetilla.
gubernamental, de gobierno.
gubia, formón.
guedeja, melena.
guerra, lucha.
gueto, barrio en que vivían los judíos.
guiar, dirigir.
guijo, piedra menuda.

guillotina, máquina para cortar.
guión, signo ortográfico, estandarte, pendón.
guipuzcoano, de Guipúzcoa.
güisqui, cierto licor.
gumía, arma blanca.
guyanés, natural de Guyana.

H

¡ha!, interjección.
haba, planta, tumor.
habado, animal enfermo de haba.
habar, terreno sembrado de habas.
haber, caudal, poseer.
haberío, bestia de carga.
habichuela, judía.
habiente, de haber.
hábil, diestro.
habilidad, disposición.
habilitar, hacer apto para algo.
habitar, vivir, morar.
habitabilidad, cualidad de habitable.
hábitat, habitación o estación de una especie.
hábito, costumbre, vestido.
habituar, acostumbrar.
hablar, proferir palabras.
habón, haba, roncha.
haca, jaca.

hacedero, factible.
hacedor, creador.
hacendado, con bienes.
hacendoso, diligente.
hacer, crear, realizar.
hacia, en dirección, alrededor.
hacienda, finca, riqueza.
hacinar, amontonar.
hacha, herramienta, vela de cera.
hache, letra.
hachís, bebida oriental.
hachote, vela de barco.
hada, ser imaginario.
hado, encadenamiento total de los sucesos.
hafiz, guarda.
hagiografía, de la vida de los santos.
¡hala!, interjección.
halagüeño, que halaga.

halar, tirar de un cabo.
halcón, ave.
halda, falda.
haldear, andar meneando las faldas.
halieto, ave rapaz.
haliéutico [1], perteneciente a la pesca.
hálito, aliento, viento suave.
halo o *halón*, corona.
halterofilia, deporte de levantamiento de pesos.
hallar, encontrar.
hallulla, pan en rescoldo.
hamaca, red, columpio, mecedora.
hámago o *ámago*, una substancia.
hambre, gana, apetito.
hamo, anzuelo.
hampa, vida de pícaros.
hampón, valentón, bribón.

---

1) Esta palabra no está incluida en el Diccionario de la Academia de 1970.

hanega, fanega.
hangar, cobertizo.
haplología, especie de síncopa.
haragán, vago.
harapiento, andrajoso.
haraposo, harapiento.
haraquiri, suicidio ritual.
harca, tropa marroquí.
harén o *harem*, lugar de mujeres del sultán.
harija, polvillo.
harina, polvo menudo.
harnero, criba.
harón, perezoso.
haronía, flojedad.
hartar, satisfacer.
hasta, preposición.
hastial, fachada, porche.
hastío, tedio.
hataca, cuchara.
hatada, ajuar del pastor.
hatajo, montón, hato.
hatear, recoger el hato.
hatería, provisión.
hatijo, trozo de esparto.
hato, lío, manada.
havar o *havara*, tribu.
haya, árbol.
hayo, arbusto. ʻ
hayuco, fruto del haya.
haz, atado hierba, tropa ordenada, cara.
haza, porción de tierra para labrar.
hazaleja, toalla.
hazaña, proeza.
hazmerreír, persona extravagante.

he, adverbio y verbo.
hebdomadario, semanal, semanario.
hebén, clase de uva.
hebilla, pieza de metal.
hebra, porción de hilo.
hebraico, hebreo.
hebreo, israelita.
hecatombe, sacrificio, matanza.
hectárea, medida de superficie.
hectogramo, medida de peso.
hectolitro, medida de capacidad.
hectómetro, medida de longitud.
hecha, de hacer, impuesto sobre riegos.
hechicería, magia.
hecho, de hacer.
hechura, de hacer.
hedentina, olor malo.
heder, apestar.
hediondo, fétido.
hedonismo, doctrina que define al placer como fin supremo de la vida.
hedor, mal olor.
hegelianismo, sistema filosófico.
hegemonía o *heguemonía*, supremacía.
hégira o *héjira*, era mahometana.
helar, congelar.
helecho, planta.
helena, meteoro, griega
heleno, griego.
helénico, griego.
helenismo, influencia de la cultura griega.

helero, masa de hielo.
helgadura, hueco entre dientes.
hélice, figura geométrica.
helicoidal, de figura de hélice.
helicóptero, aparato de aviación.
helio, cuerpo gaseoso.
heliogábalo, glotón.
heliógrafo, instrumento para señales.
heliómetro, instrumento para medir distancia angular entre astros.
helioscopio, telescopio para mirar el sol.
heliosis, insolación.
helióstato, instrumento para señales.
helioterapia, curación por el sol.
heliotropo o *heliotropio*, planta.
helmintología, tratado gusanos.
helor, frío intenso.
helvecio o *helvético*, de Suiza.
hematemesis, vómito de sangre.
hematoma, mancha o tumor por sangre extravasada.
hematosis, transformación de la sangre.
hematuria, orina sanguinolenta.
hembra, de sexo femenino.
hembrilla, piececilla en la que se introduce otra.

hemeroteca, biblioteca.

hemicírculo, semicírculo.

hemicránea, jaqueca.

hemina, medida antigua.

hemiplejía o *hemiplejia*, parálisis de un lado del cuerpo.

hemíptero, insecto.

hemisferio, cada mitad de la esfera.

hemistiquio, mitad o parte de un verso.

hemofilia, enfermedad.

hemoglobina, materia sanguínea.

hemoptisis, hemorragia pulmonar.

hemorragia, flujo sangre.

hemorroide o *hemorroida*, almorrana.

hemostático, medicamento contra hemorragias.

henchir, llenar.

hender o *hendir*, cortar, agrietar.

hendidura, grieta.

henil, donde se guarda el heno.

heno, planta, hierba seca.

henojil, *cenojil* o *senojil*, liga medias.

henrio o *henry*, unidad de inductancia.

heñir, sobar la masa.

hepático, relativo al hígado.

heptágono, polígono de siete lados.

heptasílabo, de siete sílabas.

heráldica, ciencia del blasón.

heraldo, rey de armas.

herbáceo, de hierba.

herbajar o *herbajear*, apacentar.

herbaje, conjunto de hierbas.

herbar, adobar pieles.

herbario, relativo a hierbas.

herbazal, lleno hierba.

herbicida, producto contra las malas hierbas.

hervíboro, que se alimenta de vegetales.

herbolario, botarate, vendedor de hierbas.

herborizar, coger hierbas.

herboso, de hierba.

hercio o *hertz*, unidad de frecuencia.

hercúleo, forzudo.

heredad, finca campo.

heredar, recoger sucesión.

hereje, que profesa la herejía.

herejía, error contra la fe.

herencia, lo que se hereda.

heresiarca, autor de herejía.

herético, de hereje.

heria, hampa.

heril, relativo al amo.

herir, lesionar.

herma, busto sin brazos.

hermafrodita o *hermafrodito*, bisexual.

hermano, hijo de los mismos padres.

hermenéutica, interpretación de textos.

hermético, bien cerrado.

hermosura, belleza.

hernia, víscera o tejido blando que sale de su cavidad natural.

héroe, *heroína*, que realiza acción valerosa.

heroína, alcaloide.

herpe, erupción cutis.

herrada, cubo.

herraje, de hierro.

herramienta, instrumento de trabajo.

herrar, clavar herraduras.

herrero, labrador del hierro.

herrete, cabo alambre.

herrial, uva tinta.

herrín, herrumbre.

herrón, tejo de hierro.

herrumbre, orín hierro.

hertziana (onda), onda eléctrica.

hervencia, antiguo suplicio.

hervir, moverse un líquido agitadamente por temperatura o fermentación.

hervoroso, fogoso.

hesitación, duda.

Hesperia, nombre griego de España e Italia.

hespéride, estrella.

274

héspero, Venus en Occidente.

hespirse, envanecerse.

hetera, mujer pública.

heteróclito, irregular, fuera de orden.

heterodoxo, hereje.

heterogéneo, mezclado.

heteroplastia, injerto de tejidos de otro ser.

hético, *ético* o *héctico*, tísico.

hexacordo, escala para canto.

hexaedro, de seis caras.

hexágono, de seis ángulos.

hexámetro, verso de seis pies.

hexángulo, hexágono.

hez, escoria, excremento.

hi, hijo.

Híades o *Híadas*, grupo de estrellas.

hialino, diáfano como el vidrio.

hiato, encuentro de dos vocales que se pronuncian en sílabas diferentes, cacofonía.

hibernación, estado de aletargamiento por frío.

híbrido, con padres de distinta especie.

hidalgo, caballeroso.

hidra, culebra acuática.

hidratar, combinar con agua.

hidráulico, relativo al agua o fluidos.

hidria, vasija.

hidro-, agua.

hidroavión, aeroplano con flotadores.

hidrocarburo, compuesto químico del carbono con el hidrógeno.

hidrocefalia, hidropesía de la cabeza.

hidrofobia, horror al agua, rabia.

hidrógeno, gas inflamable.

hidrografía, relativo al agua.

hidrología, ciencia.

hidromancia, o *hidromancía*, arte supersticioso.

hidronimia, estudio nombres ríos.

hidropatía, curación por el agua.

hidropesía, acumulación de serosidades.

hidrotórax, hidropesía del pecho.

hidróxido, aplícase a ciertos compuestos químicos.

hiedra o *yedra*, planta.

hiel, bilis.

hielo, agua sólida.

hiemal, invernal.

hiena, mamífero feroz.

hienda, estiércol.

hierático, sacerdotal.

hierba o *yerba*, planta pequeña.

hierro, metal.

higa, burla, desprecio.

hígado, entraña.

higate, potaje.

higiene, aseo, limpieza.

higo, fruto de higuera.

higrómetro, registrador humedad.

higuera, árbol.

hijo, descendiente de padre y madre.

hijuela, hija, cosa subordinada a otra.

hila, hilera, tripa delgada, de hilar.

hilacha, trozo de hila.

hilandería, arte hilar.

hilar, reducir a hilo.

hilaridad, risa.

hilatura, arte de hilar.

hilera, alineación.

hilo, hebra larga.

hilván, costura.

himeneo, boda.

himenóptero, insecto.

himno, canto popular.

himplar, rugir pantera.

hincapié, insistencia.

hincar, clavar.

hincón, madero, hito.

hincha, odio.

hinchar, inflar.

hindú, de India asiática.

hiniesta, retama.

hinojo, planta, rodilla.

hintero, mesa heñir.

hioides, hueso laringe.

hipar, tener hipo, gimotear.

hiper-, exceso.

hipérbaton, figura gramatical.

hipérbola, curva.

hipérbole, exageración.

hiperclorhidria, acidez.

hiperestesia, sensibilidad excesiva.

hipermetropía, defecto visión.

hiperoxia, estado de organismo con exceso de oxigenación.

hipertrofia, aumento excesivo de un órgano.

hípico, relativo caballo

hipnotismo, sueño por fascinación.

hipo-, bajo.

hipo, movimiento convulsivo del diafragma.

hipoclorhidria, escasez ácidos jugos gástricos.

hipocondría, tristeza habitual.

hipocondrio, cada una de las partes laterales del epigastrio.

hipocresía, fingimiento.

hipodérmico, debajo de la piel.

hipódromo, lugar de las carreras de caballos.

hipofosfito, compuesto químico.

hipogeo, subterráneo.

hipopótamo, mamífero.

hipoteca, garantía de un pago.

hipótesis o *hipótesi*, suposición.

hipoxia o *anoxia*, estado de organismo con oxigenación deficiente.

hiriente, de herir.

hirsuto, erizado.

hirviente, de hervir.

hisca, liga.

hiscal, cuerda.

hisopo, aspersorio, planta.

hispalense, sevillano.

hispánico, relativo a España.

hispano, español.

híspido, hirsuto.

hispir, esponjarse.

histérico, nervioso.

historia, exposición de acontecimientos pasados.

histrión, actor bufón.

hita, clavo sin cabeza.

hito, mojón, lleno, negro, unido.

hobachón, grueso y flojo para el trabajo.

hocico, morro.

hocino, instrumento cortante, garganta.

hogaño u *ogaño*, en este año.

hodierno, perteneciente al día de hoy.

hogar, domicilio, fogón.

hogaza, pan grande.

hoguera, fogata.

hoja, parte vegetal, folio.

hojalata, lámina hierro.

hojaldre, masa pastel.

hojarasca, conjunto de hojas.

hojear, mover las hojas.

hojoso, con hojas.

¡hola!, interjección.

holanda, lienzo fino.

holgado, de holgar, ancho.

holgar, descansar.

holgazán, perezoso.

holgorio o *jolgorio*, regocijo.

holgura, anchura.

holocausto, sacrificio.

hollar, abatir, pisotear.

hollejo, piel de frutas.

hollín, humo craso.

hombre, perteneciente al género humano, varón.

hombrera, de hombro.

hombría de bien, honradez.

hombro, parte cuerpo donde nace el brazo.

homenaje, juramento, acto en honor de alguien.

homeopatía, sistema curativo.

homérico, de Homero.

homicidio, acción de matar a un hombre.

homilia, plática moral.

hominicaco, hombre de mala traza.

Homobono, nombre propio, hombre bueno.

homófono, igual sonido.

homogeneizar, transformar en homogéneo.

homogéneo, del mismo género.

homólogo, término idéntico.

homónimo, del mismo nombre.

homosexual, que comete sodomía.

honcejo, instrumento agrícola.

honda, tira de cuero para arrojar piedras.

hondear, sondear.

hondo, profundo.

hondonada, terreno hondo.

hondura, profundidad.

honesto, decente.

hongo, planta.

honor, fama, honra.

honra, reputación, honestidad.

honradez, probidad.

hontanar, manantial.

hopa, túnica, sotana.

hopalanda, vestidura.

hopear, mover la cola.

hopo, rabo, cola.

hora, espacio tiempo.

horaciano, de Horacio.

horadar, agujerear.

horario, perteneciente a las horas.

horca, patíbulo, rama en ángulo.

horcadura, ángulo formado por dos ramas.

horcajadas (a), a caballo.

horcajadura, ángulo entre los muslos.

horcajo, horca, confluencia ríos o montañas.

horchata, bebida.

horda, reunión de salvajes.

horizonte, línea que separa tierra y cielo.

horma, molde.

hormiga, insecto.

hormigón, mezcla de piedra, cemento y arena.

hormiguillo, enfermedad.

hormona, producto de secreción de ciertos órganos.

hornabeque, fortificación.

hornacina, hueco arqueado.

hornacho, agujero.

hornaguera, carbón de piedra.

hornaza, horno pequeño.

hornija, leña menuda.

horno, fogón.

horóscopo, vaticinio.

horquilla, vara o alambre doblado.

horrendo, pavoroso.

hórreo, granero.

horrible, espantoso.

hórrido, horrendo.

horripilar, horrorizar.

horrísono, de sonido que causa horror.

horro, libre, exento.

horror, espanto.

horrura, bascosidad.

hortaliza, verdura.

hortelano, de huerta.

hortensia, arbusto.

hortera, escudilla, mancebo.

horticultura, cultivo de huertas.

horuelo, lugar de esparcimiento.

¡hosanna!, exclamación.

hosco, áspero, intratable.

hospedar, alojar.

hospedería, hostería.

hospicio, albergue para pobres.

hospital, albergue de enfermos.

hospitalario, el que socorre y alberga.

hosquedad, de hosco.

hostal, hostería.

hostería u *hotelería*, posada, mesón.

hostia, lo que se ofrece en sacrificios.

hostiario, caja hostias.

hostigar, azotar.

hostigo, latigazo.

hostil, enemigo.

hotel, fonda de lujo.

hotentote, cierta raza negra.

hoto, confianza.

hove, hayuco.

hoy, día presente.

hoya, concavidad.

hoyanca, fosa común.

hoyo, concavidad.

hoz, instrumento para segar.

hozada, golpe de hoz.

hozar, remover la tierra con el hocico.

¡hu!, interjección.

hucha, arca, alcancía.

huchear, gritar.

huebra, yugada.

hueco, vano, oquedad.

huecograbado, procedimiento para imprimir fotografías.

huecú, sitio cenagoso.

huelga, espacio tiempo sin trabajar.

huelgo, aliento, espacio entre dos piezas.

huella, señal, rastro.

huérfano, sin padres.

huero, vano, vacío.

huerto, jardín pequeño.

huesa, sepultura.

hueso, pieza esqueleto vertebrados.

huésped o *huéspede*, alojado, mesonero.

hueste, ejército.

hueva, masa huevecillos.

huevo, germen.

¡huf!, interjección.

hugonote, calvinista.

huir, escapar.

hule, tela de caucho.

hulla, carbón fósil.

humano, perteneciente al hombre.

humazga, tributo.

humareda o *humarada*, mucho humo.

humear, echar humo.

húmedo, ácueo.

húmero, hueso de brazo.

humilde, sumiso, modesto.

humillar, someter, avergonzar.

humo, gas de una combustión.

humor, líquido de un cuerpo, genio.

humorada, dicho o hecho festivo.

humorismo, literatura irónica.

humus, mantillo.

hundir, sumir, abatir.

húngaro, de Hungría.

huno, de un pueblo de Asia.

hura, grano maligno o carbunclo.

huracán, viento muy fuerte.

huraño, que huye de las gentes.

hurgar, pinchar, palpar.

hurgonear, escudriñar.

hurí, mujer bellísima.

hurón, mamífero.

¡hurra!, interjección.

hurtadillas (a), furtivamente.

hurtar, quitar, robar.

husada, porción de lino.

húsar, soldado.

husillo, tornillo, conducto aguas.

husmear, inquirir con el olfato.

husmo, olor de carne pasada.

huso, instrumento para hilar.

huta, choza.

¡huy! interjección.

I

ibero o *íbero*, de Iberia.

ibicenco, de Ibiza.

ibídem, allí mismo.

ibis, ave.

Ibón, lago Pirineo aragonés.

icario, de Ícaro.

iceberg, témpano de hielo.

icnografía o *ignografía*, delineación planta edificio.

iconoclasta, que no adora imágenes.

icosaedro, sólido limitado por 20 planos.

ictericia o *tiricia*, enfermedad.

ictiología, relativo peces.

ida, de ir.

idea, concepto.

ídem, lo mismo.

idéntico, equivalente.

idilio, poema amoroso.

idioma, lengua.

idiosincrasia, carácter de cada uno.

idiota, imbécil.

ídolo, falsa deidad.

idóneo, apropiado.

idus, cómputo romano.

ígnaro, ignorante.

ígneo, de fuego.

ignición, acción arder.

ignívomo, que vomita fuego.

ignominia, afrenta pública.

ignorancia, falta de ciencia.

ignoto, desconocido.

igual, idéntico.

iguana o *higuana*, reptil.

ijada o *ijar*, cavidad lateral del cuerpo.

ilación, acción de inferir.

ilapso, éxtasis.
ilativo, que se infiere.
ilegible, no leíble.
íleo, enfermedad.
íleon, intestino.
ileso, incólume.
ilícito, no permitido.
ilion o *íleon*, hueso cadera.
ilota, esclavo.
iluminar, dar luz.
iluso, engañado.
ilustre, insigne.
imaginar, presumir.
imaginería, bordado de figuras o imágenes.
imán, mineral que atrae.
imbécil, alelado.
imbele, incapaz de resistir.
imberbe, sin barba.
imbibición, de embeber.
imbornal, desaguadero.
imborrable, indeleble.
imbuir, inculcar.
imitar, asemejar.
impacto, choque con penetración.
impávido, sin pavor.
impedir, estorbar.
impeler, dar empuje.
imperativo, modo verbal, que manda.
imperfección, defecto.
impericia, torpeza.
imperturbable, impasible.
ímpetu, violencia.
impío, sin piedad.
implorar, rogar.
impoluto, sin mancha.

imprevisible, que no se puede prever.
ímprobo, falto de probidad.
impronta, reproducción de imágenes.
impróvido, desprevenido.
improvisar, repentizar.
impúbero o *impúber*, no púber.
impudicicia o *impudicia*, deshonestidad.
impugnar, combatir.
impune, sin castigo.
imputar, atribuir.
inaccesible, impracticable, no accesible.
inacción, inercia.
inadaptabilidad, falta de adaptación.
inadvertencia, distracción.
in albis, en blanco.
inalienable, no enajenable.
inane, vano.
inanición, gran debilidad.
inapetencia, falta de apetito.
inarmónico, sin armonía.
inasequible, no asequible.
inaudito, nunca oído.
inaugurar, dar principio.
inca, rey o príncipe varón del Perú.
incautarse, posesionarse.
incauto, sin cautela.
incesto, cierta clase de pecado carnal.
incidente, cuestión.

incidir, incurrir en falta o error.
incienso, substancia resinosa.
incinerar, reducir a cenizas.
incipiente, que empieza.
incisivo, apto para abrir o cortar.
inciso, cortado.
incitar, estimular.
inclinar, ladear.
incluir, poner dentro.
inclusive, con inclusión.
incoar, comenzar.
incoercible, irrefrenable.
incógnito, no conocido.
incoherencia, sin relación.
incólume, sin lesión.
incomplexo, desunido.
inconexo, sin conexión.
incontinenti, en el acto.
incordiar, molestar.
incordio, cosa molesta.
incruento, no sangriento.
incrustar, embutir.
incubar, encobar.
íncubo, especie de demonio masculino.
inculcar, recalcar.
incumbir, estar a cargo de una cosa.
incuria, negligencia.
incursión, correría.
indeleble, que no se borra.
indemne, sin daño.

indemnizar, resarcir.

indicativo, modo verbal.

índice, lista ordenada.

indígena, del país.

indigencia, pobreza.

indigesto, que no se digiere.

indigno, bajo, ruin.

indio, de la India.

individuo, ser, persona.

indubitable, indudable.

inducción, instigación.

indulgencia, benevolencia.

inefable, indecible.

ineluctable, inevitable.

inepto, no apto.

inerme, sin armas.

inerte, inactivo, inútil.

inervación, influencia nerviosa.

inescrutable o *imperscrutable*, que no se puede saber.

inesperado, no esperado.

inexactitud, falta de exactitud.

inexhausto, inagotable.

inexorable, que no se vence ante ruegos.

inexperto, sin experiencia.

inexpugnable, inconquistable.

inextinguible, que no se extingue.

inextricable, muy intrincado.

infarto, órgano falto de riego sanguíneo.

infatuar, engreír a uno.

infausto, desgraciado.

infección, contagio.

inferir, causar.

infestar, inficionar.

inficionar o *infeccionar*, corromper, contagiar.

infinitivo, modo verbal.

inflación, de inflar.

inflexión, torcimiento.

infligir, imponer penas o castigos.

influenza, gripe.

infracción, quebrantamiento.

infrangible, inquebrantable.

infringir, quebrantar.

ínfula, adorno, presunción.

ingeniar, discurrir la forma de realizar algo.

ingénito, no engendrado.

ingente, muy grande.

ingenuidad, sinceridad.

ingerir, introducir por boca alimentos o medicinas.

ingle, parte del cuerpo.

ingrávido, ligero, leve.

ingurgitar, engullir.

inhabitado, sin habitar.

inhalación, aspiración.

inherente, unido.

inhibirse, echarse fuera de un asunto.

inhospitalario, falto de hospitalidad.

inhumar, enterrar.

iniciar, comenzar.

injerir, meter una cosa en otra.

injertar, injerir un árbol en otro.

inmaculado, sin mancha.

inmenso, sin medida.

inmerso, sumergido.

inmigrar, llegar a un país para vivir en él.

inmiscuir, mezclar.

inmobiliario, cosa inmueble.

inmoble o *inmóvil*, que no se mueve.

inmortal, que no muere.

inmovilismo, tendencia a mantener sin cambios una situación.

inmueble, se dice de una clase de bienes.

inmundicia, suciedad.

inmune, libre, exento.

inmutabilidad, invariabilidad.

innato, connatural.

innocuo o *inocuo*, inofensivo.

innovar, mudar, alterar.

inodoro, sin olor.

inolvidable, que no se olvida.

inopia, indigencia.

inoportuno, no oportuno.

inquirir, indagar.

insania, locura.

inscribir, alistar, anotar.

inscripción, de inscribir.

insectívoro, que come insectos.

insensibilizar, quitar sensibilidad.

insertar, incluir.

insidia, asechanza.

insigne, célebre.

insignia, señal.

insignificante, baladí.

insinuar, dar a entender.

insípido, sin sabor.

insolvencia, incapacidad económica.

insomnio, desvelo.

inspección, vigilancia.

inspirar, aspirar, sugerir.

instante, momento.

instar, repetir petición.

instilar, echar un licor gota a gota.

instinto, estímulo.

instrucción, enseñanza.

insumiso, desobediente.

insurgente, sublevado.

intacto, no tocado.

integérrimo, muy íntegro.

íntegro, recto.

intelecto, entendimiento.

inteligencia, facultad de entender.

interceptar, interrumpir.

intercesión, mediación.

interdicción, privación.

interfecto, muerto con violencia.

ínterin, entretanto.

interjección, voz que expresa impresión súbita.

interregno, espacio entre reinados.

interrupción, suspensión.

intersección, encuentro de dos líneas, superficies o cuerpos.

intersticio, hueco.

intervalo, espacio.

intervenir, tomar parte.

intonso, ignorante.

intoxicar, envenenar.

intrínseco, interior, íntimo.

introducción, prólogo.

introvertido, persona que hace poco caso del mundo exterior.

intuición, visión clara.

inulto, no vengado.

inundar, anegar.

inusitado, desacostumbrado.

invadir, entrar por fuerza.

inválido, inútil.

invectiva, discurso o escrito acre.

invencible, sin vencer.

inventar, descubrir.

inventario, relación.

inverecundo, sin vergüenza.

invernáculo, lugar abrigado.

invernar, pasar el invierno.

inverosímil, o *inverisímil*, increíble.

invertido, cambiado.

investigar, indagar.

investir o *énvestir*, conferir dignidad.

inveterado, arraigado.

invicto, no vencido.

invidencia, falta de vista.

ínvido, envidioso.

invierno, *ivierno* o *hibierno*, estación del año.

inviolabilidad, calidad de inviolable.

inviolable, que no se puede profanar.

invitar, convidar.

invocar, llamar en auxilio.

involucrar, confundir.

invulnerable, no vulnerable.

inyección, de inyectar.

inyectar, introducir líquido.

ion, partícula eléctrica.

ipecacuana, planta.

ípsilon, letra griega.

ir, dirigirse.

ira, pasión, enojo.

iracundia, cólera.

iris, arco de colores.

irisar, reflejar luces.

ironía, burla disimulada.

irradiar, despedir luz o calor.

irreflexión, sin reflexión.

irrelevante, que carece de importancia.

írrito, inválido, sin fuerza ni obligación.

irrupción, invasión.

isagoge, introducción.

isla, tierra rodeada de agua.

islamita, mahometano.

isobático, de igual profundidad en el mar.

isócrono, de igual duración.
isópodo, de patas iguales.
isotermo, de igual temperatura.
istmo, lengua de tierra que une al continente.
ita, aeta.

itinerario, recorrido.
itrio, metal.
ivierno, invierno.
izar, hacer subir.
izquierdo, zurdo.

J

jaba, cesta, de junco.
jabalcón, madero.
jabalí, cerdo salvaje.
jabalina, hembra del jabalí, arma.
jabardo, enjambre.
jabato, cachorro jabalí.
jábega, red, embarcación.
jabeque, embarcación.
jabera o *javera,* cante popular andaluz.
jabino, enebro enano.
jabón, pasta para lavar.
jaborandi, árbol.
jactarse, vanagloriarse.
jaez, adorno caballerías.
jaguar o *yaguar,* tigre americano.
jaharrar o *jarrar,* cubrir con capa de yeso un paramento.
¡jajay! o *¡ajajay!,* interjección.
jalbegar, blanquear.
jamba, sostén lateral del dintel de puerta o ventana.
jarabe, bebida dulce.
jatib, predicador moro.
jativés, de Játiva.

jauría, conjunto de perros cazadores.
javanés, de Java.
jayán, rufián, forzudo.
jebe, alumbre.
jeda, vaca criando.
jedive, virrey de Egipto.
jefatura, cargo de jefe.
jefe, el superior.
Jehová, nombre de Dios en hebreo.
jején, insecto díptero.
jeme, palmo.
jenabe o *jenable,* mostaza.
jengibre, planta.
jenízaro o *genízaro,* de dos especies, cierto soldado.
jerarquía, graduación.
jerbo o *gerbo,* roedor.
jeremiada, queja exagerada.
jerez, vino blanco.
jerga, tela gruesa, lenguaje, difícil de entender.
jergón, colchón.
jerife, descendiente de Mahoma.
jerigonza o *jeringonza,* lenguaje difícil de entender.
jeringar, introducir líquido, fastidiar.

jeringuilla, lavativa, planta.
jeroglífico, signos para descifrar.
jersey (plural *jerséis*), prenda de vestir de punto para el torso.
jesuita, religioso de la Compañía de Jesús.
jesuítico, perteneciente a la Compañía de Jesús.
jeta, hocico, cara.
jíbaro, campesino, silvestre (en América).
jibia, molusco.
jibión, calamar.
jícara, vasija pequeña.
jiennense o *giennense* de Jaén.
jilguero, pájaro.
jimio, mono.
jindama o *gindama,* miedo.
jineta, arte de cabalgar.
jineta o *gineta,* mamífero.
jinete, el que cabalga.
jinglar, columpiarse.
jipijapa, sombrero.
jira, banquete o merienda, tira de tela.
jirafa, rumiante.
jirón, desgarro.
jobo, árbol.

jollín, gresca.
joroba, giba.
jobada o *jubada*, tierra que se ara en un día.
joven, de poca edad.
jovial, alegre.
joyería, tienda de joyas.
jubete, prenda con malla de hierro usada

antiguamente por los soldados.
jubilarse, retirarse.
jubileo, alegría.
jubón, vestidura.
judihuelo, judío.
judo, yudo.
jueves, día de la semana.
julio, unidad de trabajo en física.

jurisdicción, autoridad, poder, término.
jusbarda, planta.
juvenil, de joven.
juventud, mocedad.
juzgado, donde se juzga.
juzgar, deliberar, fallar.

K

kan o *can*, jefe tártaro.
kappa o *cappa*, letra griega.
kéfir, leche fermentada.
kiliárea o *quiliárea*, mil áreas.
kilo o *quilo*, mil.

kilogramo o *quilogramo*, mil gramos.
kilolitro o *quilolitro*, mil litros.
kilómetro o *quilómetro*, mil metros.
kilovatio, mil vatios.
kinesiterapia, *cinesiterapia* o *quinesitera-*

pia, método terapéutico para recuperación movimientos.
kirie o *quirie*, ruego.
kirieleisón, oración de misericordia.
krausismo, sistema filosófico.

L

lábaro, estandarte.
laberinto, lío, confusión.
labia, verbosidad persuasiva.
labio, parte de la cara, borde.
labor, trabajo, tarea.
laborar, trabajar.
laboratorio, sala de experimentos.
lacayo, criado.
ladrillo, elemento construcción.
lambda, letra griega.
landgrave, título alemán.
lanzacohetes, instala-

ción para lanzar cohetes.
lapso, período de tiempo.
laringe, parte de la tráquea.
larva, estado inmaturo de ciertos artrópodos.
lascivia, pecado carnal.
láser, dispositivo electrónico que amplifica un haz de luz.
laso, cansado.
látex, jugo de ciertos vegetales.

laúd, instrumento músico.
lauréola o *laureola*, corona de laurel.
lava, materia de volcán
lavabo, mueble aseo.
lavafrutas, recipiente.
lavanco, pato bravío.
lavandera, la que lava.
lavar, limpiar.
lavativa, enema.
lavazas, agua sucia.
laxante, medicamento.
laxar, aflojar.
laxo, flojo.
laya, pala, calidad.
leal, fiel.
lebeche, viento.

lebeni, bebida moruna.

lección, lo que se estudia.

leer, interpretar lo escrito.

legenda, historia de la vida de un santo.

legendario, de leyenda.

legible o *leíble*, que se lee.

legión, cuerpo de tropa.

legislación, conjunto de leyes.

legista, profesor de jurisprudencia.

legítimo, conforme a las leyes.

leguleyo, que trata de leyes conociéndolas escasamente.

lejía, agua con sales.

lejitos, algo lejos.

lenguaje, expresión oral.

lengüilargo, de lengua larga.

lenitivo, que suaviza.

lentilla, lente de contacto.

lesión, daño corporal.

lesivo, dañino.

leso, agraviado.

letárgico, amodorrado.

leva, recluta de gente.

levadizo, que se puede levantar.

levadura, fermento.

levante, oriente.

levantar, mover.

levar, levantar ancla.

leve, ligero.

leviatán, monstruo.

levita, prenda de vestir.

levógiro, que desvia luz polarizada al lado izquierdo.

léxico o *lexicón*, diccionario.

ley, regla, precepto.

leyenda, historia maravillosa.

liar, atar, envolver.

libar, chupar suavemente un jugo.

libelo, escrito infamatorio.

libélula, insecto.

liberal, generoso.

liberar, librar.

libérrimo, muy libre.

libertad, independencia.

libertino, licencioso.

libidinoso, lujurioso.

libido, el deseo sexual.

libio, de Libia.

licnobio, que hace de la noche día.

lid, combate.

líder, dirigente.

ligero, ágil, veloz.

lignito, carbón fósil.

linaje, estirpe.

linfagitis, inflamación vasos linfáticos.

lingüística, ciencia del lenguaje.

liquen, planta.

lisonjero, halagador.

litigio, disputa, pleito.

liturgia, orden para oficios divinos.

liviano, ligero, lascivo.

lívido, amoratado.

livor, color cárdeno.

loar, alabar.

loba, hembra del lobo.

lobado, tumor.

lobanillo, tumor.

lobezno, lobo pequeño.

lobo, mamífero.

lóbulo, porción saliente.

logaritmo, expresión matemática.

logia, asamblea de francmasones.

lógico, ajustado a un recto raciocinio.

lombarda, variedad de berza.

lomienhiesto o *lominhiesto*, alto de lomos, engreído.

longevidad, largo vivir.

longevo, muy anciano.

longísimo o *longuísimo*, de luengo.

longitud, largura.

lonjista, de lonja.

loor, alabanza.

lord, título.

lovaniense, de Lovaina.

lubina, *llubina* o *lobina*, pez.

lubricación o *lubrificación*, efecto de hacer suave o resbaladiza una cosa.

lucubrar o *elucubrar*, trabajar, velando, en obras de ingenio.

luengo, largo.

luminotecnia, arte de la iluminación.

lupa, lente de aumento.

lux, unidad de iluminación.

luxación, dislocación de un hueso.

Luzbel, Lucifer.

LL

llábana, laja tersa.
llaga, úlcera.
llama, la del fuego, mamífero.
llamar, decir a uno que venga.
llamativo, que llama la atención.

llambria, peña inclinada
llana, plana, herramienta.
llanta, cerco de rueda.
llanto, lloro.
llar, fogón.
llave, instrumento.
llegar, arribar, venir.

llenar, ocupar.
llevar, transportar.
llorar, lagrimar.
llover, caer agua.
lloviznar, caer gotas.
llueca, clueca.
lluvia, acción de llover.

M

macadán o *macadam*, pavimento de piedra machacada y apisonada.
macrobiótica, arte de largo vivir.
macsura, reservado de una mezquita.
machihembrar, ensamblar.
maestrescuela o *maestreescuela*, una dignidad.
magia, arte de encanto.
magiar, de Hungría.
mágico, maravilloso.
magín, imaginación.
magisterio, misión y condición del maestro.
magistral, soberano.
magistratura, dignidad.
magma, substancia espesa.
magnanimidad, grandeza de ánimo.
magnesia, substancia.
magnesio, metal.
magnetismo, virtud del imán.

magnificencia, esplendor.
magnitud, dimensión.
magno, grande.
magullar, machacar.
maherir, señalar.
mahometano, de Mahoma.
maíz, planta.
majencia, majeza.
majestad, título, gravedad.
majzén, autoridad de Marruecos.
malabarista, que hace juegos de prestidigitación.
malavenido, mal avenido.
malayo, oriundo de Malaca.
malbaratar, malvender hacienda.
malévolo, inclinado a hacer mal.
malhadado, desventurado.
malhechor, que comete un delito.
malhojo, hojarasca.
malhumorado, de mal humor.

maligno, perverso.
malojo, planta del maíz.
maloliente, de mal olor.
malrotar, malgastar.
malva, planta.
malvado, malo.
malvasía, uva dulce.
malvavisco, planta.
malversar, invertir caudal para fines no autorizados.
malvís, tordo.
malla, tejido.
mallar, majar, hacer malla.
mallo, mazo.
mancebo, mozo.
mandíbula, quijada.
manigero, contratista de obreros del campo
manillar, guía de bicicleta.
maniobrar, ejecutar algo.
manivela, manubrio.
mantillo, abono.
mapamundi, mapa del mundo.
maquiavélico, de Maquiavelo.

maquillaje, afeite, pintura.

maquillar, pintar el rostro.

maravedí, moneda antigua.

maravilla, prodigio.

marbete, etiqueta.

margen, orilla, extremo.

maridaje, enlace, unión.

mariguana o *marihuana*, planta.

marimba, instrumento músico.

martillo, herramienta.

marxista, de Marx.

masajista, que da masaje.

masoquismo, perversión sexual.

matalahúva, anís.

maullar o *mallar*, dar maullidos.

maúllo, maullido.

maxilar, referente a la mandíbula.

máxima, sentencia.

máxime, principalmente.

maximizar, buscar el máximo.

máximo o *máximum*, superlativo de grande.

maxvelio o *maxwell*, unidad de flujo de inducción.

maya, planta.

mayestático, relativo a la majestad.

mayo, mes.

mayólica, loza de esmalte.

mayonesa o *mahonesa*, salsa.

mayor, más grande.

mayoral, pastor, cochero.

mayordomo, criado principal.

mayúsculo, de mayor tamaño.

medieval o *medioeval*, de la Edad Media.

medula o *médula*, substancia del interior de algunos huesos.

mehala, cuerpo ejército.

mejer, mecer.

mejicano o *mexicano*, de Méjico o México.

mejilla, carrillo.

mejillón, molusco.

mejunje, *menjunje* o *menjurje*, mezcla.

meliorativo, que mejora.

mella, hendidura.

memorando o *memorándum*, lo que ha de ser recordado.

menaje, ajuar.

meninge, membrana que envuelve encéfalo y medula.

meningitis, inflamación de meninges.

menhir, monumento megalítico.

menoscabo, deterioro, perjuicio.

mensaje, recado.

mentirijillas (de), en broma.

meollo, seso.

metabolismo, proceso fisiológico.

metalurgia, arte de extraer los metales.

metamorfosis o *metamorfosi*, transformación.

metempsicosis o *metempsícosis*, doctrina filosófica.

meteoro o *metéoro*, fenómeno atmosférico.

meticón o *metijón*, entrometido.

metomentodo, entrometido.

metralla, munición menuda.

metralleta, arma fuego.

mezclar, juntar, unir.

micción, acción de mear.

microbio, ser diminuto.

microfilme, pequeña película.

mildiu o *mildeu*, enfermedad de la vid.

millar, mil unidades.

millón, mil millares.

Minerva, diosa de la mente y la inteligencia.

minimizar, empequeñecer.

minusvalía, disminución de valor.

minusválido, que tiene invalidez parcial.

miope, corto de vista.

mirilla, abertura para observar.

misil o *mísil*, cápsula de cohete militar o espacial.

misiva, carta.

misógino, que odia a las mujeres.

mistela o *mixtela*, bebida.

mistificar o *mixtificar*, engañar, embaucar.

mixomatosis, enfermedad en los conejos.

mixtifori o *mistifori*, embrollo.

mixto o *misto*, mezclado.

mixtura o *mistura*, mezcla.

mnemotecnia o *nemotecnia*, arte para aumentar la memoria.

mobiliario, moblaje.

moblaje o *mueblaje*, conjunto de muebles.

moharra o *muharra*, punta lanza.

moharracho o *moharrache*, mamarracho.

mohatra, fraude.

mohín, mueca.

mohíno, triste.

moho, hongo, herrumbre.

mojicón, bizcocho.

mojiganga, fiesta ridícula.

mojigato, hipócrita, que afecta humildad.

molla, carne magra.

mollar, blando.

molleja, parte estómago aves.

mollera, caletre, seso.

mongol, *mongólico* o *mogólico*, natural de Mongolia.

moniato, boniato.

monje, religioso.

monjía, prebenda de monje.

monopsonio, situación en que hay un solo comprador.

monosílabo, palabra de una sílaba.

morbidez, blandura.

morbididad o *morbilidad*, índice de enfermos.

morbo, enfermedad.

morcilla, tripa rellena de sangre cocida y condimentos.

morfo-, elemento compositivo que significa forma.

morfología, tratado o estudio de la forma.

moribundo, agonizante.

morigerado, moderado.

mosaico, de Moisés, taracea de piedrecitas.

moscovita, de Moscovia.

mosén, título.

motivo, causa, razón.

motovelero, buque de vela con motor.

mover, menear, agitar.

móvil, motivo, movible.

¡moxte! o *¡moste!*, interjección.

moyuelo, salvado fino.

mozalbete, mozuelo.

mozárabe o *muzárabe*, cristiano que vivía entre moros.

muaré, moaré, muer o *mué*, tela.

mucilago o *mucílago*, substancia gomosa.

mucho, abundante.

muelle, blando, resorte.

mugir, bramar.

mujer, sexo femenino.

mullido, blando.

muralla, muro que rodea plaza fuerte.

my, letra griega.

N

naba, especie de nabo.

nabab, hombre fabulosamente rico.

nabí, profeta.

nabina, semilla del nabo.

nabo, planta.

nadir, punto en la esfera celeste diametralmente opuesto al cenit.

nahua, náhuatle o *náguatle*, lengua indios mejicanos.

nailon o **nilón**, producto sintético del que se hacen filamentos resistentes.

nao, nave.

naonato, nacido en barco que navega.

narval, cetáceo.

natividad, nacimiento.

nativo, natural, nacido.

nauseabundo, que produce náuseas.

nauta, marinero.

nava, tierra baja y llana.

navaja, cuchillo plegable.

naval, relativo a las naves.

navazo, huerto.

nave, barco, espacio entre muros.

navegar, viajar por agua.

naveta, cajita de incienso.

Navidad, Natividad de nuestro Señor Jesucristo.

navío, bajel.

nebulón, hombre taimado.

nebuloso, nublado, confuso.

negativo, que incluye negación.

negligencia, descuido.

neocelandés o **neozelandés**, de Nueva Zelanda.

neófito, recién bautizado, recién convertido.

neologismo, vocablo nuevo.

neoyorquino, de Nueva York.

Neptuno, dios, planeta.

nérveo, referente a los nervios.

nervino, estimulante nervios.

nervio, aponeurosis, fibra, vigor.

nervosidad o **nerviosidad**, de nervio.

neumonía, pulmonía.

neumotórax, aire entre pleuras.

neuralgia, dolor nervios.

neurastenia, debilidad de los nervios.

nevar, caer nieve.

newton, unidad de fuerza.

nexo, nudo, vínculo.

nictálope, que ve de noche.

nigérrimo, muy negro.

nigromancia o **nigromancía**, arte supersticioso.

nihilidad, condición de no ser nada.

nihilismo, negación de toda creencia.

nimbo, aureola.

nirvana, bienaventuranza en el budismo.

nivel, horizontalidad, altura, aparato.

níveo, de nieve.

nobiliario, de noble.

nobilísimo, muy noble.

nocivo, dañoso.

noctámbulo, noctívago.

noctívago, que vaga por la noche.

nocturno, de noche, serenata.

nomeolvides, flor.

nominativo, caso gramatical.

nomografía, ciencia que estudia los ábacos o nomogramas.

nonagenario, de 90 a 99 años.

noningentésimo, lugar novecientos.

nonio, dispositivo para apreciar fracciones en graduaciones.

noosfera, conjunto de los seres inteligentes y del medio en que viven.

nostalgia, añoranza.

notabilidad, de notable.

noúmeno, causa de los fenómenos.

novación, renovación.

noval, tierra que se cultiva de nuevo.

novato, nuevo.

novecientos, nueve veces ciento.

novedad, suceso.

novel, principiante.

novela, obra literaria.

noveno, después del octavo.

noventa, nueve veces diez.

novicio, religioso que no ha profesado, principiante.

noviembre, mes del año.

novilunio, conjunción de la Luna y el Sol.

novillo, toro joven.
novio, quien tiene relaciones amorosas.
novísimo, muy nuevo.
nube, masa de vapor acuoso.

nubiense, de Nubia (África).
núbil, casadera.
nuboso o *nubloso*, cubierto de nubes.
núcleo, parte central.

nueve, ocho y uno.
nuevo, recién hecho.
nuez, fruto.
nullíus, de nadie[1].
nupcias, boda.
ny, letra griega.

Ñ

ñagaza, añagaza.
ñandú, avestruz de América.

ñoñez, calidad de ñoño.
ñoño, persona apocada y asustadiza.

O

o, conjunción, letra.
oasis, refugio en el desierto.
obcecar, cegar, ofuscar.
obedecer, cumplir mandato.
obelisco, pilar muy alto.
obenque, cabo que sujeta mastelero.
obertura, especie de prólogo musical.
obeso, grueso.
óbice, obstáculo.
obispo, prelado.
óbito, fallecimiento.
objeción, reparo.
objeto, fin, propósito.
oblación, ofrenda.
oblea, hoja de masa.
oblicuo, sesgado.
oblongo, más largo que ancho.
obnubilación, ofuscamiento.

oboe u *obué*, instrumento musical.
óbolo, moneda, pequeña cantidad.
obra, cosa hecha.
obsceno, impúdico.
obscuro u *oscuro*, sin luz.
obsequiar, agasajar.
observar, examinar, advertir.
obsesión, preocupación.
obsidiana, mineral.
obstaculizar, entorpecer.
obstáculo, impedimento.
obstar, impedir.
obstetricia, parte de la medicina que trata del embarazo y parto.
obstinarse, porfiar.
obstrucción, atasco.
obtener, conseguir.

obturar, tapar abertura o conducto.
obtuso, torpe, romo.
obús, pieza de artillería.
obvención, sobresueldo.
obvio u *ovio*, claro.
oca, ánsar.
occidente, oeste.
occipucio, unión de la cabeza con las vértebras.
occisión, muerte violenta.
océano, mar.
ocelote, mamífero carnívoro.
ocio, descanso.
ocluir, obstruir.
ocre, mineral.
octavo, lugar número ocho.
octo-, ocho.
octogenario, de 80 a 89 años.

1) *Bienes nullíus*, bienes sin dueño.

octubre, mes.

ocular, referente a los ojos.

ocultar, esconder.

ocupar, posesionarse.

ocurrir, acaecer.

ochavo, moneda.

oda, poesía lírica.

odalisca, esclava para el harén.

odiar, aborrecer.

odisea, viaje aventuras.

odómetro u *hodómetro*, contador de pasos.

odontalgia, dolor de dientes o muelas.

odontología, estudio de los dientes.

odre, recipiente cuero.

oerstedio u *oersted*, unidad excitación magnética.

oessudoeste u *oessudueste*, entre el oeste y el sudoeste.

oeste o *ueste*, occidente.

ofidio, reptil sin extremidades.

oftalmia, inflamación de los ojos.

oftálmico, relativo ojos.

ogro, gigante.

¡*oh!*, interjección.

ohmio u *ohm*, unidad de resistencia eléctrica.

oídio, hongo.

oír, percibir sonidos.

oíslo, persona querida.

ojal, abertura.

¡*ojalá!*, interjección.

ojalatero, quien desea triunfo de su partido.

ojaranzo u *hojaranzo*, planta.

ojeada, vistazo.

ojear, mirar.

ojén, aguardiente.

ojera, mancha lívida alrededor de los ojos.

ojeriza, enojo.

ojimiel u *ojimel*, preparado farmacéutico.

ojiva, figura arqueada.

ojo, órgano de la vista.

ojoso, lleno de ojos.

ola, onda.

¡*olé!* u ¡*ole!*, interjección.

oleada, golpe de ola.

oleaginoso, aceitoso.

óleo u *olio*, aceite.

oleoducto, tubería de conducir petróleo.

oler, olfatear.

olfacción, acción de oler.

oligarquía, gobierno de pocos.

oligo-, poco.

olimpiada u *olimpíada*, deportes, fiestas o juegos, en competición.

oliscar u *olisquear*, oler.

oliva, olivo, aceituna.

olivo, árbol.

olmo, árbol.

ológrafo u *hológrafo*, testamento autógrafo.

olvido, falta memoria.

olla, vasija, remolino agua.

ollar, orificio en la nariz de las caballerías.

ombligo, cicatriz del vientre.

omega, letra griega.

ominoso, abominable.

omiso, de omitir.

omitir, dejar de hacer.

ómnibus, carruaje.

omnímodo, que comprende todo.

omnipotente, que todo lo puede.

omnisciente, que todo lo sabe.

omnívoro, que come de todo.

omóplato u *omoplato*, hueso de la espalda.

once, diez y uno.

oncejo, vencejo.

onceno u *onzavo*, undécimo.

onda, ola.

ondear, hacer ondas.

ondular o *undular*, hacer ondas.

oneroso, pesado.

ónice, *ónix* u *ónique*, ágata.

onírico, perteneciente a los sueños.

onomástico, relativo a los nombres.

onomatopeya, imitación del sonido.

onubense, de Huelva.

onza, dieciséis adarmes, mamífero.

ópalo, mineral, gema.

opción, elección.

opérculo, pieza que tapa.

opilación, obstrucción.

opimo, rico, fértil.

opio, narcótico.
opíparo, copioso.
oploteca u *hoploteca,* galería de armas.
oprobio, ignominia.
optar, elegir.
óptica, parte Física.
optimar u *optimizar,* buscar mejor manera de realizar una actividad, lograr grado óptimo.
óptimo, superlativo de bueno.
opulencia, riqueza.
oquedad, hueco, vacío.
ora, conjunción.
oráculo, vaticinio.
orador, predicador.
orangután, mono.
orar, rezar.
orario, banda, estola.
orbe, universo.
orbicular, circular.
órbita, esfera, ámbito.
orca u *orco,* cetáceo.
órdago, envite de mus.
ordeñar, extraer leche.
orear, ventilar.
orégano, planta.
oreja, oído.
orfanato, asilo de huérfanos.
orfandad, desamparo.
orfebre, artífice.
órgano, parte del cuerpo, armonio.
orgía u *orgia,* festín.
orgullo, vanidad.
¡orí!, interjección.
orificio, boca, agujero.
oriflama, estandarte, pendón desplegado.
origen, principio.

original, no imitado.
orilla, límite, extremo.
orillar, arreglar.
orín, óxido, orina.
oriundo, originario.
orla, adorno.
ormesí, tela seda.
ornar, adornar.
ornitología, relativo a las aves.
oro, metal.
orobanca, planta parásita.
orobias, incienso grano.
orogenia, formación de las montañas.
orografía, descripción de las montañas.
orón, serón grande.
orondo, hueco, hinchado.
oropel, lámina de latón.
oropéndola, pájaro.
orquídea, planta.
orre (en), a granel.
ortiga, planta.
orto, salida de un astro.
ortodoxia, conformidad con el dogma.
oruga, planta, larva.
orvallar, lloviznar.
orza, vasija.
orzar, poner proa al viento.
orzuelo, divieso en párpado, trampa de caza.
os, pronombre.
osadía, audacia.
osar, atreverse, osario.
osario, depósito de huesos.

oscense, de Huesca.
osco, de un antiguo pueblo de Italia.
ósculo, beso.
óseo, de hueso.
ósmosis u *osmosis,* paso de líquidos a través de una membrana.
oso, mamífero.
ostensorio, custodia para exposición del Santísimo.
ostentar, mostrar.
osteología, tratado de los huesos.
ostia, ostra, ciudad.
ostiario, clérigo.
ostra u *ostia,* molusco.
ostracismo, destierro político.
osudo, huesudo.
otalgia, dolor de oídos.
otear, escudriñar.
otero, cerro.
otitis, inflamación oído.
oto, ave rapaz.
otomana, sofá, turca.
otorgar, conceder.
otorrinolaringología, parte de la medicina que trata de oído, nariz y garganta.
otrora, en otro tiempo.
ova, especie de alga.
ovación, aplauso ruidoso.
ovacionar, aclamar.
ovado, de huevo.
oval, figura de óvalo.
ovalar, dar figura de huevo.

óvalo, curva cerrada.
ovar, aovar.
ovario, órgano de la reproducción.
ovaritis, inflamación del ovario.
ovas, hueva.
oveja, hembra del carnero.
overo u *hovero*, de color de melocotón.
ovetense, natural de Oviedo.
ovil, redil.
ovillo, bola de hilo.
ovino, ganado lanar.

ovíparo, animal que pone huevos.
oviscapto, cierto órgano en determinados insectos.
ovo, forma de huevo.
ovoideo, aovado, de figura de huevo.
óvolo, cuarto bocel.
ovovivíparo, de generación ovípara, pero que el huevo eclosiona dentro de la madre.
óvulo, célula sexual femenina.

¡*ox*! u ¡*oxe*!, interjección.
oxalme, salmuera.
oxear u *osear*, espantar aves.
oxiacanta, espino.
oxidar, cubrir de herrumbre.
oxígeno, metaloide gaseoso.
oxítono, vocablo agudo.
oxiuro, gusano intestinal.
oxizacre, bebida.
¡*oxte*!, interjección.
oyente, que oye.

P

pabellón, bandera, tienda de campaña.
pabilo o *pábilo*, torcida o mecha.
pabilón, mecha rueca.
pábulo, pasto, alimento.
pacto, convenio.
paella, guiso de arroz.
pagel o *pajel*, pez.
página, plana de libro.
pailebote o *pailebot*, goleta pequeña.
país, región.
paje, criado.
palimpsesto, manuscrito antiguo.
palmarés[1], historial, hoja de servicios.
pallar, entresacar.
pandemia, enfermedad epidémica que se extiende mucho.

pandemónium, lugar de ruido.
panegírico, laudatoria.
papagayo, ave.
papahígo, gorro paño.
paquebote o *paquebot*, embarcación.
parabién, felicitación.
parábola, narración alegórica, curva abierta.
paradigma, ejemplo.
paradójico, de paradoja.
paraestatal, entidad que coopera con Estado.
paragoge, figura dicción.
parahúso, taladrador.
paraíso, cielo.
paraje, lugar.
paraplejía, parálisis.

pararrayos o *pararrayo*, que preserva del rayo.
parasceve, preparación para la Pascua.
parásito o *parasito*, que vive a expensas de otro.
parhelio o *parhelia*, fenómeno luminoso.
parihuela, camilla.
paroxismo o *parasismo*, acceso violento.
paroxítono, vocablo llano.
parqué, piso de madera en colores.
parrilla, cervecería y restaurante.
parva, mies, desayuno.
parvedad o *parvidad*, pequeñez.

---

1) Palabra no aceptada, hasta ahora, por la Real Academia, pero que figura en la edición de 1968 del Diccionario Ilustrado «Larousse».

parvo, pequeño.

párvulo, niño.

pasavante, documento naval.

pasavolante, acción ejecutada a la ligera.

pasteurizar, higienizar según procedimiento Pasteur.

paternóster, Padrenuestro.

patíbulo, cadalso.

patizambo, de piernas torcidas hacia fuera.

patógeno, que provoca enfermedad.

patológico, enfermizo.

patrulla, gente armada.

paupérrimo, muy pobre.

pavana, danza.

pavés, escudo.

pavesa, chispa.

pávido, tímido.

pavimento, piso.

pavipollo, pollo del pavo.

pavo, ave.

pavor, temor.

pavoroso, de pavor.

payaso, titiritero.

payo, aldeano.

pazguato, mentecato.

¡Pche! o *¡pchs!*, interjección.

peana, base o pie.

pebeta, chiquilla.

pebete, pasta aromática, chiquillo.

pecíolo o *peciolo*, rabillo de la hoja.

pedagógico, instructivo.

pedigrí, genealogía de un animal.

pediluvio, baño de pies.

pejerrey, pez.

pejiguera, molestia.

pelícano o *pelicano*, ave.

pelvis, cavidad cuerpo.

pella, masa apretada y arredondeada.

pellejo, piel.

pelliza, prenda vestir.

penseque, error de ligereza.

pentágrama o *pentagrama*, papel pautado para música.

peón, peatón, jornalero, juguete.

perborato, una sal.

percebe, marisco, ignorante.

percibir, cobrar, sentir.

perejil, planta.

perenne o *perene*, continuo.

perennifolio, que conserva su follaje todo el año.

perfección, suma bondad.

pergeñar, ejecutar algo.

perifollo, planta, adorno.

perigeo, punto en que la Luna está más cerca de la Tierra.

perihelio, punto en que un planeta está más cerca del Sol.

período o *periodo*, tiempo que una cosa tarda en volver al estado inicial.

perseverar, persistir.

personaje, sujeto distinguido.

perspectiva, sistema de representación.

perspicaz, de ingenio agudo.

perturbar, transtornar.

perverso, depravado.

pervertir, corromper.

pervigilio, desvelo.

pestillo, pasador.

pesuño, cada uno de los dedos de los animales de pata hendida.

petroleoquímico, referente a determinadas industrias.

peyorativo, que empeora.

pez, animal vertebrado.

piara, manada cerdos.

picardihuela, de picardía.

pigmeo, hombre muy pequeño.

pignorar, empeñar.

pihuela, correa de cetrería.

pijama o *piyama*, traje de casa.

pillar, coger, prender.

pillo, pícaro, ave.

pimpollo, árbol nuevo, joven bella.

pingue, embarcación.

pingüe, abundante.

pinnado o *pinado*, con aspecto de pluma.

pinnípedo, animal del grupo de las focas.

piojento, de piojo.

piojo, insecto.

pión, que pía.

piretógeno o *pirógeno*, que produce fiebre.

pirotecnia, arte de fuegos artificiales.

pisaúvas, el que pisa la uva.

piscícola, relativo a peces.

piscolabis, refacción.

pitillo, cigarrillo.

pitojuán, pájaro.

pivote, eje vertical.

píxide, copón.

pizzicato, trozo musical.

plagiar, copiar.

playa, ribera mar.

plébano o *plebano*, cura párroco.

plebe, clase social común.

plebeyo, de la plebe.

plebiscito, votación.

plepa, persona, animal o cosa defectuosos.

pleura, membrana.

plexiglás, resina sintética.

plexo, red nerviosa.

pléyade, grupo personas destacadas en letras.

pléyades o *pléyadas*, cúmulo de estrellas.

plombagina o *plumbagina*, grafito.

plúmbeo, de plomo.

pluvial, referente lluvia.

pluviómetro o *pluvímetro*, aparato para medir la lluvia.

pobo, álamo blanco.

poderhabiente, que tiene la representación de otra persona.

poema, obra en verso.

policromo, de varios colores.

polifacético, de varias facetas o aspectos.

polígloto o *poligloto*, versado en lenguas.

polvera o *polvorera*, recipiente polvos.

polvo, partículas tierra.

pólvora, mezcla explosiva.

polla, gallina, moza.

pollear, trato entre jóvenes ambos sexos.

pollino, asno joven.

pollo, cría de ave, mozo.

póquer, juego naipes.

porcentaje, tanto por ciento.

portaaviones, buque de guerra con aviones.

portalámparas, casquillo para lámpara.

porvenir, suceso futuro.

¡porvida!, interjección.

pos- o *post-*, detrás, después.

posbélico, posterior a una guerra.

posdata o *postdata*, añadido a un escrito.

poseer, tener.

posibilidad, de posible.

poyata, repisa.

poyo, banco de piedra.

pracrito o *prácrito*, idioma indio.

pragmatismo, método filosófico.

pravedad, iniquidad.

preámbulo, exordio.

prebenda, beneficio.

preboste, cabeza de comunidad.

precaución, cautela.

precaver, prevenir.

precepto, mandato.

precocidad, de precoz.

precoz, prematuro.

predicción, de predecir.

predilección, preferencia.

preeminencia, privilegio.

preexistencia, existencia anterior.

prehistórico, anterior a la historia.

presagiar, prever.

présbita o *présbite*, de visión defectuosa.

presbítero, sacerdote.

prescribir, preceptuar.

preservar, resguardar.

prestar, dejar.

prestidigitador, jugador de manos.

prestigio, ascendiente.

pretencioso o *pretensioso*, presuntuoso.

pretexto, excusa.

prevalecer, preponderar.

prevaricar, faltar a sus obligaciones o deberes.

prevención, de prevenir, prisión.

prevenir, prever.

prever, antever.

previo, anticipado.

previsible, de prever.

previsor, que prevé.

primavera, estación año.

primigenio, originario.

primitivo, antiguo, primero en su línea.

primogénito, primer hijo.

prístino, antiguo.

privación, acción de privar.

privanza, confianza.

privar, despojar.

privilegio, merced.

proa, parte delantera de un barco.

probabilidad, verosimilitud.

probar, experimentar.

probeta, tubo cristal.

probidad, honradez.

probo, honrado.

proboscidio, mamífero con trompa.

prócer, procero o *prócero*, eminente, alto.

proclive, inclinado a una cosa.

prodigio, maravilla.

producción, de producir.

producible o *productible*, que se puede producir.

productividad, calidad de productivo.

productivo, que produce.

proejar, remar contra corriente.

proel, marinero de proa.

proemio, prólogo.

proeza, hazaña, valentía.

profesionalizar, ejercer una profesión.

profilaxis, preservación.

progenie, generación.

progenitor, ascendiente de una persona.

prognato, de mandíbulas salientes.

prohibir, vedar.

prohijar, recibir como hijo.

prójimo, cualquier hombre respecto de otro.

prolapso, caída víscera.

prolijidad, dilatación.

prónuba, madrina boda.

proparoxítono, vocablo esdrújulo.

proscribir, echar de su patria, excluir, prohibir.

proscrito o *proscripto*, de proscribir.

prospección, exploración de posibilidades.

prostíbulo, mancebía.

protección, amparo.

proteger, amparar.

protervo, perverso.

protestar, reclamar.

protuberancia, prominencia.

provecto, antiguo, de edad madura.

provecho, utilidad.

proveer, prevenir, surtir, abastecer.

proveído, resolución judicial.

provenzal, natural de Provenza.

proverbio, sentencia.

providencia, prevención de un fin, Dios.

providente, prudente.

próvido, prevenido, cuidadoso.

provincia, demarcación territorial.

provisión, de proveer.

provocar, excitar, arrojar.

proxeneta, alcahuete.

próximo, cercano.

proyección, lanzamiento a distancia.

proyectar, lanzar, idear.

proyectil, cuerpo arrojadizo.

proyecto, plan.

prueba, testimonio, indicio.

psicoanálisis o *sicoanálisis*, exploración mental.

psicología o *sicología*, tratado del alma.

psicopatía o *sicopatía*, enfermedad mental.

psicotecnia o *sicotecnia*, ciencia exploración aptitudes.

psicrómetro o *sicrómetro*, aparato para medir la humedad.

psique, alma humana.

psiquiatría o *siquiatría*, tratado de enfermedades mentales.

púa, punta afilada.

púber o *púbero*, que ha llegado a la pubertad.

pubertad, juventud.

púgil, combatiente a puñadas.

pugilato, pelea a puñadas.
pugna, batalla, pelea.
pujavante, herramienta.
pulverizar, reducir a polvo.

pulverulento, polvoriento.
pulla, palabra molesta.
¡pumba!, interj., caída ruidosa.
pungente, punzante.

pungir, punzar.
pungitivo, que punza.
puntilla, encaje, rematar.
puya, punta acerada.

Q

quebrantahuesos, ave rapaz.
quehacer, ocupación.
quejido, voz lastimosa.
quejigal o *quejigar*, de quejigo.
quejigo, árbol.
quejicoso o *quejilloso*, que se queja.
quepis, gorra militar.
querella, queja, pendencia.
quermes o *kermes*, insecto.
querube, querubín.
querubín, serafín.
quevedos, lentes.
¡quia!, interjección.

quid, porqué de una cosa.
quídam, persona cualquiera.
quietud, reposo.
quito o *kit*, narcótico.
quilo, líquido intestinal, arbusto, kilo.
quilla, parte de la estructura de un barco.
quimono, túnica.
quincalla, conjunto de objetos de poco valor.
quincuagésimo, que ocupa el lugar 50.
quinesiólogo o *kinesiólogo*, especialista en la kinesiterapia.

quintilla, composición poética.
quiosco o *kiosco*, templete.
quiromancia o *quiromancía*, adivinación.
quirúrgico, relativo a la cirugía.
quisquilla, reparo, camarón.
quiste, vejiga anormal con humores.
quizá o *quizás*, duda.
quórum, número necesario de individuos para que un cuerpo deliberante tome ciertos acuerdos.

R

rabadán, mayoral.
rabadilla, extremidad del espinazo.
rábano, hortaliza.
rabel, instrumento musical.
rabera, parte posterior.
rabí, sabio judío.
rabia, enfermedad, ira.
rabieta, enojo.

rabihorcado, ave.
rabino, maestro hebreo.
rabisalsera, desenvuelta.
rabiza, punta caña pescar, ramera.
rabo, cola.
rábula, abogado indocto y charlatán.
ración, porción.
radar, detector y loca-

lizador de objetos por ondas electromagnéticas.
radiactivo, cuerpo cuyos átomos se desintegran espontáneamente.
raer, raspar, quitar.
rahez, vil, bajo.
raído, muy gastado, desvergonzado.

raigambre, conjunto de raíces.

raíl o *rail*, carril.

raíz, origen, fundamento.

rallador, útil cocina.

rallar, desmenuzar.

rallo, rallador.

rapsodia, trozo de un poema, pieza musical.

raptar, robar mujer.

rasilla, tela, ladrillo hueco delgado.

ratihabición, afirmación.

raudo, rápido.

ravenés, de Rávena.

ravioles, emparedados.

raya, señal, pez.

rayar, tirar rayas.

rayo, línea de luz.

rayón, fibra artificial.

razzia, arrasamiento.

reacción, acción contraria.

reacio, remolón.

reactor, instalación para producir energía nuclear, motor o avión de reacción.

realce, relieve.

realengo, terreno del Estado.

realizar, verificar.

reasumir, tomar lo dejado.

reata, hilera caballerías.

rebaba, reborde.

rebaja, disminución.

rebalaje, corriente de aguas.

rebanada, raja.

rebañar, recoger.

rebaño, hato ganado.

rebasar, exceder.

rebatiña, rápida recogida.

rebatir, rechazar.

rebato, alarma, llamada.

rebeco, gamuza.

rebelarse, sublevarse.

rebelde, indisciplinado.

rebenque, látigo.

rebollidura, bulto en el alma de un cañón.

rebollo, árbol.

rebolludo, rehecho.

reboñar, pararse la rueda del molino.

rebosar, derramarse.

rebotar, botar repetidamente.

rebotín, hoja morera.

rebozar, cubrir.

rebudiar, roncar el jabalí.

rebujal, exceso en rebaño, terreno pequeño y de mala calidad.

rebujiña, alboroto.

rebujo, embozo.

rebullir, moverse.

reburujar, hacer burujón.

rebuzno, voz del asno.

recabar, conseguir.

recaída, nueva caída.

recauchar o *recauchutar*, recubrir de caucho una cubierta.

recavar, volver a cavar.

recebo, arena y piedra que se echa sobre firme carretera.

recepción, recibimiento.

receptor, que recibe.

receso, separación, vacación.

recibir, admitir.

recital, concierto, recitación.

recoger, volver a coger.

recolección, cosecha.

reconvención, de reconvenir.

reconvenir, hacer cargo.

record[1], hazaña o proeza deportiva.

recova, compra para reventa.

recoveco, revuelta.

rectángulo, de ángulos rectos.

rectificar, reducir a la exactitud.

recto, derecho, justo.

recua, conjunto de animales de carga.

red, tejido de mallas.

redacción, de redactar.

redactar, relatar por escrito.

---

1) Palabra no aceptada, hasta ahora, por la Real Academia. Sin embargo, la publica el Diccionario Ideológico del señor Casares como aguda *record*, e igualmente el Diccionario Ilustrado «Larousse» en su edición de 1967, pero éste como voz llana, *récord*.

redaya, red.
redhibir, anular venta.
redivivo, resucitado.
reducción, disminución.
reembolsar o *rembolsar*, volver una cantidad al que la había desembolsado.
reembolso o *rembolso*, devolución.
reemplazar o *remplazar*, substituir.
reemplazo o *remplazo*, substitución.
reexpedir, expedir lo recibido.
refacción, alimento.
referéndum, consulta al pueblo sobre intereses comunes.
reflexionar, meditar.
reflexivo, pensador.
refrigerio, refresco.
refugiar, acoger.
refulgencia, resplandor.
regencia, gobierno.
regenerar, restablecer.
regicida, matador de un rey.
régimen, conjunto de reglas.
regimiento, unidad orgánica militar.
regio, real, suntuoso.
regir, dirigir.
registrar, mirar, anotar.
reglaje, ajuste de un mecanismo, corrección en el tiro.
rehacer, volver a hacer.
rehala o *reala*, rebaño.

rehén, prenda.
rehervir, volver a hervir.
rehilar, hilar demasiado, temblar.
rehilete, flechilla, banderilla, arponcillo.
rehílo, temblor.
rehogar, sazonar.
rehollar, volver a hollar.
rehoyo, barranco.
rehusar, no aceptar.
reincidencia, reiteración.
reír, manifestar alegría.
reiterar, repetir.
reivindicar, recuperar lo que pertenece.
rejilla, celosía.
rejuvenecer, remozar.
relapso, reincidente en pecado.
relativo, que hace relación, no absoluto.
relevante, sobresaliente.
relevar, reemplazar.
relieve, realce.
religión, creencia, culto.
reloj o *reló*, máquina horaria.
rellano, meseta.
rendibú, acatamiento.
rendija o *rehendija*, abertura angosta.
renovar, reanudar.
renovero, usurero.
renvalsar, hacer rebajo en maderas.
reo, culpado, trucha.
reojo (mirar de), mirar disimuladamente.

reómetro, instrumento para medir corrientes eléctricas.
repollo, variedad de col.
reportaje, información periodística.
reprender o *reprehender*, corregir.
reprobar, no aprobar.
réprobo, condenado.
reptil, animal que se arrastra.
república, forma de gobierno.
repugnancia, aversión.
réquiem, dícese de la misa de difuntos.
resabio, vicio.
resbalar, escurrirse.
reservar, guardar.
resignar, entregar mando.
resignarse, conformarse.
resolver, decidir.
resollar, respirar.
respectivo, relativo a una cosa.
restricción, limitación.
restringir, ceñir, reducir.
resurrección, acción de resucitar.
retahíla, serie de cosas.
retribuir, recompensar.
retumbar, resonar.
reúma o *reuma*, enfermedad.
reunir, juntar.
revalidar, dar nuevo valor.
revejido, envejecido.
revelar, descubrir.

reveler, separar lo que mantiene enfermedad.

revellín, saliente de la chimenea.

revenir, retornar, volver.

reventar, estallar.

reverberar, reflejar.

reverdecer, cobrar verdor.

reverencia, respeto.

reverendo, digno de reverencia.

reverso, revés, dorso.

revesado o *enrevesado,* intrincado.

revesar, vomitar.

revestir, sobrevestir.

revezar, reemplazar.

revirar, torcer.

revisar, ver con atención.

revista, segunda vista, publicación.

revocar, anular.

revolcón, revuelco.

revolotear, volar haciendo giros.

revoltillo o *revoltijo,* mezcolanza.

revolución, alboroto.

revolucionar, de revolución.

revólver, pistola.

revolver, menear.

revoque, enlucido.

revulsión, medio curativo.

rey, monarca.

reyerta, contienda.

rho, letra griega.

¡ria!, interjección.

ría, ensenada que vierte al mar.

riba, ribazo.

ribaldo, pícaro.

ribazo, declive de tierra.

ribera, orilla.

ribero, vallado.

ribete, borde, cinta.

rictus, contracción labios.

rielar, brillar.

rigidez, de rígido.

rígido, inflexible.

rimbombante, retumbante, ostentoso.

ritmar, sujetar a ritmo.

ritmo, armonía.

rival, competidor.

rivera, arroyo.

roano, caballo de tres colores.

rob, arrope.

robada, 8,98 áreas.

robaliza, hembra del róbalo.

róbalo o *robalo,* pez.

robar, hurtar.

robín, herrumbre.

robinia, falsa acacia.

robo, de robar.

roborativo, que da fuerza y firmeza.

robot, ingenio electrónico.

robusto, fuerte.

rocalla, conjunto de piedras, decoración a base de piedras.

rodaballo, pez.

rodilla, unión muslo con pierna.

roedor, que roe.

roela, disco de oro o de plata.

roer, carcomer.

rojizo, de rojo.

rolla, niñera.

rollo, cilindro.

rompehielos, buque para abrir hielos.

rondalla, cuento, ronda de mozos.

ronronear, ruido que hace el gato.

rosbif, vaca soasada.

rosquilla, rosca de dulce.

roya, enfermedad de vegetales.

royo, rubio.

ruar, callejear.

rúbeo, que tira a rojo.

rubéola, enfermedad.

rubí, piedra preciosa.

rubia, tipo automóvil.

rubicón (pasar el), dar un paso decisivo.

rubicundo, rojizo.

rubidio, metal.

rubio, rojo claro.

rubor, vergüenza, rojo.

rueca, instrumento hilar.

rugir, bramar.

ruibarbo, planta.

ruin, vil.

rumba, baile, francachela.

rumbo, dirección, generosidad.

runrún, rumor.

rupicabra o *rupicapra,* gamuza.

ruptura, rompimiento.

sábado, día semana.

sabalera, rejilla horno, arte pesca.

sábalo, pez.

sábana, tela cama.

sabandija, reptil.

sabañón, ulceración.

sabara, niebla diáfana.

sabatizar, guardar sábado.

sabelotodo, sabidillo.

saber, conocer, ciencia.

sabina, arbusto.

sabio, persona docta.

sabiondo o sabihondo, que presume de sabio.

saboneta, reloj bolsillo con tapa.

sabor, gusto.

sabotaje, daño intencionado para perjudicar.

sabueso, perro de olfato.

sabuloso, arenoso.

saburroso, con lengua blanquecina.

saeta, arma arrojadiza.

sagita, segmento entre punto medio del arco y su cuerda.

sagitario, constelación.

sahornarse, escocerse.

sahumerio o sahúmo, humo aromático.

sake, bebida alcohólica.

saíno, mamífero.

salab, arbusto.

salbanda, capa mineral.

salabardo, manga de red para pesca.

saliva, humor acuoso.

saltabanco, *saltimbanco o saltimbanqui*, charlatán de plazuela, titiritero.

salubérrimo, de salubre.

salud, estado sano.

salva, saludo.

salvadera, vaso con arenilla.

salvado, cáscara grano.

salvaguardar, defender, amparar.

salvaje, silvestre, inculto.

salvar, librar.

salve, saludo, oración.

salvia, mata.

sallar, escardar la tierra.

sambenito, descrédito.

samovar, tetera rusa.

sanctasanctórum, lugar sagrado o reservado.

sánscrito o sanscrito, lengua antigua.

santabárbara, sitio para pólvora en embarcación.

satiamén (en un), en un decir amén.

sarao, reunión festiva.

sargento, categoría militar superior a cabo.

satisfacción, bienestar.

sauce o sauz, árbol, arbusto.

saúco, arbusto.

savia, jugo planta.

saxátil, planta que vive en peñas.

sáxeo, de piedra.

saxofón o saxófono, instrumento músico.

saya, falda.

sayón, verdugo.

sebe, cercado de estacas.

sebestén, árbol.

sebo, grasa.

sección, corte, división.

secta, doctrina.

sector, grupo, porción.

secuoya, árbol.

sed, gana de beber.

seducción, engaño.

segmento, pedazo cortado de una cosa.

seguir, ir detrás.

seisavo, sexto.

seísmo o sismo, terremoto.

selección, elección.

selva, bosque.

sello, marca, timbre.

semidiós, héroe.

semilla, óvulo fecundado que produce planta.

semoviente, que se mueve. *Bienes semovientes:* el ganado de cualquier especie.

sempervirente, siempre verde.

senectud, vejez.

sensual, deleite sentidos.

señalizar, marcar señales.

septenario o *setenario*, siete unidades.

septicemia, infección sangre.

septiembre o *setiembre*, mes del año.

séptimo o *sétimo*, que ocupa el lugar número siete.

serbal, árbol.

serbio o *servio*, natural de Serbia.

serrallo, harén.

servato, planta.

serventesio, composición poética.

servicio, favor, trabajo.

servil, rastrero.

servilleta, paño de mesa.

servir, valer.

servo-, mecanismo auxiliar.

servofreno, freno amplificado por mecanismo auxiliar.

seso, cerebro.

sestear, echar siesta.

sestercio, moneda.

setabense o *setabitano*, natural de Játiva.

seudo o *pseudo*, supuesto, falso.

severidad, rigor.

sevicia, crueldad.

sexagenario, de 60 a 69 años.

sexagésimo, que ocupa el lugar 60.

sexagonal, de seis ángulos.

sexcentésimo, que ocupa el lugar 600.

sexenio, espacio de seis años.

sexma, sexta parte.

sexo, lo que distingue al macho de la hembra.

sexología, ciencia que trata del sexo.

sextante, instrumento.

sextercio, moneda.

sexteto, seis instrumentos musicales o voces.

sextina, composición poética.

sexto, que ocupa el lugar número 6.

sextuplicar, multiplicar por seis.

sexual, relativo al sexo.

sibarita, dado a regalos y placeres.

sibil, concavidad subterránea.

sibila, mujer profética.

sibilante, que silba.

sibilino, misterioso.

sicalipsis, pornografía.

siervo, esclavo.

sigilo, secreto, reserva.

sigma, letra griega.

signar, hacer señal.

significado, sentido.

siguemepollo, adorno.

sílaba, letra o conjunto de letras.

silbar, producir sonidos agudos.

silogismo, argumento en lógica.

silva, poesía.

silvestre, sin cultivo.

silvicultura, cultivo de bosques y montes.

silvoso, de selva.

silla, asiento.

simbiosis, asociación de organismos.

símbolo, figura.

sinistrórsum, a izquierdas.

sinopsis, resumen.

sinovia, humor en articulación.

sintaxis, parte de la gramática.

sirimiri o *chirimiri*, llovizna.

sirviente, el que sirve.

sísmico, relativo al terremoto.

sitibundo, sediento.

soasar, medio asar.

sobaco, axila.

sobajar, manosear.

sobar, manosear.

sobarcar, llevar bajo el sobaco.

soberano, grande, monarca.

soberbia, orgullo.

soberbio, orgulloso, magnífico.

sobina, clavo de madera.

sobornar, cohechar.

sobreexcitar o *sobrexcitar*, de excitar.

sobrehaz, cubierta.

sobrentender o *sobreentender*, de entender.

sobrepasar, rebasar un límite.

sobresdrújulo o *sobreesdrújulo*, que se acentúa antes de la antepenúltima sílaba.

sobreseer, desistir.

sobreveste o *sobrevesta*, túnica.

sobrevolar, volar sobre un lugar.

sobrexceder o *sobreexceder*, aventajar.

socavar, excavar.

sociabilidad, buen trato.

sodomía, concúbito entre personas de un mismo sexo.

soez, grosero.

solemne, majestuoso.

soliviantar, alterar el ánimo.

soliviar, levantar.

solo[1], solamente.

solsticio, sol en trópico.

solventar, resolver.

sollozar, llorar.

sonámbulo o *somnámbulo*, que habla o anda dormido.

sonreír, reír.

sonrojar, avergonzar.

sorber, beber aspirando.

sorbete, refresco helado.

sorprender, coger desprevenido.

sorpresa, de sorprender.

sortilegio, adivinación supersticiosa.

soslayar, esquivar.

sotabanco, buhardilla.

sotavento, parte contraria al viento.

soviet, consejo obrero

bolchevique.

soviético, de soviet.

sovietizar, someter al soviet.

sovoz (a), en voz baja.

suave, liso, blando.

sub-, debajo.

subalterno, inferior.

subálveo, bajo el álveo.

subasta, venta pública.

súbdito, vasallo.

suberoso, corchoso.

subestimar, estimar debajo de su valor.

subir, ascender.

súbito, repentino.

subjetivo, del sujeto.

subjuntivo, modo verbal.

sublevar, amotinar.

submarino, bajo agua.

subordinar, depender.

subrayar, rayar por debajo.

subrepticio, oculto.

subrogar, substituir.

subsanar, remediar.

subscribir o *suscribir*, firmar.

subscripción o *suscripción*, de suscribir.

subsidio, ayuda.

subsistir, durar.

substancia o *sustancia*, jugo.

substantivo o *sustantivo*, nombre.

substituir o *sustituir*, cambiar.

substracción o *sustracción*, resta.

subterráneo, bajo tierra.

suburbio, arrabal.

subvención, ayuda.

subversión o *suversión*, de subvertir.

subvertir, trastornar.

subyugar, avasallar.

succión, chupada.

sucesivo, lo que sigue.

sucumbir, morir.

suéter, jersey.

sugerir, inspirar.

sugestión, de sugerir.

sujeción, de sujetar.

sujeto, persona, de sujetar.

sumergir, hundir.

suministrar o *subministrar*, proveer.

superávit, exceso.

superstición, creencia contra razón.

supervacáneo, superfluo.

supervisar, inspeccionar.

supervivencia, de sobrevivir.

súrbana, planta.

surgir, brotar, aparecer.

susidio, inquietud.

suspicacia, sospecha.

suspicaz, propenso a concebir sospechas.

suvertir, subvertir.

suyo, pronombre.

---

1) En la página 98 se explica cuándo deberá acentuarse.

taba, hueso de pie.

tabaco, planta.

tabalear, mecer.

tabanco, puesto venta.

tábano, insecto.

tabanque, rueda madera.

tabaola, batahola.

tabardillo, insolación.

tabardo, ropón.

tabarra, lata.

taberna, tienda de vinos.

tabernáculo, sagrario.

tabí, tela antigua de seda con labores.

tabica, tablilla.

tabique, pared.

tabú, lo prohibido.

tabuco, aposento pequeño.

taburete, asiento.

táctil, relativo al tacto.

tacto, un sentido.

tael, moneda.

taha, comarca.

tahalí, tira de cuero para sujetar espada.

taharal, tarayal.

taheño, pelo bermejo.

tahona, panadería.

tahúlla, medida agraria.

tahúr, jugador.

taifa, bandería, gentuza.

taimado, astuto.

talabarte, cinturón.

talvina, gachas.

talla, escultura, estatura.

tallarín, pasta de sopa.

talle, cintura.

tallo, vástago.

tambalear, vacilar.

también, igualmente.

tambor, instrumento músico.

tampoco, adverbio de negación.

tampón, almohadilla para entintar.

tándem, bicicleta para dos.

tangente, que toca.

tangerino, de Tánger.

tangible, que se toca.

taparrabo, calzón corto.

tapiz, paño tejido.

tarabilla, alocado.

tarambana, alocado.

taray, arbusto.

tarayal, sitio de tarayes.

tarbea, sala grande.

tarumba o *turumba*, que se ha atolondrado.

tarjeta, cartulina.

tartajeo, tartamudeo.

tasa, medida.

tatuaje, grabado epidérmico.

taumaturgia, facultad de hacer prodigios.

tauromaquia, arte de lidiar toros.

taxativo, que limita.

taxímetro, aparato para medir recorridos.

taxonomía, ciencia de la clasificación.

tea, astilla.

tebeo, revista infantil.

técnico, especializado.

tedeum[1], cántico de gracias a Dios.

tejavana, cobertizo.

tejemaneje, destreza.

tejer, entrelazar, urdir.

tejido, de tejer.

telegrama, despacho telegráfico.

telesilla, asiento movido por cable.

telespectador, espectador de televisión.

televidente, que contempla la televisión.

televisar, transmitir imágenes por televisión.

televisión, trasmisión de imágenes.

televisivo, con buenas condiciones para ser televisado.

televisor, aparato receptor de televisión.

tenis, juego.

tentempié, refrigerio.

teocracia, gobierno de Dios o del sacerdocio.

terbio, metal.

---

1) A pesar de que el Diccionario de la Academia acentúa la voz *tedéum* no procede atildar esta palabra, según se explica en la nota de la página 83 del opúsculo primitivo de las *Nuevas Normas* y en el ejemplo de la página 89 del mismo, extremos posteriormente corroborados en la *Norma 12.ª a)* del texto definitivo, puesto que *eu* forma diptongo y se trata de una voz aguda finalizada en *m*.

tergiversar, torcer las razones.

tesis, proposición que se mantiene con razonamientos.

tesitura, tono, actitud.

testa, cabeza.

testar, hacer testamento.

testuz, frente, nuca.

teta, mama.

teúrgia, magia.

texto, libro, pasaje.

textura, operación de tejer, estructura.

theta, letra griega.

tiara, gorro, mitra.

tiberio, nombre, ruido.

tibia, hueso pierna.

tibio, templado.

tibor, vaso decorado.

tiburón, pez marino.

tieso, estirado.

tiflología, ciencia del tratamiento de la ceguera.

tijera, instrumento de cortar.

tílburi, carruaje.

tillar, poner suelo madera.

timba, partida de juego.

timbal, cierto tambor.

tingitano, tangerino.

tiorba, instrumento músico.

tiovivo, recreo de feria.

tiquismiquis o *tiquis miquis*, escrúpulos vanos y ridículos.

tirabuzón, sacacorchos, rizo de cabello.

tisis, enfermedad.

titubear, oscilar, dudar.

toalla, lienzo.

toba, piedra, cardo.

tobera, abertura.

tobillo, protuberancia huesos.

tobogán, deslizadero.

tocadiscos, para reproducir sonidos registrados en discos.

tocayo, homónimo.

todavía, aún.

tojino, madera que sujeta la embarcación.

tolva, caja para grano.

tolvanera, remolino de polvo.

tollo, hoyo, pez.

tómbola, rifa pública.

tomillo, planta olorosa.

toquilla, prenda vestir.

tórax, pecho.

torbellino, remolino de viento.

tornavirón, golpe.

tornavoz, concha de resonancia.

tortícolis o *torticolis*, torcimiento cuello.

torva, remolino de nieve.

torvisco, vegetal.

torvo, fiero, espantoso.

tos ferina, enfermedad.

tósigo, ponzoña.

totovía, ave.

tova, ave.

tóxico, veneno.

traba, obstáculo.

trabacuenta, error.

trabajar, laborar.

trabanca, mesa de empapelador.

trabar, juntar, enlazar.

trabilla, tira de tela.

trabucar, trastornar.

trabuco, arma fuego.

tracción, arrastre.

tracto, espacio.

tradición, transmisión de noticias antiguas.

traducción, interpretación.

traer, conducir de un lado a otro.

tragaldabas, tragón.

tragedia, drama.

trágico, de tragedia.

traición, deslealtad.

traílla o *treílla*, tralla.

traína, red de fondo.

traje, vestido.

trajín, de trajinar.

trajinar, andar ocupado.

tralla, cuerda, látigo.

tramoya, máquina de transformaciones, enredo.

trans-, del otro lado, más allá.

transacción, convenio.

transalpino o *trasalpino*, al otro lado de los Alpes.

transandino o *trasandino*, al otro lado de los Andes.

transatlántico o *trasatlántico*, buque.

transbordar o *trasbordar*, pasar de un buque o tren a otro.

transcribir o *trascribir*, copiar un escrito.

transcurrir o *trascurrir*, pasar o correr.

transcurso o *trascurso*, espacio de tiempo.

transeúnte, que transita.

transferir o *trasferir*, trasladar.

transfixión o *trasfixión*, de herir traspasando.

transición, paso.

transigir, consentir.

transilvano, de Transilvania.

transistor, artificio para rectificar y ampliar impulsos eléctricos.

transmitir o *trasmitir*, trasladar.

transubstanciación, conversión de substancia.

transvasar o *trasvasar*, trasegar.

transverberación o *trasverberación*, transfixión.

transversal, atravesado.

tranvía, ferrocarril urbano.

trascendental o *transcendental*, de suma importancia.

trashoguero, perezoso.

trashojar, hojear.

trashumante, que va de un lado a otro.

trasojado, macilento.

trasplantar, mudar.

trasvenarse, derramarse.

travelín, ciertos movimientos de la cámara cinematográfica.

través, torcimiento.

travesaño, pieza atravesada.

travesía, camino.

travestido, disfrazado.

traviesa, apuesta, madero vía.

travieso, revoltoso.

trayecto, recorrido.

trébede, aro de hierro.

trebejo, utensilio.

trébol, planta.

tremebundo, horrendo.

tresillo, juego naipes, conjunto butacas.

tribal o *tribual*, perteneciente a la tribu.

tribu, conjunto de familias.

tribuir, atribuir.

tribulación, congoja.

tribuna, plataforma elevada para oradores o público.

tribunal, estrado jueces.

tribuno, magistrado romano, orador.

tributo, gravamen.

tríceps, músculo.

trilobites, fósil.

trillar, quebrantar la mies en la era.

tríptico, tabla de tres hojas.

triunvirato, magistratura de Roma antigua.

trivial, vulgar.

trivio, tres caminos.

troj, *troje* o *trox*, depósito de frutos.

trolebús, ómnibus con trole.

tromba, columna de agua.

trombosis, oclusión vena por coágulo sanguíneo.

trovador, poeta.

trovo, poesía amorosa.

trué, lienzo.

truhán, tunante.

trulla, bulla, parranda.

tuáutem, sujeto principal.

tubérculo, protuberancia, producto morboso.

tuberculosis, enfermedad.

tuberosidad, tumor.

tubo, pieza hueca.

tubular, de tubo.

tui, loro pequeño.

tuina, chaquetón.

tuitivo, que defiende.

tullir, baldar.

tumba, sepulcro.

tumbar, derribar.

tumbo, vaivén.

tumbón, perezoso.

tumbona, butaca inclinable.

tungsteno, volframio.

tur, giro o vuelta.

turba, gentío.

turbante, tocado oriental.

turbar, aturdir.

turbina, rueda hidráulica.

turbio, obscuro.

turbión, aguacero.

turbulento, turbio.

turgencia, hinchazón.

turíbulo, incensario.

tuyo, pronombre.

U

ubada, medida de tierra
ubérrimo, muy abundante y fértil.
ubetense, de Úbeda.
ubicar, situar.
ubicuidad o *ubiquidad,* de ubicuo.
ubicuo, que está en todo lugar a un tiempo.
ubre, teta.
ucase, orden tiránica.
Ueste, Oeste.
¡uf! o *¡huf!,* interjección.
ufano, envanecido.
ujier o *hujier,* portero conserje.
ulano, cierto soldado.
ulcerar, llagar.
uliginoso, húmedo.
ultra-, más allá de.
ultrajar, injuriar.
ultranza (a), a todo trance, a muerte.
ultratumba, más allá de la tumba.
ulular, dar alaridos.
umbelífera, una clase de planta.
umbilicado, de forma de ombligo.
umbral, parte inferior de la puerta.
umbría u *ombría,* terreno a la sombra.

unánime, igual parecer.
unción, de ungir.
uncir, atar al yugo.
undívago, que ondea.
ungir, frotar con óleo.
ungüento, untura.
unigénito, hijo único.
unir, juntar.
unisexual, de un solo sexo.
univalvo, que tiene concha de una pieza.
universidad, instituto.
universo, orbe, mundo.
unívoco, de igual naturaleza o valor.
uno, unidad.
untar, ungir, sobornar.
uña, extremo córneo de los dedos.
¡upa!, interjección.
uranio, metal.
Urano, planeta.
urbanidad, cortesía.
urbano, perteneciente a la ciudad.
urbe, ciudad.
urdir, tramar.
urea, substancia de la orina.
uremia, enfermedad.
urente, abrasador.
urgencia, premura.

urgir, correr prisa.
úrico, de urea.
urna, caja de cristal.
urogallo, ave.
urología, especialidad de la medicina.
urólogo, que practica la urología.
urraca o *hurraca,* ave.
urticaria, enfermedad.
usagre, enfermedad.
usar, utilizar.
usillo, achicoria silvestre.
¡uste!, ¡oxte!, interjección.
usted, tratamiento.
usufructuar, gozar de una cosa.
usura, interés excesivo.
usurpar, apoderarse.
utensilio, instrumento.
útero, matriz.
útil, provechoso.
utillaje, conjunto útiles para industria.
utopía o *utopia,* cosa irrealizable.
uva, fruto de la vid.
uvada, abundancia uva.
uvate, conserva de uvas.
uxoricida, el que mata a su mujer.

V

vaca, hembra del toro.
vacabuey, árbol.
vacación, descanso.

vacada, manada vacuna.
vacante, de vacar.

vacar, cesar en el trabajo, estar sin proveer un cargo.

vaciar, desocupar, afilar.

vacilar, titubear.

vacio, sin contendido.

vacuidad, de vacuo.

vacuna, substancia inoculable profiláctica.

vacuno, ganado bovino.

vacuo, vacío.

vadear, pasar un río.

vademécum, librito con resumen de conocimientos.

vado, zona vadeable de un río.

vagabundo, errante.

vagar, andar sin rumbo.

vagido, llanto.

. *vagina*, conducto matriz.

vagón, carruaje.

vaguada, hondura de un valle.

vahaje, viento suave.

vaharada, acción de echar vaho o aliento.

vaharera, boquera.

vaharina, vaho, vapor.

vahear o *vahar*, echar vaho.

vahído o *vaguido*, turbado, que padece desvanecimiento.

vaho, vapor.

vaina, funda.

vainica, labor aguja.

vainilla, planta.

vaivén, movimiento.

vajilla, conjunto de platos.

val, valle.

valar, de vallado.

vale, documento, despedida.

valentia, arrojo.

valer, amparar, servir.

valeriana, planta.

valeroso, arrojado.

valetudinario, enfermizo.

valia, aprecio.

validar, dar fuerza.

válido, que vale.

valiente, valeroso.

valija, maleta.

valioso, que vale.

valón o *walón*, natural de un territorio entre Francia y Bélgica.

valona, cuello vestir.

valor, brío, mérito.

vals, baile de origen alemán.

valsar, bailar el vals.

valuar, valorar.

valva, concha de los moluscos.

válvula, pieza máquina.

valla, cercado.

valladar, cerca.

vallado, cerca.

vallar, cercar.

valle, llanura entre montañas.

vampiro, espectro, clase murciélago.

vanadio, metal.

vanagloria, jactancia.

vándalo, destructor.

vanguardia, tropa delantera.

vanidad, presunción.

vano, engreído, hueco.

vapor, fluido, gas.

vapular o *vapulear*, azotar.

vaquero, pastor.

vaqueta, cuero.

vara, rama.

varapalo, palo, golpe.

varar, encallar.

varaseto, cerramiento.

varear, dar con vara.

variar, cambiar.

varice, *várice* o *variz*, vena dilatada.

varicela, enfermedad.

varicoso, de varice.

varilla, de vara.

vario, diverso.

variopinto, de diversidad de colores.

varón, hombre.

varona, mujer.

varonesa, varona.

vasallo, súbdito.

vasar, anaquelería.

vasco, de Vizcaya.

vascón, de Vasconia.

vascuence, idioma.

vascular, que tiene celdillas o vasos.

vaselina, substancia crasa.

vasija, pieza cóncava de cristal, barro, etc.

vaso, recipiente.

vástago, brote, descendiente.

vasto, dilatado.

vate, poeta.

Vaticano, palacio del Papa.

vaticinio, adivinación.

vatio o *wat*, unidad de potencia eléctrica.

vaya, burla.

ve, letra.

vecera, ganado de un vecindario, aplícase a ciertas plantas.

vecino, próximo.

vedar, prohibir.

vedija, mechón de lana.

veduño, viduño.

veedor, que ve, cargo.

vega, tierra baja.

vegetal, planta.

vegetar, germinar.

veguero, de la vega, cigarro.

vehemencia, ardor.

vahiculo, carruaje, embarcación.

veinte, dos veces diez.

vejación, de vejar.

vejamen, vejación.

vejar, maltratar.

vejestorio, persona vieja.

vejez, senectud.

vejiga, órgano, ampolla.

vela, vigilia, aparejo de barco, bujía.

velador, mesita.

velar, estar sin dormir, relativo al velo del paladar.

velarte, paño negro para capas.

veleidad, inconstancia.

velero, barco de vela.

veleta, instrumento para señalar la dirección del viento.

velo, cortina, tul.

velocidad, ligereza.

velocipedo, vehículo de dos o tres ruedas.

velódromo, lugar de carreras en bicicleta.

velomotor, bicicleta con motor.

velón, cierta lámpara.

veloz, ligero.

vello, pelo.

vellocino, cuero oveja con lana.

vellón, lana, moneda.

vellorí, vellorin o *villorin*, paño.

velloso o *vellido*, que tiene vello.

vena, conducto de circulación sangre, filón.

venablo, dardo.

venado, ciervo.

venal, de vena, sobornable.

venatorio, de la caza.

vencejo, pájaro, ligadura.

vencer, rendir.

venda, faja, sujetador.

vendaval, viento fuerte.

vendehúmos, que vende ficticia influencia.

vendeja, venta pública.

vender, expender, enajenar.

vendición, venta.

vendimia, cosecha de la uva.

vendo, orillo de paño.

veneciano, de Venecia.

veneno, tósigo.

venerar, reverenciar.

venéreo, de Venus, de ciertas enfermedades.

venero, manantial de agua.

véneto, veneciano.

vengar, tomar satisfacción de un agravio.

venia, permiso.

venial, pecado leve.

venir, dirigirse acá.

venta, de vender.

ventada, golpe de viento.

ventaja, superioridad.

ventalla, válvula.

ventana, abertura en la pared.

ventarrón, vendaval.

ventilar, airear.

ventisca, borrasca de viento y nieve.

ventolera, ventada, determinación extravagante.

ventolina, viento leve.

ventorrillo, bodegón de las afueras.

ventosa, tubo ventilación, órgano sanguijuela.

ventoso, con viento.

ventriculo, cavidad anatómica.

ventrilocuo, que modifica la voz.

ventura, felicidad, suerte.

venturo, que ha de suceder o venir.

Venus, diosa, planeta, mujer hermosa.

venusto, agraciado.

ver, percibir por los ojos.

veracidad, de veraz.

verano, estío.

veras, realidad.

verascopio, estereoscopio.

veraz, que dice verdad.

verbal, referente a la palabra o al verbo.

verbasco, vegetal.
verbena, planta, feria.
verberación, de verberar.
verberar, azotar.
verbigracia, por ejemplo.
verbo, palabra, parte de la oración.
verbosidad, abundancia de palabras.
verdad, veracidad.
verde, color de hierba.
verdegay, verde claro.
verderón, *verderol* o *verdón*, ave.
verdevejiga, substancia para pintar.
verdugo, persona cruel, ejecutor sentencias.
verdura, verdor, hortaliza.
verecundo, vergonzoso.
vereda, senda angosta.
veredicto, juicio jurado
verga, arco de acero, vara.
vergajo, látigo.
vergel, jardín, huerto.
vergeteado, dícese de cierto escudo.
vergonzante, que tiene vergüenza.
vergüenza, rubor.
vericueto, lugar quebrado.
verídico, que dice verdad.
verificar, comprobar.
verigüeto, molusco.
veril, orilla, borde.
verismo, realismo.
verja, enrejado.
verme, gusano.

vermicular, que tiene gusanos o los cría.
vermiforme, de figura de gusano.
vermífugo, que mata las lombrices.
vermú o *vermut*, licor aperitivo, función vespertina.
vernáculo, nativo de un país.
verónica, planta, lance torero.
verosímil o *verisímil*, creíble.
verraco, cerdo padre.
verriondo, puerco en celo.
verruga, excrecencia cutánea.
versado, ejercitado.
versal, letra mayúscula.
versátil, voluble.
versículo, división de los textos sagrados.
versificar, hacer versos.
versión, traducción.
verso, composición poética.
vértebra, hueso del espinazo.
verter, derramar.
vertibilidad, capacidad de volverse o mudarse.
vertical, perpendicular al plano horizontal.
vértice, cúspide.
vertiente, declive, punto de vista.
vertiginoso, de vértigo.
vértigo, trastorno nervioso.
vesania, demencia.

vesícula, vejiga pequeña.
vesívilo, fantasma.
véspero, lucero tarde.
vespertino, relativo a la tarde.
vestal, referente a la diosa Vesta.
veste, vestido.
vestíbulo, atrio, zaguán.
vestigio, huella.
vestir, cubrir el cuerpo con el traje.
veta, vena.
veterano, antiguo, experto.
veterinaria, ciencia de curar animales.
veto, oposición.
vetusto, muy antiguo.
vez, turno.
vezar, acostumbrar.
via, camino, carril.
viabilidad, de viable.
viable, realizable, transitable.
viaducto, puente sobre hondonada.
viajar, trasladarse.
viaje, de viajar.
vial, relativo a la vía.
vianda, sustento, manjar.
viandante, transeúnte.
viático, subvención, ayuda de viaje, comunión de enfermos.
víbora, reptil.
vibrar, estremecer, trepidar.
vibrátil, capaz de vibrar.
vibrión, bacteria de forma encorvada.

viburno, arbusto.

vicaria, oficina eclesiástica.

vicario, juez eclesiástico.

vice-, calidad de segundo en cargo.

vicenal, cada veinte años.

viceversa, a la inversa.

viciar, corromper, pervertir.

vicisitud, alternativa de sucesos.

victima, destinado al sacrificio.

victimario, ayudante en los sacrificios.

victoria, triunfo.

vicuña, mamífero, lana del mismo.

vichy (galicismo), tela fuerte de algodón.

vid, planta de la uva.

vida, existencia.

vidente, que ve, profeta.

vidrio, cristal.

vidual, de viudez.

viduño o *vidueño*, variedad de vid.

vieira, molusco comestible.

viejo, anciano.

viento, corriente de aire.

vientre, abdomen.

viernes, día de la semana.

viga, pieza de madera o hierro.

vigente, en vigor.

vigésimo o *vicésimo*, que ocupa el lugar 20.

vigia, atalaya, que vigila.

vigilar, velar, observar.

vigilia, privación sueño, abstinencia carne

vigitano, de Vich.

vigor, energía.

vihuela, guitarra.

vikingo, navegante escandinavo en los siglos VIII-XI.

vil, bajo, indigno.

vilano, mechón de pelos en fruto.

vilipendio, desprecio.

vilo (en), suspendido.

vilordo, perezoso.

vilorta o *belorta*, aro de madera.

villa, casa de recreo, población.

villancico, canto navideño.

villano, rústico, ruin.

villorrio, poblacho.

vinagre, vino agrio.

vinajera, jarrillo para misa.

vinar, vinatero.

vinario, de vino.

vinculo, unión, lazo.

vindicar, vengar.

vindicta, venganza.

vino, licor alcohólico.

viña, terreno con vides.

viñeta, dibujo, adorno.

viola, instrumento músico.

violáceo, color violeta.

violar, profanar, forzar, intrigar.

violencia, acción de violar.

violeta, flor.

violin, instrumento músico.

violón, instrumento músico.

violonchelo o *violoncelo*, instrumento músico.

viperino, de víbora.

vira, especie de saeta.

virago, mujer varonil.

viraje, de virar.

virar, volver, cambiar rumbo.

virazón, viento del mar.

Virgen, madre de Dios.

virgula, vara, línea, bacilo.

virgulilla, rasguillo ortográfico.

viril, varonil, custodia, vidrio.

virol, perfil bocina.

virola, abrazadera.

virolento, de viruelas.

virologia, tratado de los virus.

virote, saeta, mozo soltero ocioso.

virrey, que hace de rey.

virtud, fuerza, eficacia, bondad.

viruela, enfermedad.

virulencia, ponzoña, malignidad.

virus, podre, humor maligno.

viruta, hoja delgada de madera o metal que se saca con cepillo.

vis, fuerza, vigor.

visaje, gesto.

visar, examinar.

viscera, entraña.

viscosidad, pegajosidad.

visera, ala de gorra.

visible, de ver.

visigodo o *visogodo*, de una parte del pueblo godo.

visillo, cortinilla.

visión, acción de ver, imagen irreal.

visir, ministro musulmán.

visitar, ir a ver.

vislumbrar, ver confusamente.

viso, apariencia, aspecto.

visón, animal mamífero.

vispera, día anterior a otro determinado.

vista, sentido corporal.

visual, de vista.

visualizar o *visibilizar*, hacer visible.

visura, examen visual.

vital, referente a la vida.

vitalicio, por toda la vida.

vitamina, substancia.

vitaminado, que tiene vitaminas.

vitando, execrable.

vitar, evitar.

vitela, piel muy pulida.

viticultura, cultivo vid.

vitola, plantilla, marca puros, aspecto.

¡vitor!, interjección.

vitorear o *victorear*, aclamar.

vitral, vidriera de colores.

vitreo, de vidrio.

vitrificar, convertir en vidrio.

vitrina, armario cristal.

vitriolo, sulfato.

vitualla, provisión boca.

vituperio, baldón, censura.

viudo, persona a quien se le murió su cónyuge.

vivacidad, viveza.

vivandero, vendedor ambulante de víveres.

vivaque o *vivac*, campamento.

vivaquear, pernoctar las tropas al raso.

vivar, paraje de conejos, vivero de peces.

vivaracho, despabilado.

vivaz, agudo, vigoroso.

viveres, provisiones.

vivero, para cría de peces, semillero.

viveza, agilidad.

vivido, vivaz.

vivificar, dar vida, confortar.

viviparo, animal que pare hijos vivos.

vivir, tener vida, morar.

vivisección, disección en vivo.

vizconde, título.

vocablo, voz, palabra.

vocabulario, conjunto voces.

vocabulista, autor de vocabulario.

vocación, inclinación a un estado.

vocal, letra.

vocalización, acción de vocalizar.

vocativo, caso gramatical.

vocear, dar voces.

vocero, que habla en nombre de otro.

vociferar, vocear muy fuerte.

vocingleria, gritería.

vodka o *vodca*, aguardiente.

volandas (en), por el aire.

volanta, volante auto.

volante, que vuela, adorno, hoja de papel, pieza dirigir auto.

volapié, suerte de matar toros.

volar, surcar el aire, escapar.

volateria, caza de aves.

volátil, que vuela.

volatin, salto.

volatilizar o *volatizar*, evaporar, disipar.

volavérunt, desapareció.

volcán, abertura en la tierra que arroja lava.

volcar, caer, verter.

volear, impulsar en el aire, sembrar a voleo.

voleo, golpe en el aire.

volframio, *wolfram* o *wolframio*, cuerpo metálico.

volición, acto de la voluntad.

volquete, carro.

volt, voltio.

voltaje, fuerza electromotriz.

voltario, versátil.

voltear, dar vueltas.

voltejear, voltear, navegar de bolina.

voltio, unidad electromotriz.

volubilidad, calidad de voluble.

voluble, versátil.

volumen, bulto de una cosa.

voluntad, potencia del alma, mandato.

voluptuoso, dado al placer sensual.

voluta, adorno en forma de caracol.

volver, regresar, dar vuelta.

vomitar, arrojar, provocar.

voquible, vocablo.

vorágine, remolino de agua.

voraz o *vorace*, muy comedor.

vórtice, torbellino.

vos, pronombre.

vosear, dar tratamiento de vos.

votar, prometer, dar opinión.

votivo, de voto.

voz, vocablo, sonido.

vozarrón, voz gruesa.

vuecencia, síncopa de vuestra excelencia, tratamiento.

vuelco, de volcar.

vuelo o *volido*, de volar.

vuelta, de volver.

vuestro, pronombre.

vulcanizar, tratar caucho con azufre.

Vulcano, dios del fuego.

vulcanologia o *volcanologia*, ciencia que trata de los fenómenos volcánicos.

vulgar, común.

vulgo, gente popular.

vulnerar, dañar, herir.

vulpeja, zorra.

vulpino, de la zorra.

vulturin, arte de pesca.

vulturno, bochorno.

vulva, exterior vagina.

W

wagneriano, relativo al músico Wágner.

washingtoniano, natural de Wáshington.

watt, vatio.

weberio o *wéber*, unidad de flujo de inducción magnética.

wellingtonia, árbol gigante.

whisky, güisqui.

X

xenofobia, odio o repugnancia al extranjero.

xerografia, procedimiento para copiar documentos.

xerófilo, relativo a plantas de lugares secos.

xi, letra griega.

xilófago, insecto roedor de madera.

xilófono, instrumento músico.

xilografia, arte de grabar madera.

xilórgano, instrumento músico.

Y

ya, adverbio de tiempo.

yac o *yàk*, bóvido del Tíbet.

yacer, estar tendido.

yacija, lecho, sepultura.

yámbico o *jámbico*, pie de poesía.

yanqui, norteamericano.

yantar, tributo, comer.

yarda, medida inglesa de longitud.

yatagán, sable oriental.

yen, unidad moneda japonesa.

yate, barco de recreo.

yaz, cierto género de música bailable.

yegua, hembra del caballo.

yeísmo, pronunciación de *elle* como *ye*.

yeísta, relativo al yeísmo.

yelmo, armadura cabeza.

yema, renuevo vegetales, parte del huevo.

yoga, sistema ascético.

yermo, sin cultivo.

yerno, marido de la hija.

yero o *hiero*, planta.

yerro, equivocación.

yerto, tieso, rígido.

yervo, planta.

yesca, materia combustible.

yeso, sulfato de cal.

yeyuno, porción intestino.

yodo, metaloide.

yodoformo, compuesto químico.

yoduro, compuesto químico.

yogur, leche fermentada.

yola, embarcación.

yóquey o *yoqui*, jinete de caballos de carreras.

yudo o *judo*, sistema de lucha.

yugada, tierra de labor arable en un día.

yugo, instrumento para uncir bestias.

yugoslavo o *yugoeslavo*, natural de Yugoslavia.

yugular, vena.

yunque, utensilio para batir metales sobre él.

yunta, par de animales de labor.

yunto, de juntar, junto.

yute, materia textil.

yuxtaponer, poner junto a.

yuyero, aficionado a tomar hierbas medicinales.

Z

zabordar, encallar.

zaboyar, unir juntas ladrillos con yeso.

zabucar, agitar vasija.

zacear, cecear.

zaguán, espacio cubierto a la entrada de una casa.

zagüía, especie de ermita marroquí.

zahareño, arisco.

zaherir, mortificar.

zahina o *sahina*, planta.

zahón, especie de calzón.

zahondar, ahondar la tierra.

zahorí, adivino, perspicaz.

zahúrda, pocilga.

zaino, traidor, falso, castaño obscuro.

zambo, patizambo.

zambomba, instrumento rústico musical.

zambucar, esconder una cosa.

zambullir o *zabullir*, meter bajo el agua con violencia.

zampalopresto, salsa.

zanahoria o *azanoria*, planta.

zancajear, andar mucho de una parte a otra.

zanquivano, de piernas largas y flacas.

zapatilla, zapato ligero.

zar, emperador en Rusia.

zarabanda, danza ruidosa y picaresca.

zaragüelles, calzones anchos.

zaragutear o *zarabutear*, embrollar.

zarevitz, hijo del Zar.

zarina, esposa del Zar.

zarzahán, tela de seda.

¡zas, zas!, o *¡zis, zas!*, imitación de un golpe.

zeda, zeta, ceda o *ceta*, nombre de una letra.

zedilla, cedilla.

zéjel, composición poética mora.

zelandés o *celandés*, de Zelandia.

Zendavesta, colección de libros sagrados persas.

zendo, idioma persa antiguo.

zepelin, globo dirigible.

zeugma, *ceugma* o *zeuma*, figura gramatical.

zigzag, serie de líneas.

zipizape, riña ruidosa.

zoilo, crítico envidioso y presumido.

zoo-, animal.

zoólatra, que adora a los animales.

zoológico, referente a los animales.

zubia, lugar de gran afluencia de agua.

zumba, cencerro, chanza.

zumbar, hacer ruido bronco o continuo.

zumbel, cuerda para bailar el peón.

zurdo, más hábil con la mano izquierda.

zurrar, curtir, adobar, castigar con azote.

zurribanda, zurra.

zurriburri, sujeto vil, barullo.

zurumbático, lelo, pasmado, aturdido.

Capítulo VI

PRÁCTICA Y REPASO DE LA ORTOGRAFÍA, MEDIANTE EJERCICIOS HISTÓRICO-ORTOGRÁFICOS

Compuestos por el autor de este libro, a base de gran número de voces de dudosa ortografía. Ejercitándolos, se adquiere el completo dominio de la escritura correcta al dictado.

Excelente práctica para mecanógrafos y taquígrafos

OBSERVACIÓN. Hemos preferido imprimir los *ejercicios histórico-ortográficos* sin fraccionarlos en temas pequeños; así queda a elección del profesor dictar párrafos, más o menos extensos, de acuerdo con la dificultad que encierren y con el adelanto de los alumnos.

1. EL SIGLO DE ORO DE LA LITERATURA ESPAÑOLA

Entre el XVI y el XVII de nuestra Era, se halla enclavado el llamado *Siglo de Oro* de la literatura española; época en que el idioma crece en armonía, alcanza su mayor apogeo y se extiende por todo el orbe.

Entonces es cuando obtiene envidiable auge el acervo literario hispánico, de belleza extraordinaria y de maravillosa inventiva.

Elocuentes oradores, autores místicos, inspirados poetas, ecuánimes historiadores, escritores excelsos engrandecieron el idioma castellano con joyas de valía inapreciable.

Maravillan en este esplendoroso firmamento, *Lope de Vega*, de fecundidad inacabable; *Calderón*, insigne dramaturgo; *Vélez de Guevara*, elogiado por Cervantes y Lope; *Ruiz de Alarcón*, autor de la talla de Calderón; *Rojas*, al que se le atribuye una magna tragicomedia, única en su género; *Hurtado de Mendoza*, de docto y vigoroso estilo; *Quevedo*, de humorístico y excepcional ingenio; *Mateo Alemán*, creador del cuento picaresco, de avispada habilidad; *Saavedra Fajardo*, de vasta erudición y cultivada ironía; *Rojas Zorrilla*, el de las pavorosas exposiciones; *Moreto*, el dibujante de caracteres; *Ercilla*, el de las gallardas octavas reales; *Tirso de Molina*, de gran concepción imaginativa; *Fray Luis de León*, de hondos pensamientos; *Santa Teresa de Jesús*, de inspiración más divina que humana; *Garcilaso*, el primer poeta bucólico, rival de Virgilio; *Fray Luis de Granada*, de vehemente y majestuoso verbo; *Góngora, Lope de Rueda, Malón de Chaide, Herrera, San Juan de la Cruz, Castillo Solórzano, Argensola*, y tantos y tantos más, descollando con destellos de máxima refulgencia el alcalaíno *Miguel de Cervantes Saavedra*, artífice de la obra cumbre de la literatura universal.

Todos ellos dejaron huellas indelebles en inequívocos tesoros de estilística castellana, tales como *Fuenteovejuna*, celebérrima comedia basada en un hecho histórico, demostrativo de la heroica actitud colectiva de un pueblo; *El Alcalde de Zalamea*, extraordinario drama con el hermoso tipo racial de alcalde de monterilla; *La vida es sueño*, verdadero derroche de poesía; *El Diablo cojuelo*, esclarecida comedia en la que abundan divertidas descripciones; *La verdad sospechosa*, una de las más selectas obras del teatro español; *La Celestina*, tragicomedia del mancebo Calixto y la doncella Melibea; *El Lazarillo de Tormes*, paradigma de novela picaresca, de grave realismo y pullas zahirientes; *El Buscón*, violenta sátira de exquisito estilo de modismos populares; *Guzmán de Alfarache*, leyenda de un aventurero sevillano que atraviesa sucesivamente las más diversas condiciones sociales; *Corona trágica*, poema épico con la biografía de María Estuardo; *García del Castañar*, soberbio drama del repertorio clásico, de desorbitado espanto; *El desdén con el desdén,* bella y sabia comedia que bastaría para inmortalizar a su inventor; *La Araucana,* poema épico de atrevidos conquistadores; *El condenado por desconfiado,* el primer drama religioso de nuestro teatro; *La perfecta casada,* exposición de los deberes en el hogar y obligaciones de ambos cónyuges con los peligros de la ociosidad y de la coquetería; *Las Moradas,* vislumbre de una vida contemplativa de exaltado arrobamiento; y a vanguardia de todas, *El ingenioso hidalgo don Quijote de la Mancha,* modelo de bien decir y de expresivo vocabulario, donde Cervantes anheló entreverar, con el sahumerio de mágica dicción, las hazañas del exaltado y visionario *don Quijote* y las festivas ocurrencias del ignaro y despabilado *Sancho,* retratando en sus simbólicos personajes la idiosincrasia de los españoles en original mezcla del rimbombante lenguaje de los *libros de caballerías* y del habla genuinamente castiza del vulgo.

2. NUMANCIA

Próxima a la actual Soria, se alzaba la celtibérica y arrojada ciudad de Numancia, que, por ser refugio de vasallos hostiles a Roma, la combatieron tenazmente, ciento trece años antes de Cristo.

El fracaso más estruendoso acompañó durante catorce años a los engreídos romanos, hasta que, convencidos de que era inexpugnable y enrojecidos por la vergüenza de tanto descalabro, resolvieron sitiarla para, desprovista de vituallas, rendirla hambrienta; pero los bravos, verecundos y heroicos habitantes, para no verse objeto de infamante expoliación, prefirieron antes exterminarse que ser lacayos bajo el yugo de los desalmados romanos, y en un inolvidable rasgo gímnico se mataron unos a otros, arrojando a las llamas su belez o ajuar y sus riquezas. Así, el pueblo romano, ensimismado, se encontró en su irrupción, tras el baluarte o bastión, por todo botín, flamígera balumba de cadáveres e ignívomos escombros y una inmensa hoguera rodeada de favilas o pavesas.

¡Éste fue el pasmoso epílogo de la viril, grandiosa y espeluznante tragedia!

3. TRÍPTICO INMORTAL

Cervantes, Colón y *Velázquez* son las figuras inmortales que componen este tríptico, orgullo de la raza ibera. Triunvirato al que honraron las pretéritas generaciones y al que reverenciarán las venideras.

Miguel de Cervantes

Refulge en el campo de las letras un astro de excepcional magnitud, conceptuado universalmente como maestro de la literatura: *Miguel de Cervantes Saavedra,* nacido en Alcalá de Henares el 7 de octubre de 1547.

Habiendo sido herido por un arcabuzazo perdió la mano izquierda en la bizarra batalla naval de Lepanto. En edad provecta, a los cincuenta y ocho años, publicó su novela *El ingenioso hidalgo don Quijote de la Mancha,* la más estupenda que ha engendrado el intelecto humano. Invectiva original contra las enrevesadas extravagancias de los *libros de caballerías* para extirpar la afición a tales lecturas que estuvieron en boga en aquella época.

Sus áureas páginas de mágico lenguaje son exacta y cabal representación de la Humanidad con los vicios y virtudes de todos los tiempos. Humorismo sin hiel, que utiliza como esenciales personajes a don Quijote, con sus aventuras estrafalarias, características de un vesánico, y a Sancho con sus donaires de hombre egoísta e intonso.

Se trata de un monumento lingüístico en el que se saborea con delectación el habla castellana en boca de más de seiscientos individuos de diversa condición social que bullen por su texto.

Se ha dicho del libérrimo estilo cervantino que arroba y eleva los sentimientos porque tiene pinceladas a lo Velázquez, rasgos atormentados a lo Ribera, brochazos geniales a lo Goya, exuberancia a lo Rubens, elegancia a lo Rafael e idealismo estrechamente hermanado con el realismo como el del divino Morales.

Producción insuperable que se ha divulgado por todos los ámbitos del globo con más profusión que *Fausto,* de Goethe; *Hámlet,* de Shakespeare; *La divina comedia,* de Dante; *Os Lusiadas,* de Camoens, y *La Ilíada,* de Homero.

Es el libro que originó mayor número de traducciones sin que ninguno le aventaje, pues rivaliza en cantidad de ejemplares con la *Biblia*.

Por esta obra de acabada perfección es acreedor Cervantes a que los biógrafos manejen en su honor y alabanza los más elogiosos ditirambos.

El sábado 23 de abril de 1616, expiró Cervantes en Madrid. Su cadáver fue transportado en humildísimo ataúd a hombros de cuatro hermanos de la Venerable Orden Tercera de San Francisco, para ser inhumado en el convento de las Trinitarias de la calle Lope de Vega.

Cristóbal Colón

Cristóbal Colón, nacido hacia el año 1446, fue el iluminado protagonista de uno de los hechos más trascendentales de la Humanidad: el descubrimiento de un Nuevo Mundo.

A pesar de los adversos dictámenes de personajes, magnates, jerarcas y sabios que no aprobaban y rebatían por absurdos y descabellados sus gigantescos y audaces proyectos de busca de nuevas tierras allende el océano, merced al benemérito monje, prior del convento de La Rábida, Juan Pérez, el cual dio hospitalidad a Colón bajo las bóvedas del cenobio y oyó sus atrevidas y verosímiles explicaciones, logró éste la protección sin titubeos de Isabel la Católica.

Con el apoyo moral, y valimiento económico de tan egregia señora, adquirió y botó las tres memorables carabelas: *Santa María, Pinta y Niña,* que atravesarían los mares con rumbo a ignoradas y ubérrimas tierras.

La exploradora expedición, cuyos vivaces tripulantes rebasarían escasamente el centenar, ya provista previamente de abundantes vituallas, se hizo a la vela en la bahía de Palos en la mañana del viernes 3 de agosto de 1492.

Los huracanados vientos y el excesivo oleaje averiaron repetidas veces, con violento forcejeo a babor y a estribor, las balanceadas embarcaciones, obligándolas a arribar a Tenerife, donde habilidosamente fueron subsanados los desperfectos. Su breve estancia en la isla coincidió exactamente con la alarmante erupción del volcán del pico del Teide en 24 de agosto.

Levaron anclas y continuaron su valeroso viaje, cuya aventurada navegación tuvo vicisitudes varias. Hubo momentos en que la desazón e inquietud de no hallar tierra llevó la vacilación y el desaliento al marinaje, pero jamás provocó la cobardía, hasta que el venturoso 12 de octubre surgió el maravilloso hallazgo, haciendo hervir la sangre de los esforzados tripulantes, que atronaron el espacio con las vibraciones de estrepitosas salvas y las exclamaciones de estentóreos hurras y vítores, humedecidos sus avizorantes ojos por la emoción más exaltada. ¡Tierra a la vista! ¡Imponente y estremecedor espectáculo! ¡El combatido vaticinio o predicción se había evidenciado!

Se verificó el desembarco en las vírgenes playas de una isla del grupo de las Lucayas, llamada Guanahaní, donde el desde entonces inmortal Cristóbal enarboló la insignia de la Cruz y la victoriosa bandera como heraldo de Castilla. Bautizó la isla con el nombre de San Salvador.

A la próvida España estaba reservada por la Providencia la homérica hazaña de abrir asombrosos horizontes y de dar al mundo un nuevo y exuberante hemisferio.

Diego Velázquez

En Sevilla, allá por el año 1599, vio la luz primera *Diego de Silva Velázquez,* el más eminente de los pintores españoles, admirado por todas las escuelas, tenido por técnicos y por indoctos como el maestro inmortal por excelencia.

Sus ensayos iniciales los ejecutó bajo la circunspecta dirección de *Herrera el Viejo,* primero, y de *Francisco Pacheco,* después. Ya en sus incipientes dibujos se exteriorizan y vislumbran extrañas aptitudes y un perfecto órgano visual. A los pocos años llega a la posesión de un estilo privativo, original y atrayente. Aventajó a todos los pintores en el uso de la perspectiva, con la que enriqueció sus obras. La magistral perfección de sus soberanos retratos le granjearon la regia estimación, que culminó en su designación como pintor de cámara de Felipe IV.

Las efigies de sus cuadros son una notabilidad: imágenes en relieve, personas vivientes que avanzan fuera de los lienzos. Su valor pictórico ha sido reconocido universalmente:

no tiene impugnadores. Nadie reprodujo la realidad con tanta escrupulosidad, sencillez y energía. Sus expertos pinceles revelan verismo, vida, belleza. Su pintura enardece, obsesiona, arroba. De él se ha dicho que llegó a pintar el aire. Muchos de sus cuadros parecen instantáneas por la exactitud y el detalle.

Los museos más importantes del mundo lograron realizar sus exposiciones con la ansiada adquisición de trabajos de este genio privilegiado, cuyos ambicionados cuadros se valúan en sumas fabulosas. El Museo del Prado, de Madrid, atesora una envidiable colección de sus descollantes producciones y, entre ellas, su suprema creación: la sublime pintura conocida por *Las meninas* o *La familia,* el primer cuadro del mundo en naturalidad.

Murió Velázquez en Madrid el año 1660.

4. MÁS DESCUBRIMIENTOS Y CONQUISTAS

Las constantes victorias obtenidas por los Reyes Católicos para la liberación del suelo hispano, bajo el yugo mahometano, nuestra efectiva hegemonía en los destinos de Europa, el prodigioso hallazgo de América y la extremada afición a las armas, espolearon en los errantes espíritus inquietos el ansia loable de nuevos y provechosos descubrimientos.

Así, vemos al extremeño Hernán Cortés, de linaje noble, proyectar desde Cuba la invasión de Méjico, invirtiendo en el bagaje todos sus bienes, con los que ya se había habituado a vivir holgadamente, y llegar a vencer al Emperador azteca y erigir la ciudad de Veracruz; a Francisco Pizarro, oriundo de Trujillo, de nebuloso origen e innato ánimo aventurero, expugnar el Perú, con la cooperación y experiencia del valiente Almagro y del probo presbítero Luque, guerrear contra el Soberano inca Atahualpa, y aprehenderle, ahuyentando a la desbandada a las despavoridas tribus indígenas, que presentaban obstrucción a su violento avance, y hasta adueñarse súbitamente del Perú; a Magallanes, insigne nauta, acogido al apoyo y benevolencia de Carlos V, descubrir el estrecho que lleva su nombre, y a los ocho meses izar la bandera en Filipinas, después de una horripilante navegación, desprovistos los expedicionarios de víveres, privados de más agua para beber que la enturbiada y hedionda que aún se conservaba en mohosos envases, hinchados sus labios, boca y mandíbulas por el gingival escorbuto, afligidos por el insomnio, abandonados a la laxitud y flaccidez de sus músculos; a Núñez de Balboa, hidalgo de Jerez de los Caballeros, de proverbial atracción, hallar el Océano Pacífico, proeza conseguida a través de oasis, selvas y bosques, nunca hollados, y tras bélicos encuentros con los indios salvajes, que pusieron a prueba su bravura.

Fue víctima, como todos los preeminentes hombres, de la repugnante envidia exteriorizada en aviesas maniobras y en la acerba urdimbre de arteras calumnias: mas el legítimo prestigio de sus nombres sobrevive grabado en la Historia con esplendente halo de inmortalidad.

5. ESPAÑA CIVILIZADORA

No existe en la Tierra pueblo alguno que pueda aventajar a España en su labor civilizadora y de conquista ni en heroísmo e hidalguía.

Después de una combatividad de ocho siglos expulsó a los árabes de su suelo; salvó el catolicismo en Lepanto; probó su temple estoico en Sagunto, en Numancia, en las Navas, en Covadonga, en la invasión francesa y en tantos hazañosos acaecimientos como registra la Historia.

Pero su gesta inverosímil, su gigantesca epopeya, que nadie igualará en el transcurso de los siglos, fue el alumbramiento de un nuevo mundo al que trasplantó los bienes de la civilización, porque España no solamente ha conquistado pueblos, sino que ha europeizado veinte naciones, y si otros países pretendieron, en su desvarío, por envidia y animadversión, rebajar protervamente, agraviar y vilipendiar con perversidad la aureola española, acogiendo malévolamente la atmósfera de la llamada *leyenda negra,* forjada truhanescamente y con grandes alharacas para desprestigiar la colonización a base de calumnias, errores y tergiversaciones que jamás se pudieron cohonestar con la evidencia de los hechos, al fin, la verdad se abrió camino y se restituyó a España el honor vulnerado con las pruebas fehacientes halladas en los viejos archivos por perseverantes investigadores y, entre ellas, los severos edictos que expidieron los reyes contra la especulación de la esclavitud.

Si la vindicación precisase hechos tangibles, España puede mostrar, ufana, la obra ejemplar que realizó por su libre albedrío, abordada a fuerza de cuantiosos desembolsos: universidades y colegios con sus admirables bibliotecas; canales, puertos y caminos, modelos de arquitectura; esbeltos palacios, basílicas de relevante ornato; atractiva urbanización; industrias en poderoso auge; laboreo de las minas; fertilísima reproducción de ganado ovino y bovino; próspera agricultura con frutos exuberantes y algo más grande que todo esto, pues injertó en aquellas latitudes, con la levadura de su sangre y la armonía de su idioma vernáculo, el valor de sus guerreros, la sabiduría de sus eruditos, la fe de su religión y el espíritu caballeresco y legendario de su raza gloriosa que han quedado vinculados en esas amadas hijas, las repúblicas americanas, que hoy asombran al mundo por su progreso, laboriosidad y hombría de bien.

6. ESPAÑA MISIONERA

Descubierto con alborozo el enigmático continente por las naos colombinas, España no sólo se desveló por llevar a él la civilización, sino que mezcló la sangre de sus hijos con la de aquellos aborígenes y asumió la gran tarea de la evangelización de tan extensos territorios.

Los Reyes Católicos, después de actuar solemnemente como padrinos en el bautizo de los indios salvajes traídos por Colón, adoptaron el acuerdo de que cada carabela que surcara el Atlántico llevase misioneros que serían el factótum para extender el cristianismo como antorcha bienhechora que iluminase a los espíritus ignorantes.

Entonces fue cuando verdaderas levas de piadosos misioneros, jóvenes, unos; en el umbral de la vejez, otros; pero todos enajenados de ardor divino, abandonaron calladamente, a riesgo de filibusteros, la soledad de sus celdas y abordaron los peligros, yendo con diligencia a la conversión de aquellos habitantes que, prevenidos de la herejía, llegaron a abjurar de su abominable idolatría. Para la enseñanza de la doctrina de Cristo rivalizaron en abnegación y sacrificio: primero, los benedictinos; después, los franciscanos, los jerónimos, los agustinos, los jesuitas y casi todas las órdenes religiosas. Bienaventurados monjes que, desde ha luengos años, desenvolvieron, sin desmayo, una actividad inconcebible, condenándose a voluntario y ejemplarizante exilio y realizando el esfuerzo del aprendizaje de idiomas autóctonos.

Divulgaron los dogmas de la Iglesia, administraron el bautismo, la eucaristía y los demás sacramentos, cooperaron con su fructífera ciencia a la propagación de la cultura y coadyuvaron a la erección de los templos.

Las efemérides hacen la debida apología de los mártires de las órdenes religiosas que, imbuidos por halagüeñas esperanzas de la salvación de almas, iban, sin hesitación alguna, por fervoroso altruismo y vocación, a tan alejados confines del globo, avejentados por las privaciones y adversidades, desollados sus pies a través de uliginosos, inhospitalarios y escabrosos parajes, ora abrasados por los urentes rayos del estío, ora calados sus huesos por la humedad o congeladas sus carnes por los hielos, con el exclusivo objeto de captarse las voluntades de las razas heterogéneas de obstinada rebeldía para beneficiarlas con el venturoso logro de su eterna redención; mas la atávica incivilidad de algunas desalmadas hordas osó, a veces, someter a martirio a estos humildes y santos apóstoles que, sin más armas en sus manos que el breviario y la cruz, predicaban la ortodoxia indestructible, basada en el amor a Dios y al prójimo, y que, aun heridos de muerte, exoraban la absolución de sus verdugos con perdón para su obnubilación.

Por eso, el amor de la madre patria hacia sus hijas, las dilectas urbes americanas, es inextinguible: fueron alumbradas y engrandecidas por España y hasta regadas con su propia sangre.

7. SAN NICOLÁS DE BARI

Es San Nicolás de Bari uno de los santos de mayor predilección de los fieles, y al que tributan férvida adoración. Su exorbitante fama milagrosa se ha granjeado renombre universal. Los devotos de San Nicolás coinciden en afirmar que siempre son otorgadas las gracias que imploran por su intercesión a los que durante tres lunes consecutivos oran ante su imagen. Esta celebridad gloriosa data desde el siglo IV, en que sus coetáneos dicen fue actor de asombrosos prodigios, que se transmitieron de generación en generación.

Unigénito de padres de pingüe hacienda y de rancio abolengo, heredó una gran fortuna. Todo su caudal lo empleó en expandir con larguez inusitada su arraigada caridad entre los indigentes, en gracia de los que siempre estuvo abierto su bolsillo bienhechor. Dedicaba las horas del día, desde el orto al véspero, a hacer oración, a visitar cárceles, hospitales y cabañas o covachas de desvalidos, para aliviarlos con el aliento balsámico de su reflexiva conversación y arbitrarles ayuda con limosnas que los remediasen.

Alegando sus acrisoladas virtudes, especialísimos merecimientos y singular inteligencia, fue propuesto y elegido, con el beneplácito de varios obispos y cabildos, para ocupar la silla episcopal de Mira, dignidad que aceptó resignado y cabizbajo y que desempeñó con un desvelo y amor hacia el prójimo inigualables.

Entre los milagros que se le atribuyen, advera San Buenaventura que ante la estupefacción general había resucitado a dos mozalbetes asesinados. Igualmente, corrobora que libró en diversas ocasiones a nautas amedrentados y navíos casi sumergidos por furiosas borrascas. Por eso, el marinaje le invoca como su abogado en los momentos de peligro, para que vuelva la bonanza.

Aseguran que se le llegó a llamar el taumaturgo de su siglo. Se le ve en los altares, representado con tres niños, a los que devolvió la vida después de degollados y encerrados en una cuba.

Como Licinio renovó la exacerbada y servil persecución contra los cristianos, estatuyendo el caos de la supersticiosa idolatría, se concibe que fuese cogido preso, aherrojado, vapuleado con vergajos y, después de un atroz calvario, afligido con el destierro, hasta que al advenimiento de Constantino fue revocada la orden y se le reintegró a su iglesia.

Dios previno a este elegido de la fecha de su muerte, por lo que se despidió espontáneamente de su contribulado pueblo, después de misa pontifical, para dirigirse a un monasterio, donde ocurrió el óbito el 6 de diciembre del 327. Los que se hallaban en su alcoba testificaron que descendieron ángeles del Cielo, visibles a todos los asistentes. Su sepulcro exhalaba un elixir inefable que curaba toda clase de afecciones y enfermedades y devolvía la salud.

8. SANTA DOROTEA, VIRGEN Y MÁRTIR

Prevalece en la hagiografía, como dechado de integridad, la bellísima doncella Dorotea, nativa de Capadocia, antiguo país del Asia Menor, enfervorizada virgen e inmolada mártir, cuyos progenitores también habían caído bajo el hacha del verdugo por no retractarse de sus creencias cristianas.

Ya en el albor de su existencia se había esparcido la fama de su providente discreción, incorruptible honestidad y acrisolada virtud, hasta el extremo de que se invocase su angélico nombre como ejemplo digno de imitación para las jóvenes.

Convencido el gobernador Sapricio de que la extraordinaria popularidad de esta cristiana impedía a muchos ciudadanos de la jurisdicción a seguir su conducta, y les sugería la desobediencia o contravención de los edictos heterodoxos que se publicaban, ordenó la aprehensión de Dorotea. Buscó dos muchachas de las que, ante el horror de los tormentos, habían abjurado de la fe profesada en el bautismo, y aleccionadas vilmente, se apresuraron para lograr con dádivas y halagos la seducción de la Santa, y pervertirla. ¡Todo en vano!, pues falló el ardid, ya que Dorotea, mediante arrebatadas frases de deifica inspiración, las persuadió de la vergüenza de su veleidad, de su deslealtad y prevaricación para con el Supremo Hacedor, y de los inefables goces reservados a los que, ungidos por un pasajero martirio, vuelan al Cielo. Esta reconvención fue bastante para que abominasen valientemente de su pasada defección y resolviesen unir su suerte a la de la virginal Dorotea.

Airado Sapricio, dispuso que en el mismo ergástulo fuesen echadas ambas jóvenes en una caldera de agua hirviente, a la vista de Dorotea, la que fue vejada después acerbamente y atormentada con ardientes hachones, sin que el crujir de sus descoyuntados huesos y horribles sufrimientos la arredraran ni le arrancasen ayes, gemidos o sollozos.

El enojo del torvo Sapricio y el pavor de que tan obstinada energía estimulase a otros indecisos creyentes, le indujeron a que fuese degollada. Y cuando, ya en el patíbulo, postrada de hinojos, impávida y con la sonrisa en los labios, se disponía a alargar su cuello hacia el hercúleo sayón, cuenta la tradición que se presentó un gentil mancebo con una canastilla llena de manzanas y de rosas, al que la bondadosa Dorotea pidió que, en su nombre, se las entregase a Teófilo, rábula que solicitó, con irónica burla, le enviase desde el Paraíso las manzanas y flores que aseguró ella abundaban en el vergel de su omnipotente Esposo.

Este conmovedor episodio convirtió al heresiarca Teófilo, que murió, asimismo, martirizado.

En la Iglesia de Santa Dorotea, de Roma, donde se conserva la mayor parte de su venerado cuerpo se bendicen anualmente, el 6 de febrero, unas alegóricas manzanas, en memoria del milagro acaecido en el año 308.

9. FRAY JIMÉNEZ DE CISNEROS

El Cardenal Cisneros fue encumbrado desde su escondido recogimiento conventual hasta la Sede primada, en la que se afanó amorosamente por la dirección espiritual de su vasta diócesis en perseverante labor de combatir los yerros, avenir a los desavenidos, proteger los acrisolados hábitos y exhortar a los extraviados. Más tarde se vio enaltecido con el honroso, gravoso e inexcusable cargo de Regente que, por precepto testamentario, le asignaba el fallecido Fernando el Católico, mientras la ausencia de Carlos I.

El venerable Cardenal previó que debía precaverse ante las turbulencias que se avecinaban por la escisión de los divergentes bandos o facciones: unos, apoyando con ahínco a la incapacitada reina madre; otros, invocando el inviolable derecho del imberbe heredero del trono, cuyos adeptos flamencos urgían se le nombrase Rey; y los jactanciosos nobles colaborando en contubernio, reacios a atacar al anciano purpurado a cuyo puesto de gobierno se creían acreedores con mejor derecho.

En vista de la rígida lección que recibieron los ínvidos aristócratas por la enérgica actitud del Cardenal octogenario, que no abdicaba de sus convicciones ni transigía con desobediencias, rebeldías o imposiciones, nombraron aquéllos unos mensajeros, harto osados y vacíos de seso, que, en su representación, exigiesen a Cisneros, sin preámbulos, manifestase en virtud de qué poderes ejercía y con qué medios contaba.

Excitado el Regente por semejante facción, sin admitir controversia, abrevió la entrevista, y los invitó a asomarse al balcón de su residencia al tiempo que les contestaba con vivacidad: «Vengo rigiendo por legítima disposición de Fernando V, y mis poderes son ésos». Se refería al ejército y a las baterías artilleras formadas frente a los conversadores, como para entrar en lid.

Este leve episodio que robusteció su acérrima autoridad, no escarmentó a los exasperados magnates, que acibararon los postreros días del longevo Cisneros, pues desahogaron el malhumor, arreciando subrepticiamente en sus viperinas intrigas, y recabando del inexperto Rey que le apartase de la Regencia.

Cuando el reverendo Cardenal caminaba encorvado sobre la cabalgadura, a pesar de sus ajes, para avistarse con Carlos I a su arribo a España, se agravaron sus dolencias, no tanto por el ajetreo de las jornadas del viaje como por la ingrata y pungente misiva que recibió del Emperador, en la que le relevaba del mando, sin esperar a expresarle personalmente su reconocimiento por los extremados desasosiegos de su ímproba actuación. La inaudita desafección agravió tan aceradamente sus honorables sentimientos que, sin serle factible salvar la distancia que aún le separaba del Emperador, cayó exánime, víctima de desvanecimiento o vahído producido por un colapso.

10. EL VESUBIO

El Vesubio, famoso volcán cuyo estado ignívomo se conoce desde el siglo I, se halla en Nápoles. Sus escarbadas cavidades estuvieron otrora cubiertas de abundante vegetación. Numerosos rebaños pacían la verde hierba que brotaba al vértice o borde del mismo cráter. Acampaban en sus alrededores los rabadanes en las cabañas, vigilando sus hatos trashumantes, hasta que el malhadado año 79, de infausto recuerdo, sobrevino la primera erupción registrada por la Historia. Fue de eversión tan tremebunda que desaparecieron las ciudades de Pompeya y Herculano.

Inicióse la actividad con un zumbido estridente, seguido de horrísonas explosiones, debidas a la inflamación expansiva del hidrógeno. Imponentes temblores subterráneos, auguradores de la hecatombe, conmovieron la tierra con vibraciones aterradoras.

Un humo ácueo, obscuro y urente comenzó a levantarse raudo desde los orificios de las cavernas hasta las nubes, como inmenso borrón desparramador de espesa lluvia cenicienta. Expelía, por sus bocas, acre y nauseabundo olor a azufre, amoníaco o vitriolo que asfixiaba a los habitantes a muchos kilómetros de distancia. Rebosaban innúmeras burbujas de gas que reventaban en la superficie. Y ya en vertiginosa ebullición, emergía un río de efervescente y viscosa lava vomitada en completa cocción, materia bituminosa vitrificada que, resbalando con empuje arrollador e incoercible, asolaba la campiña, derrumbaba construcciones y se abalanzaba sobre las ciudades y sus suburbios.

El diabólico barranco echaba violáceas vaharadas llameantes. Era como fundíbulo que disparaba rojizos proyectiles de pétreos segmentos calcinados, revueltos con guijarros candentes, que en la proyección rebotaban con resonancia apocalíptica.

Un letárgico sueño dejaba después en inacción este esotérico antro de Luzbel durante un espacio más o menos largo, pero en todos los siglos hubo reacciones ineluctables, reiteradas y violentas. En el XVIII, llegaron hasta el número de cuarenta y ocho. En varios períodos, la espeluznante agitación hizo peligrar su valioso observatorio.

11. NERÓN

Henos aquí ante el monstruo más repugnante de la Historia: Nerón. Su nombre repele porque significa la sevicia infrahumana por antonomasia. Advino al trono del imperio romano en el siglo I de la Era cristiana. Su azarosa regencia forma una malla o enrevesada red tejida con los homicidios más execrables y los actos más vitandos. Ya en la juventud se distinguió por sus bárbaros instintos cuando se vanagloriaba de herir a los transeúntes desprevenidos. Casó en primeras nupcias con Octavia, a la que después condenó a muerte. Invitó a un banquete a su cuñado y le envenenó, sirviéndole él mismo las viandas. Verificó una segunda boda con la que ya había sido su concubina, Popea, y, sin miramiento al sexo ni a su estado de embarazo, le dio muerte de un brutal puntapié. Pretendió como tercera cónyuge a Antonia, hija del Emperador Claudio, y al saberse repudiado por ella, en el paroxismo de su soberbia, bulló, en su cabeza, cruel venganza; pensó estrangularla, pero después ordenó que fuese ejecutada.

Falsificó moneda, robó las joyas y riquezas de los templos y asesinó a los opulentos hacendados para desvalijarles sus arcas. En su ominosa aberración llegó al extremo de obligar a Séneca a abrirse las venas para hacerle sucumbir, y hasta osó quitar la vida alevosamente a su propia madre.

En medio de tan monstruosas barbaries, organizaba hiperbólicas y vocingleras orgías y bacanales de refinada perversión. En ellas, imperaba el libertinaje más obsceno. Hombres y mujeres, hartos de libaciones y trastornados por la lascivia, reflejaban en sus lívidas ojeras la borrachera y el vicio.

Culminaron sus desmanes en el incendio de Roma, que el tirano provocó. Inmensa hoguera en ignición durante nueve días, mientras se gozaba el déspota por malvado genocidio, contemplando la devastación, de la que culpó a los cristianos canallescamente para alentar la implacable persecución en que perecieron los apóstoles San Pedro y San Pablo.

Era de presagiar un violento final para este aborto de la Naturaleza, que, en desbocada razzia, asoló al país.

Abandonado de sus favoritos, hostigado por sus soliviantados vasallos y proscrito por el voto unánime del Senado, tuvo que huir de Roma y se refugió en la villa de un liberto. Al comprobar que se aproximaban sus perseguidores, rehusó por cobardía beber un tóxico, pero requirió el auxilio de un esclavo para suicidarse, y hundió en su pecho la hoja de la espada.

12. COVADONGA

Después de la decisiva y trágica batalla de Guadalete, donde el triunfo de los moros exterminó la dominación goda, velozmente se extendieron los árabes por España, avasallándola hasta los Pirineos. Sólo les faltaba la ocupación de Asturias, donde, aprovechándose del favorable terreno, se habían refugiado los españoles y los godos fugitivos, borrando toda huella de división o divergencia de razas ante la urgencia de salvar a la patria de la absorbente subyugación mahometana.

Presintiéndose, por conjeturas, la bestial acometida que se urdía por los astutos agarenos, la nobleza y los obispos designaron caudillo a don Pelayo, de incierta genealogía. Caballero de insigne estirpe visigoda, según unos; de esclarecida alcurnia hispanorromana, según otros; consanguíneo, al decir de los más, del último rey godo don Rodrigo.

Distribuyó don Pelayo su voluntario ejército en hábil combinación estratégica y ventajosa, emboscando algunos combatientes en acecho entre las oxiacantas y escabrosas asperezas de los montes, y situando la mayor parte arriba de las vertientes, en los alrededores de la cueva de Covadonga.

En tal tesitura, un veterano contingente de envalentonados árabes se lanzó desaforadamente al ataque, en bárbara irrupción, engreídos por un indudable éxito, pero hacinados en la angostura de lo hondo del valle se sintieron agredidos desde los herbosos y abruptos bosques por un viril enemigo invisible que, con desusado ardor y coraje, los acribillaba con incesante lluvia de flechas, al tiempo que desde las inaccesibles hendiduras de los abismos iban siendo aplastados por árboles y peñascos que les arrojaban los cristianos con extremado ímpetu, hasta que vieron sucumbir al exasperado cabecilla.

Desarticulados, arrollados y abocados a la catástrofe, se dieron a la huida, y el epílogo milagroso que desbarató y aniquiló finalmente las huestes agarenas fue una horrible tempestad que desbordó ríos y arroyos e inundó caminos y veredas, en forma de espantoso aluvión en que perecieron absolutamente todos los árabes.

El traidor don Oppas, acompañante del jefe musulmán, fue capturado y perdió la vida por su alevosa conducta.

Pelayo había llevado consigo a la cueva de Covadonga la divina imagen de la Virgen, a la que se atribuye la maravilla de esta gran victoria del año 718, con la que dio comienzo la *Reconquista de España,* que había de acabar, en 1492, con la derrota de Boabdil en Granada, exhibiendo el cardenal Mendoza en las almenas de la Alhambra su bendita cruz arzobispal y la insignia de Castilla.

A la mitad del siglo VIII, en el reinado de Alfonso I, se construyó la ermita o capilla de la cueva y un monasterio o abadía dedicados a Santa María de Covadonga, cuya imagen allí se venera.

En la cueva se hallan los sepulcros de Pelayo y de Alfonso I.

13. LA JUSTICIA DEL REY SANTO

Azaroso reinado el del hijo de doña Berenguela, conquistador de Córdoba, Sevilla, Murcia y Jaén. Los pueblos, fraccionados en banderías, y los individuos, esquilmados con onerosas exacciones, perseguidos por unos u otros perturbadores bandos en pugna, y ávidos de equitativa justicia. Los Laras y el mismo padre de don Fernando, enfrentados contra el Rey Santo.

En 1223 proyectó el Rey una excursión a Toledo, ciudad levantisca y alborotadora, de la que era alcaide un hombre agrio de carácter, soez y libertino, tirano repulsivo que maltrataba a los vecinos y abusaba de las mujeres, bien escudado en la impunidad de su omnímodo poder, por el que llegaba a apresar al padre, al hermano o al esposo que le estorbase o que se rebelara contra sus liviandades.

En todos los hogares se pronunciaba con horrenda aversión el nombre del abyecto Fernando González.

Aguardaban jubilosos los toledanos la coyuntura del próximo arribo del Rey, para que los ecos de su colectivo descontento repercutiesen hasta el trono.

Un ruido de timbales o atabales avisó que se acercaba a la histórica plaza de Zocodover la bien venida comitiva regia. Subió el Rey al sitial que se instaló, *ad hoc*, bajo el Arco de la Sangre, en el que no faltaba el airoso flabelo.

El Monarca, rodeado de la Nobleza, escucha y examina las quejas de sus atribulados súbditos, las que solventa con muy recto tacto y previsible fin.

De entre el compacto gentío que llena la amplia explanada surge una hermosa jovenzuela, cuyo abatimiento manifiesta honda aflicción, y se observa que cae de rodillas junto al estrado real. Írguese el Rey, inquiriendo el motivo de su acelerada turbación. Con voz balbuciente, velada por el llanto, pedía justicia. Huérfana y heredera de nobilísimo apellido, creyó con ingenuidad en un fingido valimiento del hipócrita alcaide hacia su orfandad, pero fue para deshonrarla.

Un álgido escalofrío sacudió la columna vertebral de la abigarrada turbamulta. El Rey y cuantos le acompañaban quedaron absortos ante tal inculpación, a la par que hechizados por la peregrina belleza de esta joven, que, de improviso, había echado hacia atrás el velo que la cubría.

Fernando, el justiciero, reconvino con rigidez al convicto y abochornado alcaide por su vituperable acción, indigna del que ejerce la autoridad, y exigió que se uniesen en matrimonio, para subsanar el ultraje inferido.

En este instante, se produjo un ligero movimiento en la espectadora concurrencia, al advertir que se abría paso en dirección al trono una casi niña, que tocaba con gracioso garvín sus rubios cabellos, deshecha en compungidas lágrimas, demandando justicia. El Rey, conmovido, trató de averiguar con afabilidad el porqué de su pena, y le expresó que si era justa la petición, no sería desairada.

«El alcaide, señor, es culpable de que el rubor sonroje mis mejillas. Hija de un humilde colono del arrabal fui embaucada y seducida por sus ilusorias y alucinadoras promesas; pero os juro, Majestad, que prometió desposarse conmigo».

Un rugido de furiosa rabia se ahogó en las gargantas de la sorprendida multitud, que permaneció conturbada, estática e inmóvil, como electrizada por hiriente exhalación, dada la gravedad de las veraces aseveraciones, las que colocaban al gamberro alcaide en situación peyorativa.

El Rey, con acento tonante, que retumbó en el silencio solemne de la plaza, exclamó: «¡El verdugo!» «La sangre, agregó, el Rey, de este bellaco lobo servirá de expiación a sus crímenes; y a fin de que se conozca mi justicia, su cabeza será colgada de una argolla de hierro en la puerta de la ciudad, para que los carnívoros cuervos vorazmente la devoren».

¡Allí mismo se cumplió la inexorable sentencia!

Y en la magnífica puerta llamada del Sol, entre el arco y las primeras ojivas, se ve hoy un tosco grupo laborado en piedra. En él dos mujeres sostienen una bandeja en la que muestran la cabeza de un varón, como eterno e inolvidable pregón de la justicia del Rey Santo.

14. CASTILLOS DE ESPAÑA

En todas las regiones de España existen alcazabas o castillos, evocadores de nuestro viejo poderío y testigos de turbulentos hechos históricos, de desafueros trágicos, de ejemplares ejecuciones, de intrigas y confabulaciones y de fastuosas fiestas.

Algunos se yerguen imperturbables, desafiando el embate de los siglos, a pesar de sus roídos sillares. Son hitos de gloria patria. Baluartes inexpugnables que se elevan como avanzadas atalayas, nimbadas con la enhiesta torre del homenaje, donde flamearon blasones y divisas como ejecutoria de la escogida alcurnia de sus moradores. Sus añosas erosiones semejan cicatrices inferidas por las huestes invasoras, cuyos proyectiles, saetas o azagayas se estrellaban contra los muros junto a las aspilleras. Aún se divisan vestigios de su extinguida grandeza: balaustradas de enmohecido herraje, estrechos y laberínticos pasadizos, carcomidos pavimentos embaldosados, sombrías y resbaladizas escalerillas, robustas bóvedas, aberturas ojivales, espléndidos salones artesonados, mazmorras y amplio pabellón o vestíbulo para la alerta guardia.

Casi todos se hallan situados en cerros dominadores de vastas extensiones con puente levadizo que aísla el bastión para la más eficaz defensa. A la mayor parte, los circunvala un gran foso o embalse.

Hoy inhabitados, muestran al exterior de sus muros la germinación de hiedras, zarzales, ortigas y hierbas silvestres. Su abandonado interior se ha convertido en guarida de alimañas y reptiles; y sus oquedades, en cobijo de rebullidores búhos, cuervos o chovas, avechuchos, arañas y larvas.

Recordaremos algunos de los más notables: el de *Tarifa*, en Cádiz, en el que tuvo efecto el imborrable episodio de acendrado civismo que seguirá convulsionando a todas las generaciones, pues desde su adarve arrojó Guzmán el Bueno su buido cuchillo al villano don Juan; arma con la que este homicida vengativo degolló, extramuros, al hijo del defensor de la fortaleza, que poseía en rehenes. El de *Simancas*, en Valladolid, donde residieron reyes y príncipes, entre ellos Juan II y Álvaro de Luna, su privado; sirvió de cárcel, y después se instaló el Archivo Nacional. El de *Mombeltrán*, en Ávila, donde dieron pábulo a sus ilegítimos amores Beltrán de la Cueva y la bellísima Reina doña Juana de Portugal; muros que presenciaron hervorosas rebeliones e incesantes disturbios. El de *Turégano*, en Segovia, de época medieval, con su almenada barbacana, donde Juan II y su protegido, el de Luna, se entrevistaron sigilosamente cuando don Álvaro era perseguido por sus belicosos adversarios; en su tétrico calabozo fue preso el aborrecido secretario de Felipe II, Antonio Pérez, encausado por el asesinato de Escobedo. El de *La Mota*, en Medina del Campo, donde se alojaron la excelsa e inteligente Reina Isabel la Católica y su afligida hija doña Juana la Loca, así como Carlos I. El de *Bellver*, en Palma de Mallorca, gótica fortaleza debida al Rey Jaime II, rodeada de espeso bosque ante un sugestivo paisaje; una vez debelados los almogávares, fue coronado en él Pedro IV de Aragón. El de *Escalona*, en Toledo, a orillas del Alberche, de cimentación árabe; dádiva de Juan II al cubiculario don Álvaro, que lo convirtió en regia mansión. Por él desfilaron invitados del mayor relieve, para acudir con el máximo boato y atavío a los jubilosos festivales organizados por el favorito. El de *Portillo*, en Valladolid, con un cinturón de poderosas murallas, albergue de reyes tan ilustres como Alfonso el de las Navas y el Sabio; desde su prisión, salió, en fecha aciaga, el bastardo don Álvaro de Luna, con dirección a Valladolid, para ser ajusticiado. El de *Peñafiel*, también en Valladolid, ingente mole que fue presidio y yacija de don Fadrique. El de *Peñíscola*, en Castellón, vivienda del antipapa Benedicto XIII, don Pedro de Luna, y de su séquito adicto. El de *Coca*, en Segovia, residencia de ensueño, admiración del mundo; genuinamente mudéjar y con adarves cruzados de prismas ricamente decorativos, obra del obispo Alfonso Fonseca. El de *Alcalá de Guadaira*, en Sevilla, de origen romano, reclusión de desventurados personajes. El de *Arévalo*, en Ávila, prisión de la Reina doña Blanca, y donde pasó su infancia Isabel la Católica. El de *Segovia*, conocido por El Alcázar, de traza esbelta y vistosa ornamentación, quizá el de mayor fama y más suntuosidad.

Hay otros estratégicamente situados en Barcelona, Almería, Pontevedra, Cuenca, Tarragona, Huesca, Gerona, Navarra y Madrid en un total aproximado a los dos mil, distribuidos por toda la geografía de España.

15. EL IMPERIO DE LOS INCAS

En el siglo XVI de nuestra Era, al arribo de los españoles, abnegados civilizadores de las vastas y ubérrimas tierras peruanas, que antaño se llamaban del Tahuantinsuyo, las encontraron inundadas de numerosas tribus, que desde hacía cinco siglos venían siendo sojuzgadas, sin objeción alguna, por los miembros de una despabilada raza, ajena a la del país, la cual había asumido la autoridad con beneplácito y aquiescencia de los indígenas, que los consideraban como a hombres inviolables. Apelábaseles «Incas», y eran los descendientes, legítimos o bastardos, de los quince Emperadores de esta dinastía. Su exacto origen no ha llegado a saberse.

Diversos historiadores los han hecho pasar, con fijeza, por los sucesores de unos navegantes oriundos del Mogol (Asia), que, en audaz escuadra, lanzada airadamente en el siglo XIII contra el Japón, quedaron desarticulados del resto de la flota por una horrible vorágine, y fueron empujados por rebalaje hasta las costas sudamericanas del Pacífico. Contrariamente a la expresada hipótesis, los indios del Perú, en su aberración, suponían a los Incas originarios del lago Titicaca, que, según la tradición, era el lugar favorito del sol, y al erigirlos en hijos predilectos del reverberante astro, al que reverenciaban como a deidad, les ofrecían servil acatamiento.

Se hace remontar al siglo XI la fundación del imperio de los Incas por dos hermanos, varón y hembra, que, en unión incestuosa, dieron vigorosos descendientes a la hereditaria dinastía.

Los Incas gobernaron aquellas hordas envilecidas en forma avasalladora, aunque les llevaron una relativa educación. Vivían a su albedrío, a expensas del primitivo Estado; eran belicosos y requerían ejércitos de gran acometividad, con los que imponían, sin obstáculos, su invasora y acre autoridad a las tribus más aisladas y vivaces.

Los Incas se diferenciaban de los demás nobles por llevar habitualmente trasquilado el cabello y engarzados en las orejas unos rodetes que se las ensanchaban exageradamente.

Se extinguió el absorbente imperio incaico y la obscuridad de su absolutismo cuando la antorcha civilizadora de las armas españolas hizo relumbrar en Perú los privilegios de la cultura hispana y europea.

16. MÉRIDA, LA SEGUNDA ROMA

Más de cien años antes de Jesucristo , en los albores de la pujanza romana, Quinto Cecilio Metelo erigió una de las ciudades de civilización más avanzada, que en tiempo de los Césares llegó a avecindar muchos miles de habitantes. Recibió el sobrenombre de segunda Roma.

Los árabes profanaron sus enormes monumentos, y tanto Abderramán como Muza no se abstuvieron de abusivas y bellacas especulaciones, parte en beneficio de la favorecida Mezquita cordobesa. Dichos aprovechamientos y el vaivén de asoladoras guerras tan vorazmente se cebaron en la excelsa Mérida y con tan honda huella hincaron la uña en su tesoro, en un intervalo relativamente breve, que hoy ha quedado reducida la gran ciudad a informe y laberíntico acervo histórico. Las ímprobas excavaciones han puesto de relieve que yacen enterrados envidiables monumentos.

Cuando sucumbió el último rey godo, don Rodrigo, en la batalla de la ribera del Guadalete, su hermosa viuda, Egilona, huyendo de salvajes venganzas, se refugió en Mérida, y en su albergue fue aprehendida, como botín, por Muza. El hijo de éste, el mozalbete Abd-el-Aziz, que entonces gobernaba, se enamoró de los hechizos de la joven Egilona, con la que, al fin, el descendiente de Mahoma contrajo nupcias. La ceguera del amor soslayó el obstáculo de la incompatibilidad de ambas razas.

17. BATALLA DE LAS NAVAS DE TOLOSA

Contienda la más memorable de la historia de España, porque en ella lucharon con eviterna aversión, de una manera definitiva, dos religiones, dos razas antagónicas y dos civilizaciones. Batalla que, con la del Salado, decidió para siempre la preeminencia nuestra sobre la Media Luna.

Los execrados almohades, al mando de Yacub, habían infligido a Alfonso VIII la flébil derrota de Alarcos. En su embaucada altivez, envalentonados y alardeando con saña de viperino áspid, volvieron desaforadamente, en tan considerable número que amagaron conquistar a España entera. Ante semejante irrupción, y para escarmentar a los insumisos, se aliaron los Reyes de Castilla, Aragón, Navarra, León y Portugal; y el Papa Inocencio III publicó una cruzada en favor de España.

El arzobispo de Toledo, Rodrigo Jiménez de Rada, hizo personalmente ardorosa y viril propaganda de esta acerba cruzada en Francia y en Alemania.

Reunióse en Toledo, bajo los auspicios del Rey castellano, un ejército considerable, con su bagaje, al que se agregó con su hatillo, sin defección alguna, heterogénea muchedumbre de bisoños españoles, portugueses, franceses, italianos y alemanes, cuya confusa jerigonza era ininteligible.

Cuentan que la bravía hueste cristiana marchaba dividida con sujeción a tres cuerpos: el primero, compuesto de extranjeros, a las órdenes del Señor de Vizcaya, don Diego López de Haro, expertísimo y abnegado capitán; seguíalos el esclarecido don Pedro II de Aragón al frente de los suyos, entre los que destacaban esforzados obispos y nobles de gran alcurnia; después iba el Rey Alfonso VIII con los castellanos. En su escolta figuraban los más ilustres personajes de la monarquía, las órdenes de Santiago y San Juan, Calatrava y Alcántara, los obispos de Palencia, Sigüenza, Osma, Plasencia y Ávila y el arzobispo de Toledo.

En gran aprieto se encontró, por inadvertencia, el ejército cristiano al borde del angosto barranco de La Losa, sin poder avanzar y próximos a perecer, cuando en esta situación, un impúber chavalillo, un pastor llamado Martín Halaja, bahurrero baquiano por todos los alrededores, sale de su bohío y ofrece al Rey de Castilla enseñarle una vereda o atajo, vadeando el río por el lugar en que se hallaba la cabeza de una vaca que habían devorado los lobos y por el que las tropas podían evadirse. Por esta acción, el Rey concedió al pastor el histórico nombre de Cabeza de Vaca.

Al alborear el 16 de julio de 1212, desplegó el ejército de Miramamolín las tropas ligeras de los árabes y algunas bigardas tribus bereberes, seguidas de los voluntarios del imperio, de los almohades y del propio Emir.

Tomaron los cristianos la ofensiva, y la vanguardia de López de Haro irrumpió en las avanzadas enemigas, debatiendo con increíble ímpetu la segunda línea y viniendo a desembocar en manos de los alarmados agarenos, en informe y estrujado revoltijo, pero, en un vital esfuerzo de salvajismo e inesperada combatividad, arrollan a los cristianos, desbaratando varias filas y sembrando un pánico tal que, por un momento, al creerse perdido, sintió el Rey castellano un mortal ahoguío que llevó el livor a sus mejillas ante la hesitación de que vulnerara a España un baldón, oprobio o vituperio con tal fatal derrota. El nérveo arzobispo de Toledo le infunde ánimo, y enarbolando el bendito pendón del arzobispado, se lanza en acceso vesánico, blandiéndole con fatigoso anhélito, ante una hilera de alfanjes, a lo más rudo de la pelea, seguido de los obispos, de los caballeros y soldados que con el Rey sentían su espíritu enardecido por el calor de la refriega, y logran expandir tal estrago y estropicio que ponen en desbandada, entre alaridos, al acribillado e innocuo enemigo. Las bajas de los decepcionados mahometanos subieron a la fabulosa suma de 200.000.

El botín fue de la máxima valoría. De éste, la tienda de exquisita seda y espléndido oro del abatido Emir fue enviada al Papa, para la basílica de San Pedro. Burgos conserva la ataviada bandera del Rey de Castilla. Toledo, los rebeldes pendones ganados a los zurumbáticos infieles. El Rey de Navarra, las bastas cadenas que rodeaban la tienda de Alnasir, y que hoy figuran en el bello escudo de España.

En conmemoración de esta milagrosa, genuina y legítima victoria, la más soberbia que vieron los guerreros tiempos medievales, se celebra el 16 de julio la fiesta de la Santa Cruz, y como exvoto de imperecedero agradecimiento al Altísimo, unidos Alfonso VIII y el arzobispo Jiménez de Rada acordaron levantar la Catedral toledana, que hoy, con exultación, lleva 700 años revelando tan magno acontecimiento.

18. LA CATEDRAL DE TOLEDO

La bella y nobiliaria ciudad-museo, exacto y acabado compendio de lo que ha sido España, cuyas altivas murallas y elevadas torres almenadas evocan recuerdos históricos, cuyas estrechas calles, atrevidos puentes, roídas puertas, vetustos y enjalbegados edificios con heráldicos blasones, soberbios monumentos nacionales y austero conjunto embalsamado con un sabor de subyugante romanticismo, revelan arte gótico, árabe, judaico, plateresco y grecorromano, encierra una joya, honra de antiguas generaciones, que sobrevive sin envejecer, y es hogaño, igual que antaño, orgullo y loor de España, alhaja de valor inestimable que cautiva la atención de propios y de extraños: *la Catedral.*

Fue erigida por Fernando III, el Santo, en cumplimiento del voto que hicieran el arzobispo Jiménez de Rada y Alfonso VIII con motivo de la batalla de las Navas.

De arquitectura gótica, eleva su berroqueña torre donde se alzaba la derribada mezquita mahometana.

Verdaderas caravanas de fervorosos visitantes del orbe entero pasan diariamente los umbrales de sus esbeltas puertas.

Consta de cinco extensas naves. El exterior del altar mayor está decorado con labores ojivales. El presbiterio y las naves bajas son del siglo XIII. El «Transparente», churrigueresco. La Puertallana, neoclásica. El «Ochavo», grecorromano, con pavimento marmóreo. Notabilísimas, las rejas en hierro y bronce.

Afamados historiadores y arqueólogos españoles y extranjeros convienen en calificar de maravilloso cuanto encierra la gran Basílica toledana. El crucero, las vidrieras, los atriles, las estatuas yacentes, los relieves, el vestuario: todo es valioso, artístico, decorativo.

Cautiva al observador el embellecimiento de los muros, ornados de magistrales cuadros y enriquecidos con pinturas murales, debidas a los más eximios artistas. Se contemplan con embeleso la venerabilidad de sus reliquias y las innumerables y esplendorosas joyas que se exhiben a diario al público.

Bajo las bóvedas de la que fue gran aljama reposan las cenizas de esclarecidos varones, de personajes ilustres oriundos de Toledo, de reyes y de santos.

Honda devoción y acendrado cariño siente el pueblo toledano hacia su excelsa patrona, la Virgen del Sagrario, que está expuesta a la veneración de los fieles en una capilla de la Catedral.

En una sola visita, es imposible hilvanar ni coordinar con justa exactitud ante el espectáculo de tanta maravilla, turbados por la excesiva emotividad que embarga forzosamente a los que ven por vez primera la Catedral Primada de las Españas.

19. EL ACUEDUCTO DE SEGOVIA

Entre las bellas fábulas y leyendas que conservan los segovianos, descuella la que encabeza este ejercicio ortográfico.

Una bonita jovenzuela que vivía con su madre y su tío, fervoroso presbítero, ayudaba a las labores de su casa.

Cierta tarde en que la doncella bajaba a la fuente del Azoguejo, harta de recorrer aquel trayecto bajo el peso de la vasija que apoyaba en la cabeza, y abrasada por los rayos de Febo, ofreció su alma al diablo si hacía subir el agua hasta el aljibe de su hogar. Al desandar nuevamente el camino, turbada y avergonzada por su ligereza, oyó una extraña y abemolada voz, avisándole que al amanecer se habría realizado el prodigio. Apenas asomó la noche, una borrasca sumió en pavoroso espanto a los habitantes. Horripilantes centellas acribillaban, con sus reverberantes exhalaciones, las rocas que el huracanado vendaval arrastraba con incontenible actividad, hacinándolas para formar el puente portador de agua.

El venerable sacerdote pidió indulgencia al Omnipotente. Cuando alboreaba, entreabrióse la tierra, y Satanás, que se jactaba de la hazaña, recreándose en su obra, hubo de hundirse súbitamente en los abismos, vomitando improperios.

¡Le había faltado tan sólo una piedra para terminar el acueducto y adueñarse del alma de la niña!

20. CRUCIFIXIÓN DE CRISTO

Obedeciendo a un acuse de pravedad inaudita, fue Cristo expoliado, a ultranza, de la hopa de basta crehuela por soeces y hampones esbirros para ser verberado o vapuleado acerbamente con bárbaros rebenques, y, en su incivilidad, con extrema ironía y sevicia, le coronaron de espinas.

Lleno de graves erosiones y heridas, exhibiendo la sangre coagulada que a borbotones había brotado de sus venas, hostigado y ensalivado su flavo rostro por un hatajo de hidrófobos y desalmados sayones, va camino del Calvario el Redentor del Mundo, arqueados los hombros bajo el pesado madero de la Cruz, con una inscripción que dice INRI (Jesús Nazarenus, Rex Iudeórum —Jesús Nazareno, Rey de los Judíos—).

Es el hijo del Supremo Hacedor, que, omnisciente, se ofrece en holocausto para salvar al género humano.

Ya en el Calvario, la horda de alarbes heterodoxos, con befa y holgorio, abre un orificio en las extremidades de aquel cuerpo exangüe, y, mientras unos entiban tras el madero, otros llegan a la transverberación o transfixión, clavando, salvajes, los miembros engarabitados por tan violento dolor.

Con gran behetría, irguieron la Cruz en que gravitaba el cuerpo de Dios, mientras arreciaban las burlas o pullas mordaces de la repugnante balhurria, que espoleaba, abucheaba y escarnecía sin aprensión al Salvador.

Para apagar su sed, le dieron los beocios deicidas salmuera u oxalme, a la vez que vociferaban: «¡Si eres Hijo de Dios, baja de la Cruz!» En cambio, Cristo invocaba al Creador diciendo: «¡Perdónalos, Señor, que no saben lo que hacen!»

Aquel sagrado cuerpo desvaído, inerte y próximo a una paraplejía, sin un mohín de odio hacia sus venales y botos verdugos, expiró ante la hosca turba alienada de irritados herejes que, hipnóticos, se estremecieron de helor y llenaron de cerval pavor cuando se obscureció el cielo, tembló la tierra desolada y se rasgó el velo del Santuario.

21. LOS REYES CATÓLICOS

Desdichada herencia la que recogió Isabel I de su deshonrado hermano Enrique: la Corte, convertida por su pravedad y corrupción en un burdel; desbordadas las pasiones en todos los bandos; estragada la moral; el Tesoro, en bancarrota; abusiva conducta de los ambiciosos cortesanos de basta epidermis, taifas continuadores de la obra revolucionaria del levantisco arzobispo Carrillo, traidores los más, que amparaban a la Beltraneja, fruto de las liviandades de la mujer de Enrique IV con Beltrán de la Cueva. ¡Repugnante espectáculo! Sin embargo, gracias a Isabel, de varonil fortaleza y rígido carácter, raro en su sexo, dio comienzo en los Reyes Católicos el excelso reinado que abrió a España las puertas del poder mundial, innovando con habilidad innegable y con sabias medidas coercitivas los corruptos hábitos, y colocando bien erguido el pabellón nacional con dos gloriosos hechos que admiraron al Mundo: el descubrimiento de América y la expulsión absoluta de los musulmanes de la tierra hispana.

Nació Isabel I de Castilla el jueves 22 de abril de 1451, en Madrigal de las Altas Torres (Ávila). Pasó los juveniles años, junto a su madre, en el castillo de Arévalo, donde compartió sus juegos infantiles, en estrecha amistad, que duró toda la vida, con la vivaracha niña Beatriz de Bobadilla, hija del gobernador de la fortaleza.

Casó con Fernando V de Aragón, sirviéndoles constantemente de divisa el «Tanto monta, monta tanto, Isabel como Fernando», que equivalía a otorgar iguales atribuciones a ambos cónyuges.

La solemne boda se llevó a efecto en Valladolid, en casa de Juan Vivero, el miércoles 18 de octubre de 1469, en el mismo lugar donde se conocieron ambos Príncipes, mansión en la que se albergaba Isabel. Bendijo la unión el muy intrigante arzobispo primado Alonso Carrillo de Acuña, el mismo que, ensoberbecido, amenazó después a los Reyes con arrebatarles el reino y, palabras textuales, «hacer volver a hilar la rueca a la Reina».

Abatieron sin vacilaciones a la inficionada Nobleza y acabaron con el bandidaje. Obtuvieron bravamente la victoria decisiva sobre Boabdil en Granada, último baluarte o alhorma de los moros, y protegieron a Colón.

Alma, la de Isabel, enriquecida de virtudes e inclinada a la bondad hacia el prójimo, sufrió enormemente con la muerte de sus dos hijos, con los devaneos de su esposo y con las desavenencias que surgieron en el hogar conyugal de su otra hija doña Juana.

En los postreros instantes, recibió con fervoroso anhelo los Sacramentos, y, devorada por la fiebre, expiró en noviembre de 1504, en la Casa Real de Medina del Campo.

Sus restos, así como los de su augusto esposo, yacen en la capilla real de la Catedral de Granada.

Don Fernando falleció de un ataque de hidropesía, el 23 de enero de 1516, después de haberse casado nuevamente, a los cincuenta y tres años, con doña Germana, condesa de Foix, que rayaba en los diecisiete.

22. LA CARIDAD

Así como el Jueves Santo es el día del «Amor Fraterno», la festividad de la Eucaristía o Corpus Christi ha sido instituida como «Día Nacional de Caridad» para reavivar el sentimiento de la más hermosa de las virtudes teologales. Ella es base de la vida cristiana; en su observancia, está compendiado el Decálogo: «amarás a Dios sobre todas las cosas y al prójimo como a ti mismo».

La Caridad exige la práctica de las obras de misericordia: ayuda a los pobres, a los enfermos, a los que carecen de vivienda y de higiene, a los que visten harapos, a la vejez desamparada, a los inválidos, a los desvalidos y a los que tienen hambre.

Hemos de considerar que todos somos hermanos y todos tenemos equivalente derecho para disfrutar y saborear los bienes terrenales. No es honesto, humano ni digno, que mientras unos celebran solemnes diversiones y exquisitos banquetes, hasta el hartazgo, millones de individuos pasen hambre y sufran desventuras. Privémonos de satisfacer algunos anhelos superfluos o innecesarios en holocausto del indigente.

La ejemplar y elogiosa actitud de esta conducta se expandirá velozmente y ganará adeptos que imitarán nuestro comportamiento.

Es esencial infiltrar en el ánimo de las juventudes la inexcusable obligación moral de la ayuda al desheredado y el deber de aliviar su angustiosa existencia con sujeción a nuestras posibilidades, compartiendo los caudales, las riquezas o ahorros que poseamos; pero no en forma de limosna que envilece al que la recibe y también al que la da, sino en recto y estricto cumplimiento de una justicia distributiva social que nos honre, porque nos debemos amor mutuo.

Es preciso hacer resaltar el egoísmo que supone el olvido de la aflicción y del dolor ajenos. Hay que sentir en nuestras

almas el aldabonazo que las espolee y las conmueva hondamente para así colaborar con esplendor en un benéfico auxilio de cooperación perseverante, unida a un acto de cabal
contrición, revelador expresivo de nuestro pasado olvido.

Caridad sin fronteras, universal, que atienda a las catás-
trofes, a las epidemias y a todo posible socorro en cualquier
país del globo.

Advirtamos que el óbolo dadivoso de nuestras huchas ori-
ginará el bienestar de un hogar. Veamos en el menesteroso al
propio Jesucristo y, como verdaderos cristianos, reflexione-
mos que nuestra privación o sacrificio tiene su mayor re-
compensa en el bien producido y en la alegre satisfacción del
favorecido.

23.   CARLOS I, EMPERADOR Y REY

El hijo de doña Juana la Loca, al heredar la Corona de su
abuelo Maximiliano, se convirtió en el Monarca más poderoso de la Tierra.

Cuando vino Isabel de Portugal a casarse con el César
Carlos, de Badajoz se trasladó a Sevilla, donde los novios
contrajeron matrimonio. Tanto en la capital extremeña como
en la ciudad del Guadalquivir se levantaron elevados arcos,
se adornaron espléndidamente los balcones, hubo bulliciosas
cabalgatas, divertidos saraos y alborozadas fiestas en albri-
cias en honor a los Reyes.

Isabel, que fue madre de Felipe II, falleció en Toledo, en
1539. Su cadáver ocasionó la conversión del Duque de Gan-
día (San Francisco de Borja), espantosamente impresionado
al hallarlo horriblemente descompuesto.

Ora abatido el Emperador por graves reveses, ora afligido
por acerbos dolores que le originaba el padecimiento de la
gota, imposibilitando sus movimientos con harta frecuencia,
abdicó deliberadamente en su hijo Felipe y se retiró del azaroso batallar, en 1557, al Monasterio de los Jerónimos de
Yuste, donde dejó de existir el 21 de septiembre del siguiente
año.

Desoyó las prescripciones que le privaban de los abusos
en el yantar, que le trajeron su fatal dolencia, cuyo mayor
verdugo fue el excesivo ácido úrico.

Tuvo varios hijos bastardos: entre ellos, don Juan de Austria, el héroe de Lepanto.

24. LAS MUJERES DEL «DON QUIJOTE»

Las mujeres que intervienen en la novela «Don Quijote» están pintadas con excelente verismo. Así, en Dulcinea se encarna la mujer querida, que, aunque basta, juzgamos dechado de perfecciones; en Sanchica, la joven hacendosa y humilde; en Teresa Panza, la mujer casera que se jacta de dar envidia a las vecinas; en Clara, la muchacha sin experiencia que, encendida por el rubor, se estremece oyendo bisbisar a su erubescente oído las primeras arrulladoras frases de amor; en la Duquesa, la ociosa que nada más anhela divertirse y cuyos ligeros ribetes de instrucción abarcan tan sólo cosas insubstanciales; en Marcela, la mujer libre y helada al afecto; en Quiteria, la que, enajenada de amor, verifica, a sabiendas, una boda que lleva inherentes privaciones; en Maritornes, la espléndida, pero harto hombruna; en Zoraida, tipo de belleza beréber, la que se sacrifica en aras del objeto amado; en Dorotea, la eterna víctima del desvío de un hombre veleidoso; en Camila, la hembra bella, frágil, de efluvios de simpatía y de excitante voluptuosidad; en Luscinda, la enamorada, que por obediencia derriba del corazón a su inaccesible ídolo; en Altisidora, la casquivana y amiga de bulla; en Claudia Jerónima, la atropellada y violenta; en Leandra, la que se deja embaucar por cualquier advenedizo que la emboba y desvanece con sus espurias palabras; y, finalmente, en la señora Rodríguez, la venida a menos, que no se abstiene de criticar a los mismos señores a quienes sirve.

25. LOS POBLADORES DE ESPAÑA

Resulta baldía toda labor dirigida a averiguar el esotérico origen de los habitantes de España, pues mientras unos sabios convienen en que los hispanos descendemos de Túbal, quinto hijo de Jafet y nieto de Noé, otros aseveran que provenimos de Ibero.

Cuando los hombres aborígenes habitaban todavía en cavernas, los iberos ocupaban las regiones orientales; los celtas llegaban hasta las riberas del Atlántico por las occidentales, y los celtíberos, vínculo de unos y otros, se asentaban en las centrales, subdivididos en grandes tribus y cabañas; alarbes razas belicosas que usaban el venablo, la saeta y la honda, armas ya en desuso.

Los fenicios fueron, asimismo, de los primitivos pobladores de nuestro suelo y establecieron colonias; la de más realce, su emporio, fue Cartago, la africana.

Unos setecientos años antes de Jesucristo, arribaron a España, de aluvión, una caterva de griegos, que tampoco anduvieron reacios a fundar colonias.

Doscientos años antes de la Era cristiana imperó en España la invicta Roma. La substituyen los visigodos, a los que eclipsaron los árabes con el reverbero de sus fúlgidas moharras, cuyo poderío fue desvanecido por los aguerridos cristianos.

26. LA HAZAÑA DEL «PLUS ULTRA»

A España había de estar reservada la gigantesca proeza, rayana en la epopeya, de la travesía aérea del Atlántico. Ella, como madre solícita, habría de ser la primera que lograría tan homérica hazaña, llegando allende el Océano a demostrar a sus hijas, las repúblicas americanas, que el exuberante e inexhausto vigor de la próvida Madre subsiste pujante, y así fue como, escogiendo a cuatro aguerridos y hervorosos mozos, ungidos de fe y ebrios de amor patrio, añadió orgullosa un áureo eslabón a la especiosa cadena de una gloriosa tradición secular.

En la mañana del 22 de enero de 1926, resbalaba majestuoso sobre las aguas del histórico puerto de Palos un hidroavión, en el que cuatro impávidos y vivaces aeronautas españoles de avispado intelecto: Franco, Ruiz, Durán y Rada, iban a reverdecer los laureles de antaño y a hacer vibrar al mundo con su ciencia y con su bravura.

Ante un desbordante entusiasmo, que permanecerá grabado con el buril de las hondas emociones, al isócrono ritmo de los motores y después de un vertiginoso ronroneo de la hélice, se yergue arrogante el *Plus Ultra,* en el que, desde la cabina, los avizorantes ojos de los heraldos hispanos escrutan el espacio.

Bate el viento sus alas, al accionar en un hábil viraje, y, tras ligero alabeo, va disminuyendo su volumen hasta perderse en lo infinito. En el espacio, reciben los aviadores las palpitaciones del mundo por las ondas hertzianas, que los orientan en su ruta y, sin desaliento, derrochando valor, llegan indemnes a columbrar las dilectas urbes americanas, pueblos hermanos, de habla vernácula y de idéntica historia.

En las extensas bahías del Nuevo Mundo, millares de personas se adhieren a un homenaje de bienvenida indescriptible, inenarrable, y aquella nueva savia de la vieja Madre Patria ahogó con lágrimas su exaltada emoción.

¡La España de los siglos XV y XVI no ha muerto!

27. LA BANDERA ESPAÑOLA

¡Salve, gloriosa bandera hispana; tú eres el alma de nuestras espléndidas glorias y abnegados desvelos del pasado, de nuestros vehementes afanes del presente y de nuestras legítimas aspiraciones del mañana!

La bandera es el vínculo que enlaza las generaciones de antaño con las de hogaño, y éstas con las venideras. Todos le juramos lealtad con un beso filial. Es la insignia que hermana a los habitantes de la nación en la paz y en la guerra, en el campo y en la ciudad. Bendito estandarte de amor, de libertad, de justicia y de cultura. Lábaro que prohíja al pueblo, que lo ovaciona y lo reverencia; los niños, con sus himnos; las mujeres, con su ternura, y los hombres, con su viril emoción. Al paso de la enseña vibran los corazones y se inclinan las cabezas. Es el altar de la Patria, que representa al inmaculado honor y a la gloriosa tradición.

¡Victoriosa bandera española, que desfilaste triunfante por los mares y las tierras de todas las latitudes ante el respeto y la admiración del mundo entero, yo te saludo con unción y hago voto de defenderte con mi vida para que jamás seas abatida!

28. LA EPOPEYA DEL ESPACIO

Desde los albores de la creación universal, una faz pálida, a veces oculta o semioculta por su misma sombra, ha sido testigo mudo de los destinos de la Humanidad, flotando en el vacío eterno a unos 380.000 kilómetros de la Tierra.

Para el hombre fue siempre la Luna la representación de lo inasequible hasta que los atónitos ojos de millones de seres vieron, por medio de uno de sus asombrosos inventos, la televisión, en imágenes transmitidas desde aquella ingente distancia, cómo el 20 de julio de 1969, el pie de Neil Armstrong hollaba el polvo ancestral de la superficie selenita, grabando una huella imborrable que, a manera de hito, fijaba el comienzo de la conquista del espacio.

La homérica hazaña, culminada por sus principales protagonistas: Neil Armstrong, Edwin Aldrin y Mike Collins, fue, sin embargo, fruto laborioso de un agobiador trabajo en equipo, en el que tomaron parte más de 25.000 personas del Centro Espacial John F. Kennedy, en la isla de Merrit, en Florida, y numerosas empresas colaboradoras.

A las siete y treinta de la mañana del 16 de julio —hora Houston— se cerraron herméticamente tras los tres astronautas las puertas del módulo de mando, colocado en la cúspide o vértice del gigantesco cohete «Saturno», de 100 metros de altura y 3.000 toneladas métricas de peso, iniciándose así una de las más grandes epopeyas de la Historia.

Después de muchas vacilaciones, el punto elegido para el alunizaje fue, de los cinco primeramente seleccionados, uno situado en la zona denominada Mar de la Tranquilidad.

Mientras Collins esperaba anhelante a sus dos compañeros, dando vueltas al satélite en el módulo de mando, éstos bajaban en el «Águila» o módulo lunar hasta posar suavemente, a menos de seis kilómetros-hora, las patas de titanio de este prodigioso ingenio de 16 toneladas métricas de peso, 18 motores cohete, 50 kilómetros de cables e innumerables aparatos científicos de extraordinaria precisión.

Una vez en la Luna, donde la menor gravedad hacía medio soportables los 75 kilogramos de peso del traje espacial, reduciéndoles a una sexta parte, ambos hombres volvieron a ejecutar las operaciones que hasta el agotamiento habían ensayado en el centro de habilitación, comprobando la mejor forma de andar en un ambiente enrarecido, medio ingrávido, recogiendo muestras de polvo y rocas e instalando aparatos que habrían de obtener y transmitir a Tierra datos fundamentales para un mayor conocimiento científico.

Después de dos horas quince minutos y doce segundos de estancia en la Luna, Armstrong cerró tras sí la escotilla del «Águila» y, luego de un descanso reparador y merecido, los dos héroes del espacio se elevaron de nuevo a reunirse con el tercer participante directo de la hazaña para luego abandonar la órbita circunlunar y avanzar, a velocidad de hasta 40.000 kilómetros-hora, hacia la Tierra, donde, tras horadar bajo el ángulo exacto previsto las capas atmosféricas, cayeron felizmente, sin error, en el lugar del Océano Pacífico que se había calculado.